批評と生きること

「十番目のミューズ」の未来

片岡大右

Critique et vie
Daisuke Kataoka

晶文社

装丁　川名潤

批評と生きること——序に代えて

「容赦ない批判」とその代償

批評と生きること。本書を構成する、分量も分野もまちまちな多様な文章をまとめる作業のなかで、わたしは「批評」あるいは「批判」という行為そのものを主題化し、それと「生きること」——わたしたちがこの世界のなかで生を受け、生を保ち、さらには生きるに値する充実した経験を享受することといったすべての意味において——との関係をめぐる諸問題を、書物全体を緩やかに一貫する問いかけとして提示しようと考えました。

「批評」とは何でしょうか。あるいは「批判」とは。日本語ではそれぞれ別のニュアンスを持つこの二つの言葉は、言うまでもなく西洋諸語では同じひとつの言葉です。ギリシア語のクリネイン krinein（判断する、選別する）に由来するこの語は、ふるいにかけるようにして、何らかの基準に基づき対象を選り分け、価値評価を行うことを含意している。

こうした知的営みは、もちろん、人間が日々の生活のなかで好むと好まざるとにかかわらず行うものだと言えるでしょう。その限りにおいて、批評は時代も地域も超えて、生きることを支える必須の構成要素です。しかし批評あるいは批判は、しばしば近代という時代の――さらにまた、近代性の発信地とされる「西洋」の――刻印を帯びるものとされてきました。「われわれの時代はまことに批判の時代であり、すべてはその審問に服さなければならぬ」――カントは『純粋理性批判』（第一版、一七八一年）の序文でこう述べています。やはり一八世紀の後半、ドイツの哲学者の少し前に、フランスではヴォルテールが、その新しさを古代には知られていなかった十番目のミューズとして形象化しています。「ミューズは長いあいだ九人だった。健全な批評は十番目のミューズで、ずいぶん遅れてやって来た」（『新雑纂』、一七六五年）。

批評的精神と近代とのこの結びつきは、近代がすぐれて危機の時代であることと関わっています。例えば加藤周一は、彼が編集長を務めた『世界大百科事典』（平凡社）で自ら執筆した数少ない項目のひとつ、「批評」（一九八五年）のなかで、「批評精神の歴史とは、危機的時代の歴史であるということができる」と述べつつ、ルネサンスおよび彼自身の生きた二〇世紀と並び、フランス革命に先立つ一八世紀を大きな画期として数えている。しかし批評あるいは批判と危機の関係については、別の見方も提出されてきました。有名な事例ですが、ドイツの歴史学者ラインハルト・コゼレックは、「啓蒙の世紀」に形成された公共空間における自由な批判の展開こそが、革命に至る危機を招いたのだと説いています（『批判と危機』、一九五九年）。ユルゲン・

ハーバーマスが同書刊行後ただちに指摘したように、批判から危機へというこうした因果の筋道は、決して自明のものではない（「歴史哲学の批判のために」、一九六〇年）。それでも、批評的あるいは批判的精神の活性化による既成秩序の動揺、さらには転覆を憂慮するこの種の感覚が、今日に至るまで様々な場面において、人びとに共有されているのもまた事実でしょう。

実際、批評または批判が時に帯びるこうした徹底性は、「ラディカル」を自認するデヴィッド・グレーバーのような知識人によっても懸念されています。グレーバーは、二〇一一年の「オキュパイ・ウォールストリート」への関与により活動家としての相貌に注目が集まっていた時期、米国の現代アート誌『アートフォーラム』（二〇一二年夏号）のインタビューに応えて、批判概念を綺麗さっぱり用済みにしようとするブリュノ・ラトゥール流の立場に反対しながらも、現実全体を拒絶の対象としかねない批判的精神の危うさを認めて、次のように語っていたのです。

そうですね、批判の論理をあまりにも徹底的に適用するなら、こうしたほとんどグノーシス的な現実概念を生み出すことになって、もはや「世界は間違っている」と悟るような人間になるほかなくなってしまいます。

それは知的には大変に実りあることかもしれませんが、恐るべき罠でもある。私はいつも、一八四三年のマルクスの有名な言葉を思い出します。「存在するすべてに対する容赦ない批判へ」というこの言葉は彼が二五歳で書いたもので、この年齢にはふさわしい。自分ももっと若い頃にはこんな風に考えていましたが、今はこうした容赦なさには代償が伴うと感じています。[*1]

「容赦ない批判」に伴う代償、それこそがわたしたちの生、生きることにほかなりません。批評あるいは批判は、真に生きるに値する晴朗な未来を開くための道具であるというまさにそのことのために、今ここで営まれている人びとの生を、生きるに値しない何かとして退けてしまう。実際、批評と生きることの関係は、まずは不幸な対立として現れるように思われるのです。批評という行為が前提とする対象との距離は、当の対象をそのうちに含んで広がる生きとし生けるものたちの空間の外部へと批評する者を追いやり、批評する者はそれゆえ、自らが身を置いている社会のうちなる異質な存在として、当の社会のなかで生きることをやめる――あるいは禁じられる――ことになるのですから。ここで加藤周一を再び取り上げるなら、彼は批評的精神と生きることとのあいだのこうした緊張を、はっきりと自覚していました。

加藤は、破局的な戦争へとのめり込んでいく自国の社会に対して鋭い批評意識を保っていた青春時代を振り返りながら、彼の明晰が同時代の社会を生きることとの拒絶によって可能になっていたことを認め、さらにこうした性向が、戦後に旺盛な批評活動を展開した彼の基本的なあり方を予告していたものと考えて、このように記しています――「私はそもそものはじめから、生きていたのではなく、眺めていたのだ」(『羊の歌』、一九六八年)。

付け加えて言うなら、社会の全体を、あたかも自分自身はその内側に存在していないかのように眺めることは、単に水平的な距離ではなく高みへの上昇を必要とします。加藤はこの点を自覚し、一九五四年には同じことを「高みの見物」として定式化していますが（「高みの見物について」）、言うまでもなくここには、それなりの程度の自虐が含まれている。自らの批評的診断に一定の自負を持ちながらも、それが生きることからの隔たりによって可能になっていること、それゆえ現に生きている人びとによって構成される社会に対して異質なものにとどまるだろうことへの苦い意識が、彼にこのような屈折した表現を選ばせているのです。

しかしそれでは、世の中の論評だけで満足するのをやめ、自らそのただなかに身を投じて行動するなら、ひとはそうした「高み」から降りることができ、人びとともに生きることができるのでしょうか。かつてカール・マルクスは、世界を「解釈」するのに甘んじることなく、それを「変える」ことの重要性を説いたものです（「フォイエルバッハに関するテーゼ」、一八四五年）。しかし特定の原理に基づく世界変革の努力は、批判と生との関係をいっそう悲劇的なものにしかねません。現存の社会秩序全体を一枚岩の抑圧的なシステムとみなして、その全面的な転覆

＊1　ここでのグレーバーの発言は、十年ほど前の理論的著作『価値論』（二〇〇一年）の記述を踏まえている。日本語版（藤倉達郎訳、以文社、二〇二二年）五八頁および四〇〇頁を参照。なおマルクスの言葉の出典は一八四三年九月の友人アーノルド・ルーゲ宛書簡で、両者の共編により最初の一号だけが出た『独仏年誌』（一八四四年）に掲載された。

による「解放」を企てる努力は、現に営まれている人びとの生から生としての価値を剝奪するとともに、未来に向けての活動に身を捧げる当人の生をも抑圧せずにはいないからです。

デヴィッド・グレーバーは、マルクス主義者に典型的なこの旧来の活動家文化をなんとかしようとして、解放的な未来社会を展望するのであれば、「あたかもすでに自由であるように」行動しなければならないのだと強調しました（『デモクラシー・プロジェクト』、二〇一三年）。同様に、彼は過去または未来に見出される理想とされてきた――それはすなわち、現在の生はこの豊かな共生と協働の可能性を奪われた不幸なものにすぎないことを意味します――「コミュニズム」を、現在を含めた歴史上のあらゆる時代における人類社会の必須の構成原理のひとつとして捉え直し、「基盤的コミュニズム」という再定式化を提唱したことで知られています（『負債論』、二〇一一年）。ただちに了解されるように、このような主張は、混じり気のない純粋なコミュニズムが達成され、真の解放が成就する約束の時の可能性を、綺麗さっぱり退けることにつながります。彼自身が繰り返し嘆いていたことですが、ラディカルな活動家の一面を終生保持しながらも、グレーバーの所説が少なからずの革命志向の活動家たちを失望させ、大いに憎まれてきたのも無理はありません。没後刊行の『万物の黎明』（二〇二一年、D・ウェングロウとの共著）に至るまで一貫しているこのような姿勢を通して、彼は批判と生きることを、想像的な過去においてでも絶対的な解放の未来においてでもなく現在において、結び合わせようとしたのだと言えるでしょう。

生きることの活性化としての批評

もちろん、現在の現実を拒絶しないということは、現状維持のために主張されているのではありません。むしろグレーバーによれば、現在の現実のうちにあまりにも堅固で逃れがたい構造を認めることは、当の構造を解体するための革命的努力に向けて人びとを活気づけるというよりも、単に希望を奪うことにつながってしまう。ニカ・ドゥブロフスキーとの共著になる韓国映画『パラサイト』のレビューでは、こうした逆説が指摘されつつ、批判の役割の再定義が試みられています。[*2]

「『パラサイト』はそれ自体が驚くべき建築作品であり、独特のあり方で実に美しい」――このように述べることでポン・ジュノ監督作品の傑作性を認めながらも、グレーバーとドゥブロフスキーは、自由で創意に満ちたもののように見えた貧しい一家の企みが、結局は彼らを既定の役割へと押し戻すことで終わるという、いっさいの希望の余地を残さないこの作品の展開に不満げな様子です。彼らはその不満の因って来たるところを説明して、ここには「社会批判の

*2　「『パラサイト』はなぜ社会的不平等を描いた映画ではないのか――神の建築とクレイジーキルト」片岡大右訳、以文社ウェブサイト、二〇二〇年八月三日。なお以下の論述には、この翻訳の冒頭に置かれた「批判、構造、希望――訳者まえがき」の内容の一部が組み込まれている。

外見」が見出されるにすぎないのだ、と述べている。どういうことでしょうか。

批判はしばしば、何らかの全体的な構造の析出と結びつけられます。個々の事象の表面にとどまることなく、その基盤をなす大きな枠組みを露呈させること。たしかにそれは、批判の重要な役割のひとつでしょう。それではグレーバーとドゥブロフスキーは、『パラサイト』が構造の把握を不十分にしか行っていないとみなし、その点を不満に感じているのかと言えば、決してそうではありません。むしろ著者らは、この映画がすべてを厳格に構造に従わせすぎていること、そのため登場人物に自律的な——構造から相対的に独立の——行動の余地をまったく残していないことをもって、批判の不足とみなしているのです。

批判は、単なる構造の暴露にとどまっていることはできない。批判にはまた、堅固なものに見える構造のそこここに余白や空隙を探り当て、人びとが自律性を発揮することで新しい何かを生み出していけることを——つまり希望の現実性を——示唆することができる。そのとき、わたしたちが生きる社会は、緊密に設計された単一の構築物というよりも、多様な人びとの声が織りなす乱雑で、豊かで、自由なクレイジーキルトのような何かに見えてくるだろう。

著者らはこうした立場から、富裕な一家の豪邸と貧しい一家の半地下という居住空間がすべてを規定しているかのような『パラサイト』の内的論理のうちに、ピエール・ブルデューの理論に通じるあまりにも厳格な空間的決定論を見出しています。構造のなかで割り当てられた機能を遂行する存在へと人間を還元してしまう傾向がある。それに対して著者らは、こうした理論には、ミハイル・バフチンがドストエフスキー研究のなかで展開した対話理論を参照し、作中人物たちの発話は作者が構築したひとつの構造に従うことなく「それぞれが独立した宇宙」となりうることを強調して、次のように述べるのです。「登場人物の非常に多くがまったく断固として独自の存在となって、彼らそれぞれが少なくとも潜在的にはただ自分だけでひとつの宇宙を体現している時に、批判的な質が生じるのだ」。

バフチンの対話理論は、今日では文学研究の分野にとどまらず、教育や精神医療など、様々な分野で注目され応用が試みられています。彼の理論は、人間を――どんな脆弱さや困難を抱えていようとも――独立したひとつの声を発しうる存在として認めるとともに、そうした独立性は最初から対話的関係のなかに組み込まれていること、むしろそうした対話的関係によってこそ可能になっていることを説いている。バフチンにあっては、対話することはそのまま、生きることと重なり合っているのです。[*3] こうして見るなら、バフチン的意味での対話関係を表現するところに「批判的質」を見出すというグレーバーとドゥブロフスキーが、批判あるいは批評を、生きることとの関係で捉え直していることがわかるでしょう。

ここで興味深いのは、先ほど引用した『アートフォーラム』での発言とは異なって、この『パ

＊3　桑野隆『生きることとしてのダイアローグ――バフチン対話思想のエッセンス』岩波書店、二〇二一年。

ラサイト』論では問題は批判の過剰というよりも批判の不足であるとされていることです。十分に展開されない批判は、現実のうちに単一の、ほとんど逃れがたいもののように思われる構造を見出して終わる。しかし批判の作業をより発展させるなら、そうした構造は現実を隙間なく支配しているわけではないこと、それゆえ人びとには自由の余地が残されていることが明らかになるだろう、というわけです。このように捉え直すなら、批判または批評は、現在の生を押しつぶすのではなく、それが現に持っている力を正当に認めるとともにいっそう活性化させる方法として理解されることになります。

「強化された個人的経験」としての作品経験

グレーバーとドゥブロフスキーであれ、バフチンであれ、映画や小説というフィクション作品の登場人物をあたかも現実の人物であるかのようにみなし、芸術批評と社会批評の境界線をまたいだ議論を展開しています。実際、作品を対象とする批評においても、問題になるのは同じ、高みに立つことと生きることのあいだの緊張にほかなりません。何らかの原理に立脚して作品全体を見下ろし、特定の枠組みを当てはめることは、そうした枠組みからはこぼれ落ちるもののすべて――その作品の生そのもの――から価値を奪い去ることにつながってしまう。

こうした種類の批評は、特にいわゆる「エンターテインメント」に分類される作品に対して行われがちです。かつてテオドール・アドルノとマックス・ホルクハイマーは、近代資本主義が生み出した「文化産業」による「大衆欺瞞」を論じました（『啓蒙の弁証法』、一九四七年）。今日におけるこうした議論の後裔は、ポピュラーカルチャーの産物のそこここに「新自由主義」的な世界観・人間観の正当化を見出していくたぐいの批評だと言えるでしょう。そこに一定の啓発的な意義があるのは疑いえないことです。それでも、そうした批評が時にある種の傲慢な裁断の印象によって受け止められることにも、それはそれで一定の理由があると言うことができる。

というのも、米国産の映画やテレビドラマであれ、日本のテレビアニメやマンガであれ、それらが巨大な商業的成功を果たして世界の共通文化を形成している現実を前にして、そうしたものはまったく、新自由主義段階の資本主義による惑星規模の大衆馴致でしかないと考えることはなかなか難しいからです。商業主義的な諸々の限界があるのはたしかだとしても、それにもかかわらずこうした巨大な成功の背景にはやはり、国境をまたいだ人間本性に訴える何かが見出されるのだと認めることから始めるべきでしょう。広義の芸術批評を収めた本書の第二部の大部分を占める、多少とも長い三つの論考がいずれも、米国と日本のポピュラーカルチャーの諸作品を対象としているのはこうした理由に拠っています。

第二部冒頭の『ゲーム・オブ・スローンズ』論でも取り上げたように、フランスの哲学者サンドラ・ロジエは、目覚ましい質的向上を遂げた連続テレビドラマ（とりわけ米国産の）を、二十世紀における映画を引き継ぐ「二一世紀の哲学的芸術」と評しています。そんな彼女が、かつてのアドルノ流の文化産業論やその後裔と言うべきタイプの批評とはっきりと距離を取っているのは言うまでもありません（『連続ドラマのなかの人生』、二〇一九年、序文）。

「大衆（マス）」文化（カルチャー）とは視聴者を疎外し、操作し、中毒化するものだとみなすたぐいの見方ほど、ここでのわたしの作業と無縁なものはない〔…〕。批評という外見のもとに、そこにあるのは一般の人びとに対する侮蔑的姿勢であって、この姿勢が根本的に反民主主義的なのは、そこでは「批評家」自身はこうした疎外を共有していないということが前提とされているからだ。ポピュラーカルチャーを真剣に受け止めるというアプローチが持っている力は、一般の人びとはただ大人しく操作されたりしないだけの知性の持ち主だと考えるところにある。ポピュラーカルチャーはわたしにとって、マスカルチャーではない。グローバルで画一的な資本主義によって生み出され、まったく当然に社会批判または経済批判の分析対象となるような、マスカルチャーではないのだ。

第二部の第三の論考である『鬼滅の刃』論で説いたように、ロジエのアプローチは日本のマンガ文化を論じる際にも示唆するところが大きいとわたしは考えています。つまりテレビドラマであれマンガであれ、それらのなかの優れた作品は、何か出来合いの概念図式によって裁断されるような――少なくともそうした扱いのみによって片付けられるような――客体ではもはやない。むしろそれらの作品に「内在する知性」から、わたしたちは多くを学ぶことができる。『ゲーム・オブ・スローンズ』がマキァヴェッリ流の政治的リアリズムを前景化することで始まりながら、そうした「レアルポリティーク」の限界をそこここで問い直していったように、また『鬼滅の刃』が「ケア」や「エンパシー」といった概念が注目を集めるなかで読まれ（見られ）ながらも、それらの主題と殺しの主題を時に穏やかならざるやり方で絡み合わせ続けたように、そうした作品は批評家や学者が既存の概念を一般向けに説明するのに都合がよい「事例の宝庫」を提供するだけの存在ではなく、むしろある概念を具体的な生のなかで展開させた時に生じるだろう困難や意想外の帰結を描き出すことで、読者や視聴者を決定的な答えのない問いかけの経験へと導き入れるのです。

作品経験はわたしたちの日々の生活の一部をなし、生きることの経験とわかちがたく結びついている。そしてわたしたちが「実生活」を通して得た知見を基準として作品を鑑賞し判断を下す以上に、作品経験から得たものがわたしたちの日々の生を豊かに照らし出すことも決して珍しくはない。ロジエが『ゲーム・オブ・スローンズ』に限らない連続ドラマの経験を、「強化された個人的経験」と呼んでいるのはそのためです。

批判／批評をめぐる二つのアプローチ

さて、先ほどグレーバーの批判ないし批評理解を検討した際、わたしたちはそこに二つのアプローチの併存を見出しました。「容赦ない批判」の過剰さを警戒するのか、それとも、そうした批判は不十分な、あるいは欠陥を抱えた批判にすぎないとして、批判を再定義するのか。

グレーバーは先ほど引いた二〇一二年のインタビューで、どんな社会も複数の原理の混淆からなっていることを説いたマルセル・モースの思想を紹介したのちに、「そこから出発して考えるなら、批判の本質とはシステムの全体性を暴露することでは**ない**ことになる」（強調原文）と述べ、全体性を相手取るマルクス的批判とは異なるモース的批判の可能性を示唆しています。とはいえ、グレーバーは批判の再定義をめぐるこうした議論を、それほど理論的に追究してきたとは言えません。[*4]

こうした批判の二類型をめぐる考察を真正面から展開したのが、フランスの社会学者リュック・ボルタンスキーです。彼は批判をめぐるこれら二つのアプローチの双方に順を追って深く関わったのち、やがて両者の調停を模索し、その理論的成果を『批判について』（二〇〇九年）と題する著作にまとめている。私見では、批判または批評をめぐる思索にとって、これほど有益な著作はありません。

ボルタンスキーは、一九六〇年代から七〇年代にかけ、ピエール・ブルデューの研究グループに身を置いていましたが、やがて師の「批判社会学」とは袂を分かって、八〇年代を通し、彼自身の研究グループにおいて「批判の（プラグマティック）社会学」を探究するようになりました。ボルタンスキーによればブルデューの社会学は、社会全体を見下ろし支配と被支配の構造を暴き立てる力——それこそが批判の力能です——を自派の社会学者に認める一方、日常を生きる人びとを単に構造によって規定され、それによって動かされるだけの存在とみなすことで、彼らから自律的行為の余地を奪ってしまう傾向がある。

まさにグレーバーがマルクスを引きながらその負の側面を懸念した「容赦ない」批判の典型と言うこともできますが、八〇年代のボルタンスキーは、ブルデュー派から一線を画して「ほどほどの」批判を掲げたのではなく、別のかたちで批判を捉え直していきました。彼の研究グループが発展させた社会学においては、日常を生きる人びとは誰もがアクターであり、日々直面する様々な問題を解決すべく、社会を構成する複数の原理のあいだを行き交いながら、交渉

＊4 『価値論』（二〇〇一年）第七章では、資本主義に対抗可能な原理を現存の諸社会に見出そうとするモースの努力が「ひとつの資本主義批判」であるとされ、モースの「そうした諸々の批判」と、それらを「プチブルジョワ」的だとして退けるマルクスの批判の徹底性が対比的に取り上げられている。しかし同書は全体としてはマルクス的思考形態を指して「批判」の語を用いており、批判の二形態の対照という論点は決して目立っていない。日本語版の該当箇所がモースの「諸々の批判 such critiques」を「そのような評論」と訳しているのは（前掲書、四〇〇頁）、その意味では無理からぬところがある。

を行うものとされる。垂直の高みからなされる構造の暴露ではなく、水平的な関係のなかでのこうした営みを批判として再定義することで、ボルタンスキーは人びとの日常的な生の側へと批判を引き寄せようとしたのです。

一九九一年の『正当化の理論』に結実するこうした批判概念の捉え直しの意義は、今日なお失われてはいません。しかしボルタンスキーは、九〇年代半ば以降にブルデュー派の社会学の一定の再評価へと転じ、それと自らの社会学の調停を課題とするようになる。冷戦終焉後に顕在化した現代資本主義の活力とそれに伴う経済的格差の拡大が、大きな構造的枠組みを大上段から捉えるたぐいの批判を再評価する必要性を実感させたからです。

実際、たとえ人びとの日々の生からいったん離れることになろうとも、全体を把握する試みの必要性は否定しようもありません。ボルタンスキーは、日常のなかで誰もが行使しているプラグマティックな批判的営みに注目する自らの社会学理論の成果を擁護しながらも、こうした批判が与えられた状況の枠内にとどまりがちだという限界を持つことを率直に認め、それに比べると、全体を見下ろす観点に立つ「批判社会学」のほうが、所与の現実の相対化を促すことで、人びとに現状を打開するためのいっそう大きな活力を与えることができた側面があると論じています。加藤周一の「高みの見物」にしても、戦時中に学生またはそれに準じる無力な立場であり、戦後は著名だとは言っても言論の徒にすぎなかった彼にとって、また彼の著作に活気づけられながら世の中に注ぐ眼差しを研ぎ澄ましていた読者たちにとって、こうして高所からの眺望を得ることが、平地での困難な生を生き抜くかけがえのない糧となっていたことは明らかでしょう。二つの批判は相補いつつ、生きることの支えとなるのです。

「世界の不確実性をつかみ取ること」

『批判について』の著者によれば、「社会的活動は恒常的に批判的なものではないし、そうであることはできない」。むしろ、社会をなして生きるなかで、人びとは少なからずの時間を「実際的」な態度で、つまり争点を顕在化させないように配慮しながら過ごしている。これはこれで、日々を生きるための重要な知恵であるのは間違いありません。けれども、そうして共有される社会的構築物としての「現実」は、本質的な脆弱さを抱え込んでいる。やり過ごしてきた不安の種が耐え難いほどに大きくなるなら、そんな現実の輪郭は揺らぎ、「世界」が垣間見られることになります。

「生の流れ」とも言い換えられる世界、この絶えざる変化の場は、滞りのない平穏な生活にとっては脅威と言えるかもしれません。けれども、時として、わたしたちがそのなかを生きる現実のほうこそが、わたしたちの生を抑圧し、生きることの実感を奪い去る暴力的な環境として感じられることがある。そうした際には、「ラディカルな不確実性」の場としての世界に、ひとときを身をさらすことが役に立つかもしれないのです。「批判は、世界の不確実性をつかみ取ることで、秩序維持の諸装置を恒常的な脅威にさらしていく」――ボルタンスキーはこのように、批判または批評の営みの最もラディカルな局面に光を当てています。とは言えもちろん、脅威の全面化は避けられなければならず、やがては相対的に安定した現実が回復されなければならない。この修復や改善、調整の作業もまた、批判の役割にほかなりません。こうして批判または批評は、社会をなしながらも単独的な生を生きるわたしたちが抱える根本的な緊張に根ざした営みとして、生きることそのものをひとつならずのやり方で支えているのです。

批評と生きること　目次

第一部 デヴィッド・グレーバーを読む

第二部

作品とともに生きるための批評

第三部

批評／批判と社会的なもの

第四部 日本とアジアをめぐる問い

第五部 歴史のなかの生

第一部

デヴィッド・グレーバーを読む

はじめに

第一部には、わたしがこれまでデヴィッド・グレーバーについて書いてきた文章のうち七編を収めています。そのうち五編が書かれた二〇二〇年は、日本のグレーバー受容において格別の意味を持った年となりました。というのも、第一に、日本では国際的ベストセラー『負債論』（原著二〇一一年）の翻訳が二〇一六年一一月に刊行されたものの（酒井隆史監訳、高祖岩三郎・佐々木夏子訳、以文社）、他国と比べるならさほどの反響を得ずに終わる一方（この相対的な不発はそれ自体が興味深い分析の対象となるでしょう）、次なる話題作『ブルシット・ジョブ』（以下『ＢＳＪ』）の議論は原著刊行の二〇一八年から一般向けのメディアで紹介されて大きな注目を集めており、その『ＢＳＪ』が満を持して刊行されたのが二〇二〇年七月末のことでした（酒井隆史ほか訳、岩波書店）。第二に、この『ＢＳＪ』刊行に先立つ同年春、わたしが翻訳した初期著作、『民主主義の非西洋起源について――「あいだ」の空間の民主主義』（以文社、二〇二〇年四月）が刊行されて期待以上の話題を呼ぶほか、折しも世界に混乱を引き起こしていた新型コロナウィルス下の状況におけるケア労働再評価の機運と結びついて、『ＢＳＪ』の主張がさらなる脚光を浴びるに至ったという巡り合せがあります。しかし何と言っても、第三に、こうして現代を代表する知識人のひとりとして認知され始めた矢先、グレーバーが五九歳にして世を去ったこと、この衝撃的な出来事が、りません。

彼の残した仕事にいっそうの関心を掻き立てることになったという事実を挙げなければな

最初に掲げた「未来を開く」は、『BSJ』日本語版刊行直後の二〇二〇年八月上旬に雑誌掲載されたものです。以後の仕事への期待を込めつつ、グレーバーの諸著作の主要な論点を紹介したこの論考は、翌月にはたちまち、急逝した知識人の最初の遺産目録のような何かとして読まれることになりました。例えば、当時『朝日新聞』論壇委員だった政治学者の三牧聖子氏は、同紙上で本論考を次のように紹介しています。「『負債論』などで知られ、今月急逝した人類学者グレーバーの思想を、翻訳を手掛けてきた筆者が解説。資本主義社会の矛盾を鋭く洞察しつつ、立場や主義の差異を超えた人間の共通性を信じ、その解放を希求した様が見事に描き出される」(二〇二〇年九月二四日朝刊)。執筆も初出掲載も次の「「魔神は瓶に戻せない」――デヴィッド・グレーバー、コロナ禍を語る」よりもあとのものですが、この第一部の冒頭にふさわしいと考えた次第です。その「魔神」論考は、副題通りにグレーバーのコロナ下の発言をまとめたもので、ウェブ公開されて広く読まれました。

続いて、急逝を受けて執筆依頼された三編の追悼記事を発表順に並べています。最初のものは新聞に寄せた短い文章で、グレーバーの仕事の一般向けの要約となるよう配慮して執筆しました。文芸誌に掲載された第二のものは、突然の死をめぐる状況を紹介しつつ、国家に対する両義的な姿勢や、「脱成長」路線と距離を置いた産業社会への期待など、彼の思想の論争的側面にも踏み込んでいます。書評紙の追悼特集に寄せた最後の文章では、彼のほとんど楽観的な「民主主義的本能」と、それが困難な現実に直面した際に一転して取られる呵責ない対応に注目し、民主主義をめぐるこうした緊張と両義性は、単に彼の人となりの問題であることを超え、『負債論』を始めとする著作にも見出されるものであることを指摘しています。

最後のセクションには、急逝後一年を経て執筆され、進化生物学的アプローチとの関係に焦点を当てた「デヴィッド・グレーバーの人類学と進化論」、そしてわたしが最初に書いたグレーバーをめぐる文章である、『負債論』日本語版刊行時に文芸誌に寄せた書評を掲載しています。

本書に未収録のグレーバー論として、講談社現代新書のウェブサイトに掲載された「暗黒×IDW×海賊…「啓蒙」の後で何を信じるのか?」(二〇二〇年七月十日)と、岩波書店のnote.com上のメディア『コロナの時代の想像力』に掲載された「コロナ下に死んだ人類学者が残したもの　デヴィッド・グレーバーの死後の生」(上・下、二〇二二年十月二一・二八日)があります。前者は、執筆当時国際的な盛り上がりを見せていた「ブラック・ライヴズ・マター」運動を背景に、ニック・ランドおよびスティーヴン・ピンカーとの関係でグレーバーの「啓蒙」理解を論じたもの、後者は、芥見下々『呪術廻戦』の作中人物造形への『ＢＳＪ』の影響に言及しつつ『ＢＳＪ』批判への応答を試みる「1 『ブルシット・ジョブ』への称賛と批判」、グレーバーのアナキズム理解に焦点を当てる「2 フルタイムのアナキストは存在しない」、急逝がおそらくは新型コロナ感染によるものだったという事実をやはりアナキズムとの関係で論じる「3 突然の死の背景」、遺作の共著 *The Dawn of Everything*（『万物の黎明』と題し、二〇二三年九月に光文社より翻訳刊行）の主要な論点を、とりわけクラストルとの論争的文脈を強調しつつ議論する「4 永遠の夜明けを開く」からなっています。本書と併せてお読みいただけるなら幸いです。なおわたしによるグレーバーの翻訳には、『民主主義の非西洋起源について』、『パラサイト』論（N・ドゥブロフスキーとの共著、本書「序に代えて」ほかで言及）、〈黄色いベスト〉論（本書第三部に訳者解説を収録）のほか、「コロナ後の世界と「ブルシット・エコノミー」」（以文社ウェブサイト、二〇二〇年六月一日）、「クソどうでもよくない仕事を求めて」（ブライアン・イーノとの対談、『tattva』ブートレグ、第三号、二〇二一年十月）があります。本書と併せてお読みいただけるなら幸いです。

未来を開く——デヴィッド・グレーバーを読む

1　二一世紀の「アナキズム的転回」

十代からシリコンバレーで働き、三十代半ばで台湾のIT担当大臣となったオードリー・タン（唐鳳）は、コロナ危機に対する迅速で効果的な対応でも改めて注目を浴びたが、二〇一二年発足のオンライン・コミュニティ「零時政府g0v.tw」や二〇一四年に台湾立法院を占拠した「ひまわり学生運動」に関わってきた彼女は、独自のアナキズムを掲げていることでも知られる。「わたしは保守的アナキストです。わたしの最終目標は、階層構造をなすトップダウン式の政府すべてを消滅させること。純粋の水平主義です。たぶん生きているうちには無理でしょうが、わたしは国家とは有益な幻想にすぎないのだということを示そうと努めているのです。有益である時には使ってもいい、けれどもそうでなければ使うべきではない」（『ウォール・ストリート・ジャーナル』とのインタヴュー、二〇一九年一二月五日）。なお「保守的」とは守るべき伝統——ただし台湾における二十以上の言語のような、複数の伝統――に関わっているとのことで、彼女はまた、アナキズムという西洋由来の概念を、老子と道教の伝統と結びつけてもいる（*GovInsider*, June 17, 2020）。

自ら立法院占拠の運動に関わり、そこで自分たちがつくったフリーソフトがフランスの「ニュイ・ドゥブー」――二〇一六年にかなりの盛り上がりを見せた〈オキュパイ〉型の運動――で活用されたことを喜ぶタンではあるが（『ル・モンド』二〇一六年五月二四日）、最近のインタヴューで、先行世代のアナキストとの比較の文脈で「あなたがロンドン・スクール・オブ・エコノミクスのデヴィッド・グレーバーをご存知かどうか知りませんが」と問いかけられた際には、曖昧にそれを聞き流している（*PoliticsEastAsia.com*, July 15, 2019）。一連の運動を背景に広く読まれ発言を求められるこの著者に、彼女がことさらに関心を寄せているということはないのかもしれない。

その一方、シリコンバレーの顔役、「PayPalマフィア」のドンとして知られるピーター・ティールは、かつて『負債論』を読んでグレーバーに興味を抱き、自らイベントに足を運んで交流を持った。二〇一四年秋、ティールの著書『ゼロ・トゥ・ワン』刊行に合わせ、「未来はどこへ行ったのか？」と題して公開の対談が行われる。PayPal創業の最初の一年は弁護士を雇わないことに決めていた、なぜなら彼らはやってはいけないことを教えてくれるだけの存在だということがわかっていたからだ。そのように振り返るティールは、グレーバーの「予示的政治」

の発想をいかに気に入っているかを、本人を前に語った。「アナキストであるとは何を意味しているのでしょうか？　あたかもすでに自由であるかのように行動し始めることを。これはわたしがほんとうに、強く同意している意見です」。自由と民主主義の両立不能性の宣言によって知られるティールは、こうして享受される自由が平等に共有されるべきかどうかという決定的な点において、グレーバーと意見を異にする。それでもこうした交流は、自由志向の保守派にとってさえ、アナキストを公言するこの左派の論客のアイディアが魅力的なものに映ったという事実の証言として興味深い。[*1]

二一世紀の世界におけるアナキズム的発想の誘惑は、知的議論の場とりわけ大学においても認めることができる。二〇一一年五月、〈オキュパイ・ウォールストリート〉（OWS）の運動勃発を秋に控えたニューヨークのニュースクール・フォー・ソーシャルリサーチで、「アナキズム的転回」と題するシンポジウムが開かれた。ここではとりわけ、かつてニュースクールで教えたハンナ・アーレントの政治思想とアナキズムの親近性に焦点が当てられたことを強調しておこう。「アーレントはアナキズムの格別の友ではなかったが、ジュディス・バトラーが最近企てたように、彼女の著作は路上の政治を考え抜くために活用できるものでありうる」――主催者のひとり、哲学者サイモン・クリッチリーはこのように述べている。[*2]じっさい、保守派の論客として知られたアーレントではあるが、「非支配（no-rule）」のもとでの自由を主題化し、人間の複数性を基盤とする公共空間を論じたその議論のうちにアナキズム的次元を見出すのは決して困難ではない。[*3]

2 「アナキスト人類学」など存在しない

王道的キャリアを歩む人類学者――シカゴ大学で重鎮マーシャル・サーリンズのもとに学んだのち、現在はマリノフスキーが開いたロンドン・スクール・オブ・エコノミクスの人類学部で教える――にしてアナキズムの活動家という二重の肖像によって知られるデヴィッド・グレーバーが、二一世紀におけるこのアナキズム的転回の動向のなかで最も参照される著者であるのは言うまでもない。けれども彼は、最初期の著書を除けば、自らの研究業績をアナキズムの

＊1 ピーター・ティールとデヴィッド・グレーバーの交流については以下を参照。片岡大右「暗黒×ＩＤＷ×海賊…「啓蒙」の後で何を信じるのか？――ランド・ピンカー・グレーバーの戦争」講談社現代新書ウェブサイト、二〇二〇年七月一〇日。

＊2 このシンポジウムについては、以下での紹介を参照。片岡大右「「あいだ」の空間と水平性」、デヴィッド・グレーバー『民主主義の非西洋起源について――「あいだ」の空間の民主主義』以文社、二〇二〇年。

＊3 この点をめぐる両義性を論じたものとして、以下を参照。James Martel, "The Ambivalent Anarchism of Hannah Arendt," in J. C. Klausen and J. Martel (eds), *How Not to Be Governed: Readings and Interpretations from a Critical Anarchist Left*, Lanham, MD: Lexington Books, 2011, pp. 144-156.

名のもとに語ることには慎重であるように見える。彼のツイッター・アカウントのプロフィールには、「わたしをアナキスト人類学者とは呼ばないでください」との断り書きが読まれる。あるツイートでは、「わたしは「アナキスト人類学者」ではありません。歴史書を書く共和主義者が「共和主義歴史家」だったり、数学を研究する社会民主主義者が「社民主義数学者」だったりしないのと同じことです」と述べている（二〇一八年六月三〇日）。

たしかに彼は、二〇〇四年に『アナーキスト人類学のための断章』（高祖岩三郎訳、以文社、二〇〇六年）を書いた。けれども最近のインタヴューでは、師匠のサーリンズに頼まれてひとつの仮説として書いただけで、自分は「アナキスト人類学を発明したりしていない」し、「アナキスト人類学などというものは存在していない」と明言している（*DISENZ*, May 16, 2020）。もっとも、実際にこの本を開くなら、目次に続く端書きには、アナキスト人類学が「実際に存在せねばならない理由」を説明するという目的が明示されている（三三頁）。ある読者にツイッターでその点を指摘されて、グレーバーは「たしかに、わたしも曖昧ではありません」と認めている（二〇一二年八月二六日）。

とは言え、少なくとも『負債論』刊行とOWSの二〇一一年、つまり学問と運動の両面において世界的な貢献を果たしたこの年には、彼は前者における人類学と後者におけるアナキズムを、意識してわけていたようだ。「わたしはそれらを切り離そうと努力していた。つまるところわたしは、運動に自己のイデオロギー的志向性を押しつける前衛的知識人になりたくはなかったのである」(『負債論』、二〇一四年の新版へのあとがき、酒井隆史ほか訳、以文社、二〇一六年、五八五頁)。[*4]

すでに触れたように、まさに同じ二〇一一年の五月、ニュースクールで「アナキズム的転回」と題するシンポジウムが開かれ、ジュディス・バトラーを含む研究者たちがこの理念の学問的インパクトを率直に論じた。けれども、二〇世紀末からの十数年、まさに学者たちのこのような歩み寄りを促すに至った一連の運動に関わってきたグレーバーはと言えば、彼がこの年の七月に刊行した『負債論』において、「アナキスト」の語をただ一度だけ、それも中国の諸子百家中の「農家」を「農民知識人によるアナキスト運動」として規定するくだり(三五四頁)に書き記したにとどまる。

ほぼ十年を経た今日でも、事情は変わらない。コロナ危機のもと、欧州各国がロックダウンを敢行し、かつてなら考えられなかったラディカルな措置が施行され案出されていた今年四月、ドイツのラジオ局のインタヴューで「アナキストにとってはよい時代でしょうか?」と問われたグレーバーは、「ともあれ、多面的にものを考える人間にとってはよい時代ですね」と応じ、「ア

*4　運動における前衛の拒絶というこの点については、二〇一八年冬にフランスで始まった〈黄色いベスト〉に際しても強調されている。以下を参照。デヴィッド・グレーバー「〈黄色いベスト〉運動――私たちの足元で地面は大きく動いている」片岡大右訳、以文社ウェブサイト、二〇二〇年五月四日。

ナキスト」という立場の優位性を積極的に強調することを差し控えている（片岡大右「「魔神は瓶に戻せない」——デヴィッド・グレーバー、コロナ禍を語る」以文社ウェブサイト、二〇二〇年五月六日【本書所収】）。こうした控えめな態度をどのように考えるべきだろうか？

3 「アナキストのようなもの」であること

実のところ、アナキズム／アナキストという言葉の使用をめぐるこうした慎重さはそれ自体、彼のアナキズム理解の帰結だということができる。ここではそのことを、二〇〇九年の著作『直接行動——ある民族誌（*Direct Action: An Ethnography*）』——人類学の参与観察の方法によって書かれた運動参加の記録——の第五章第二節「アナキズムとは何か？」に即して見てみよう。

グレーバーによれば、一九世紀のアナキズム思想家たちは自分たちが独自の新理論を発明したというよりも、古くから民衆のうちに存在してきた実践の原理に名前を与えたにすぎないと考えていた（この点でアナキズムは、近代社会の説明原理であることを主張するマルクス主義とは異なる）。それゆえ「アナキスト」とは、「アナキズム」と名付けられた理論に明示的に依拠する人びとのみならず、古代中国の反乱農民や中世ヨーロッパの異端者たちのことでもありうる。しかしそれだけではない。彼によれば、人類学者たちが様々な民族集団のもとに見出してきたような、平等志向の制度や習慣や実践もまた、アナキズムとみなすことができる。

グレーバーは既存の理論と運動の伝統に敬意を払わないのではない。けれども彼にとって最も重要なのは、社会全体において実践される平等志向の生活様式であるように思われる。特定の理論や一部の活動家の実践は、一般の人びとの生活全体をより自由で平等なものにしていくのに役立つ限りにおいて意味を持つ。ところが現実の活動家集団はしばしば、このような社会の実現を約束してくれるものにはまったく見えないのだ。

少なくとも、グレーバーの修業時代の活動家たちの現実は、はなはだ悲惨なものだった。「絶対的かつ直接的な個人の解放に尽くそうというのなら、なぜ人びとを怒鳴りつけるようなやり方を固守せねばならないのか？　われわれは、誰も他人の言うことに耳を貸そうとしないような「相互非難」の社会をつくろうとしているのか？　私はあちこちの集団の会合に出るたびに、決して戻るまいと決意するのだった」（『アナーキスト人類学のための断章』一四～一五頁）。

彼がアナキズム的なヴィジョンの具現化を最初に目の当たりにしたのは、どんな活動家の会合においてでもなく、フィールド調査に赴いたマダガスカルの地方都市でのことだった。そこでは、「どのような制度的な規約も構造もなしに、共同体の合意を形成する作法」（一七頁）が実践されていた。米国に戻り、イェール大学に職を得たのち、彼はニューヨークの〈直接行動ネットワーク〉（DAN）のうちにマダガスカルでの経験と同等の実践を認めて、ようやく運動との関わりを持ち始める。それでも彼にとって、社会の全体にわたる実践こそが問題であることには変わりはない。そして社会全体が真の自由と平等に向けて歩み始める時、その動きがアナキズムの名のもとに進むことはないだろうし、いずれにせよ、それがどのような名前を持つことになるのかはどうでもよいことだ。

ある時期以降のグレーバーが、アナキストの自己規定は維持しながらもそれを彼の学問とは切り離し、それればかりか「わたしはプルードンもクロポトキンもバクーニンもマラテスタもバークマンもゴールドマンもデ・クライアーも誰も彼も引用したことがないんですよ、決して」と強弁し、「OK、クラストルなら『断章』や別のところでも一度引用しましたよ。でも彼のことは忘れた」とまで述べてアナキズムの伝統からの距離を強調して見せるのは（二〇一五年二月一八日のツイート）、こうした事情によるのだと思う。

また別の観点から言うなら――冒頭に引いたオードリー・タンに通じる発想で――、彼が国家廃絶というアナキストとしての究極目標と、さしあたりの現実的な介入との関係を柔軟に考えているということもあるだろう。彼がかねてから説いてきた普遍的ベーシックインカム（UBI）の提案は、二〇一八年の『ブルシット・ジョブ』でも改めて繰り返されているが、言うまでもなくこの給付は、国家への依拠なしには実現することができない。この点は誰にでも容易に気付かれることであって、例えば同書刊行の直前、二〇一八年三月二二日にフランスのコレージュ・ド・フランスに招聘され、「労働の有用性と無用性／ケア階級の反乱」と題して講演を行ったグレーバーは、対話者を務めた同校教授の人類学者フィリップ・デスコラからこの点について、「大衆の自発性」というアナキズム的原理と「所得再分配を可能にする制度の必要性」をどのように折り合わせるのか、と質問を受けている。そこで彼は、制度の存在自体は問題ではなく、無条件の給付は国家機関から多くの無駄な手続きを省くことになる、等々と答えているけれど、ここでは、書籍の第七章で述べられている自覚を取り上げておくことにしよう――「わたしはこの主張を、わたし自身の政治的立場は脇に置いて行っている」（原書二八二頁）。そのうえで、UBIが国家なき社会への移行をいかに促すのかが説かれるのではあるが、いずれにせよ、こうした議論が彼のような立場にとって完全に自明のものとは言いがたいことは、「奇妙にも」自分はアナキストとしてUBIを支持するという書き方（同頁）からして、はっきりと自覚されている。

国家権力をめぐる曖昧さは、コロナ危機に際しての発言のうちにも認めることができる。「アナキストにとってはまさしく、外出制限や接触禁止のような措置は普遍的自由の原理に背くものではないでしょうか？」――あるインタヴューでこのように問われたグレーバーは、コミュニティ感覚が失われているのであれば、必要な措置を「国家が引き受けなければならない」のだと答えている（前掲「魔神」）。別のインタヴューでは、「権威主義的国家のほうがうまく対応できたというエビデンスはない」として、ある研究を引き合いに出しつつ、「権威主義的かどうかは要因として不適切」であり、「重要なのは人びとが政府の声明を信頼していたかどうか」であると述べているけれども（前掲 *DISENZ*）、それは言い換えるなら、中国や韓国が採用した権威主義的な措置を脱問題化することだ。

曖昧さとも柔軟性とも言えるこうした身振りは、「わたしはアナキストのようなものなのでね」というつぶやきによって要約されていると言えるだろう。「わたしは声高にではなく、穏やかさとユーモアをもって、アナキストなんです」（前掲「魔神」）。重要なのは「アナキズム」の名を掲げた理論と運動の伝統を引き継ぐことであるよりもいっそう、この名と結びつけることもできるが必ずそうしなければならないわけではない諸々の思想と実践にかたちを与えていくことなのだと、わたしたちの人類学者は考えているのだと思う。

4「あいだ」の空間の民主主義

こうしたことを強調してきたのは、アナキズムを明示的に掲げていた初期の著作の意義を相対的に減じようとしてのことではまったくない。『アナーキスト人類学のための断章』については、フィリップ・デスコラが先述のコレージュ・ド・フランスへの招聘時の紹介動画のなかで、「大好きな本」だという同書をグレーバー人類学の本質を説き明かすものとして取り上げていることを指摘しておこう。本稿の筆者が翻訳刊行した『民主主義の非西洋起源について』についても同じことが言える。この翻訳書は、二〇〇五年にフランスの雑誌に掲載された論考を本体とするものだけれど、「アナキズムと民主主義はおおむね同じものである〔…〕──あるいはそうあるべき」（一〇頁）というそこでの主張は、今日のグレーバーのものでもあるに違いない。両者が同じものであることが十分に理解されるのであれば、わざわざアナキズムと呼ぶ必要もない、というだけのことだ。じっさい同書は、『ブルシット・ジョブ』以後にグレーバーが取り組んでいる最新のプロジェクト——考古学者デヴィッド・ウェングロウとのこの共著の企ては、後出『啓蒙の海賊』序文で、「現在流行の言い回し」を使うなら「啓蒙の脱植民地化」と呼ぶこともできると示唆されている——の端緒に位置づけられる重要な仕事で、今日に至るまでの彼の発想の根幹をなすものが鮮やかに提示されている。

ここでは、彼がアナキズムと等置しながら描き出す民主主義の実践が、とりわけ単一の共同体内部ではなく複数の共同体のあいだでなされるものだということを指摘しておこう。同書で特に重視されるのは、北米の開拓民と先住民が出会うフロンティア社会、そして多様な文化的出自の乗組員による自己統治の実験空間としての海賊船の例だ。こうした主張のために、この二〇〇五年の論考（英語原文はウェブ公開されている）は最近でも、「いわゆるインテレクチュアル・ダークウェブによる西洋礼賛への応答」として広くシェアされている（@SolarpunkAのツイート、二〇一八年七月三〇日）。

けれども、民主主義が西洋を単独の起源として持つことを否定するからといって、グレーバーは「西洋的」とされてきた思想、とりわけ一八世紀の啓蒙思想の成果そのものを退けるのではない。彼が構想する「啓蒙の脱植民地化」には、一方では啓蒙思想の純粋な西洋起源を否定し、他方ではそれが「あいだ」の空間の所産であることを強調することで改めて擁護するという二重の操作が含意されているようなのだ。今のところの最新著作、『啓蒙の海賊あるいはリバタリアの真実の歴史』[*5]の序文を参照して、その点について見てみよう。

啓蒙思想は今日、必ずしも評判のよいものではない。それは西洋が非西洋において行った途方もない残虐に正当化の論理を提供したとして、ラディカルな西洋批判者のお気に入りの告発対象となっている。「けれども、啓蒙思想に向けられる全般的な非難は、それ自体としてはむしろ奇妙なものだ」――グレーバーはこのように説く。「というのも、それが女性たち（文芸サロンの）によって大がかりに組織された歴史上最初の知的運動であること、大学をはじめとする制度の外で主として展開され、既存の社会構造全体を覆すことをおおっぴらに掲げていたことには変わりないのだから」。

しかも彼によれば、さらに重要なことがある。「そのうえ、啓蒙思想家たちの著作を検討してみるなら、彼らがしばしば明示的に、今日「西洋的伝統」と呼ばれるものの外部に発想源を得ていることを認めているのが確認されるのだ」。もちろん、例えば当時広く読まれ模倣の対象となったラオンタン男爵のカナダ先住民との対話は、今日の批判者によって、単に一西洋人が他者の都合のよい表象――「高貴な野生人」――をつくりあげて、西洋文明の理想を投影しただけのものとして理解されている。しかしグレーバーによれば、こうした理解によって、ラディカルな西洋批判者たちは逆説的にも、非西洋人が歴史に関与しえたという事実を否認しているにすぎない。ヒューロン人の首長コンディアロンクは、実際にラオンタンが報告しているようなことを語ったのであり、啓蒙思想のうちには西洋と非西洋の出会いが、「あいだ」の経験が刻み込まれているのだと、どうして認めないのか。

5 資本主義は「全体化するシステム」ではない

「あいだ」の経験を強調するグレーバーの眼差しは、ひとつの社会の統一的な輪郭と単一的な外観を解きほぐし、複数の層、複数の原理が共存する混成的な集合体として捉えなおすようわたしたちを促す。現代社会の理解に関しては、そのことはとりわけ、マルクスあるいはマルクス主義に対する修正の提案として現れている。二〇〇一年の理論的著作『価値の人類学的理論に向けて』〔日本語版は藤倉達郎訳『価値論』以文社、二〇二二年〕以来、グレーバーはマルクスの遺産をマルセル・モースの思想によって相対化することを提唱してきた。[*6] マルクス主義においては、資本主義社会は資本の論理が貫徹したものとして捉えられる。その論理を逃れら

＊5 David Graeber, *Les Pirates des Lumières ou la véritable histoire de Libertalia*, Montreuil, Libertalia, 2019. この伝説の海賊共和国の名を社名に掲げるフランスの出版社リベルタリアから、英語原書に先立ち仏語訳で刊行された〔英語版はグレーバー没後、二〇二三年一月刊〕。

＊6 このグレーバーの基本的発想を理解するための導入として、『民主主義の非西洋起源について』の付録論文「惜しみなく与えよ――新しいモース派の台頭」を参照。

れるものは存在しない。だからそこでは、コミュニズムは一方では失われた過去の理想であり、他方では未来社会が実現すべき目標である。

しかしグレーバーは『負債論』で、「すべての社会が矛盾するいくつもの原理の寄せ集めであることを認識した最初の人物」（五八二頁）であるモースに依拠しつつ、すべての人間社会に通底する「基盤的コミュニズム」を説く。どんな会社でも、同僚の相談に乗ったり手元のちょっとした道具を貸したりする時に、いちいち対価を求めるようなことはしない。そんなことを徹底していたら、業務は決して回らない。それは要するに、「各人はその能力に応じて、各人にはその必要に応じて」というコミュニズムの原理が、企業活動の現実を支えているということだとグレーバーは主張する。「ほとんどの資本主義企業がその内側ではコミュニズム的に操業していることこそ、資本主義のスキャンダルのひとつである」（一四四頁）。こうしてコミュニズムは、社会をくまなく律する単一の組織原理となる可能性を否定される一方で、過去・現在・未来のあらゆる社会を様々な度合いで支える基盤的原理として捉えなおされる。

マルクス主義的な資本主義理解への反論は、『ブルシット・ジョブ』の重要な論点のひとつでもある。とりわけ注目すべき一節を引こう。

> 問題は〔…〕資本主義の観点からは母の愛も教師の労苦も労働力再生産の手段以外のいかなる意味も持たない、という事実から飛躍して、だから母の愛についても教師の労苦につ

いても、他の観点からの理解はみな的外れで幻想的で不正確だと主張してしまうことだ。資本主義は単一の全体化するシステムではない。わたしたちの生活のすべての側面をかたちづくり包摂するものではない。「資本主義」なるものについて語ること自体に意味があるのかどうかさえ、定かではないのだ（例えばマルクスは決してそれを語らなかった）。その場合、「資本主義」という抽象的な諸理念の集合体があり、それが工場と会社のかたちを取って具体化するに至ったということになるのだけれど、世界はそんなものよりずっと複雑で乱雑なものだ。歴史的には、工場と会社の誕生のほうが先だった。誰かがそれらを「資本主義」と呼ぼうと思いつくずっと前にそれらは生まれ、そして今日に至るまで、複数の矛盾し合う論理と目的に沿って動いている。同様に、価値それ自体もつねに政治的議論の対象となってきた。価値とは何であるのかと、まったくの確信をもって言える者は誰もいない（第六章、原書二〇三頁）。

資本主義を「単一の全体化するシステム」とみなし、社会内部にそこから逃れうる場所を認めないマルクス主義の前提からするなら、母の愛や教師の労苦が真に人間的な意味を持ちうるのはただ革命後の社会においてのみ、ということになってしまう。グレーバーはこのような社会観を認めることができない。わたしたちの社会において、資本の論理が強力な作用を及ぼしていることはたしかだとしても、母の愛や教師の労苦が子どものほんとうの——というのは要するに、労働力再生産とは別の観点からの——成長を促しうることもまた、疑いえない事実だ。それではこうしたマルクス主義批判は、同書の主題とどのように関わっているのか。

グレーバーが「ブルシット・ジョブ」(クソくだらない仕事)という挑発的な表現で呼ぶのは、高収入でありながらも、当人にとってさえ社会的な意義が感じられないようなホワイトカラーの仕事で、近年ますます増殖して、従事する人びとを「精神的暴力」(第三・四章)によって苦しめているのだという。日本では翻訳刊行に先立ち、読まれずして話題になってきたせいもあって誤解されがちのように思われるけれど、グレーバーはこれらの職に従事する人びとを非難し、誰かがやらなければ社会が回らないが低処遇であることが多い職種——おおむねブルーカラーのこうした仕事を、彼は「シット・ジョブ」(クソ仕事)と名付ける(第一章)——の人びととのあいだの階級闘争を煽り立てようとしているのではない。そもそもが彼の旧友——ミュージシャンでは食べていけないので企業弁護士になったものの、まったくやりがいを感じられないことに苦しんでいる——の境遇を憂慮することから始まり(序章)、同様の悩みを抱える多くの人びとの証言を集めたこの本の創意は、こうした好条件のホワイトカラーの内心の苦しみに焦点を当て、ブルシット・ジョブとシット・ジョブのうちに「二つの深く異なった抑圧形態」(第一章、原書一五頁)を認めた点にある。彼にとって、ブルシット・ジョブに従事する人びとは、シット・ジョブに従事する人びとと同様、解放されるべき被抑圧者なのだ。現代資本主義の「勝ち組」のようにみなされる人びともまた、抑圧に喘いでいるということ。これもやはり、グレーバーが見出した「資本主義のスキャンダルのひとつ」だと言える。[*7]

そして彼らが高収入にもかかわらずこうして苦しみえていること、それこそは、彼によれば、資本主義社会と言われるわたしたちの社会においても、人びとが単一の計量可能な「価値（value）」のみに従っているのではないこと、計量不能の「価値観（values）」を大切な何かとして抱えながら生きていることを証明している（第六章、なおvalueとvaluesのあいだの緊張というこの問題設定は、『価値の人類学的理論に向けて』以来のもの）。ところがマルクス主義の体系は、このような事態を受け入れることができない。「一部の労働者は自分たちの仕事を無益だと感じているのかもしれないが、それでもその仕事は資本主義のために利益を生み出しているはずであって、現在の資本

＊7　そしてブルシット・ジョブをめぐるこのスキャンダルは、現代資本主義の長期の停滞というさらなるスキャンダルとも結びついている。前掲「暗黒×IDW×海賊」で論じたように、元SF少年としてのグレーバーには、空飛ぶ車もテレポーテーションも火星の植民地も実現させることができず、インターネット程度のものを誇っているにすぎない現代資本主義が発展を促進するシステムであるなどということは、とうてい認めることができない。こうして『ブルシット・ジョブ』では、無駄なペーパーワークを増やすばかりのブルシットなシステムを改め、テクノロジーの停滞を脱した輝かしい未来社会を開いていくべきことが展望されている。彼が新世代の論客アーロン・バスターニの唱える〈完全自動の贅沢コミュニズム〉（FALC: Fully Automated Luxury Communism）の理念を大いに気に入って、『ブルシット・ジョブ』（第七章）ほか様々な場所で折に触れ言及していることも付け加えておこう（ツイッターでの最初の言及は二〇一五年四月二日）。〔なおバスターニの著書は、のちに日本語版が刊行された。橋本智弘訳『ラグジュアリーコミュニズム』堀之内出版、二〇二一年〕

主義システムのもとでは、ただそれだけが重要なことなのだ」――好処遇のホワイトカラーの苦しみという問題提起を退けるマルクス主義者の典型的な応答を、グレーバーはこのように要約している（第六章、原書二〇二頁）。けれども実際には、高所得の人びとの少なからずは、経済的な「価値」における厚遇にもかかわらず、それとは独立した「プライスレス」（二〇四頁）な「価値観」を捨て去ることができずにいる。資本主義は決して「全体化するシステム」ではなく、それはわたしたちをまったく逃れがたい構造のうちに閉ざしているのではない。[*8] だからこそ希望はあるのだとグレーバーは言う。

6 「構造」よりも深いもの

彼が国際的な大成功を収めたポン・ジュノの『パラサイト』をさほど評価しないのは、まさにこの点に関わっている。[*9] この映画が提示する社会はあまりにも緊密に構造化され、富裕な家族と貧しい家族は完全に相いれないほとんど別の生物であるかのように描かれていて、そこにはもはや、両者が人間として共有しているはずの一般性を見出すことができない。しかしグレーバーによれば、共通の基盤を持つ平等な――少なくとも潜在的には――者たちの関わりこそが社会を可能にするのだ。

潜在的な平等者たちが織りなす集団としての社会を維持する役割は、彼の考えでは「ケア階級」に託されている。先ほど「シット・ジョブ」と記した職種はこの階級の重要な一部をなすものとされるが、ただしそこにはまた、医療者や教育者も含まれる。ケアとは何よりも、人間相互の配慮を意味している。もちろん個々の人間は、それぞれが構造の中に占める位置に応じて、多少とも異なった存在でありうる。ケアするとは、そうした相対的な違いにもかかわらず、互いを理解し尊重することでもある。この点で意義深いのは、グレーバーがすでに触れたコレージュ・ド・フランスの講演で、フランス語圏の友人に提案された「ケア階級(caring classes)」の仏訳候補のひとつとして、「エンパシー階級(classes empathiques)」という表現を挙げていること

*8 なおこの観点からすると、二〇二〇年前半に国際的な反響を得た韓国ドラマ『愛の不時着』は、ひとつの資本主義論としても興味深い作品だと言える。著名な実業家ユン・セリは、たしかに北朝鮮の人びととの出会いののちに、すべてを損得で考える典型的な「資本家」的行動様式を多少とも変化させる。けれども同時に、そのような変化を可能にするだけの何かが初めから彼女のうちにあったことは全編を通して示唆されているし、帰国後の彼女が北の人びとに自分の思いを伝え(村の女性たちの似顔絵をあしらった限定製品によって)、困難な恋を実らせる(クラシック音楽の奨学金事業を通して)のも、彼女が資本家としての成功を維持し続けたからこそ可能になったものだ。資本主義的構造は人間関係を深いところで規定するとはいえ、必ずしもすべてを決定づけるのではないというこの事実は、セリの長兄夫妻と次兄夫妻の対比を通しても示唆されている。

*9 以下を参照。デヴィッド・グレーバー&ニカ・ドゥブロフスキー「『パラサイト』はなぜ社会的不平等を描いた映画ではないのか――神の建築とクレイジーキルト」片岡大右訳、以文社ウェブサイト、二〇二〇年八月三日。

とだ。
ブレイディみかこが『ぼくはイエローでホワイトで、ちょっとブルー』(新潮社、二〇一九年)以降繰り返し強調しているように、エンパシーはシンパシーと異なって、相互の違いを前提とした他者理解に関わっている。『民主主義の非西洋起源について』のグレーバーは、平等者たちの秩序としてのアナーキーまたはデモクラシーは「西洋」のものでも非西洋のものでもなく、文明と文明、共同体と共同体のあいだの空間に成立すると論じたけれど、それはつまり、誰もが自分の靴を脱いで「誰かの靴をはいてみる」すべを学んだところに成立するということだと言いかえられるかもしれない(どうやらやはり、「アナーキーとエンパシーは繋がっている」[10])。どんな社会にも通底するという「基盤的コミュニズム」の発想もまた、立場や状況をまたいだ共通性の確信によって支えられているものだ。[11]
こうしたすべては、グレーバーが「構造」を相対的に浅いものとして理解しているという事実と結びついている。彼は「構造」の重要性を踏まえながらも、それを個々の人間を最深部で規定する逃れがたい枠組みとはみなしていないように思われるのだ。そこから、彼の議論の最初期からの主要特徴をなす、アイデンティティ政治に対する批判的距離が帰結している。グレーバーはあれこれのアイデンティティ集団間の力関係が非対称的な構造により規定されていることを重視しないのではないけれども、それがあらゆる社会的事実を支配する決定的要因だとは考えない。『民主主義の非西洋起源について』では、メキシコのサパティスタたちが他の先住民運動が忌避しがちな西洋語「民主主義」(これは征服者によって暴力とともに押し付けられた言葉なのだから)をあえて掲げ、「アイデンティティ政治の香りを漂わせるものすべてを拒絶する」(一一四頁)ことで、民主主義の「西洋」起源という通念を打破してその本来の折衷的性格を回復させたという評価がなされている。

つい最近も、米国でも英国でも勢いを衰えさせることのないアイデンティティ政治をピューリタニズムの伝統と結びつける彼の一連のツイートが話題になったばかりだ(二〇二〇年六月二八日)。イェール大学を去って英国に移ったばかりの頃、当地でアナキストたちの集会に参加したグレーバーは、議論が自分たちの特権性に思い悩む白人中産階級の活動家たちの心情吐露合戦と化すのを見て辟易する。労働者階級出身の彼にとって、そうした人びとの「ピューリタン的ナルシシズム」はまったくどうでもよいものとしか思えない。それでは、どうすればよいのか。「レイシズムやセクシズムや階級特権をモラルの観点から捉えて魂の悪しき要素とみな

*10 ブレイディみかこ「アナーキック・エンパシー」、『文學界』二〇二〇年四月号、六六頁(=『他者の靴を履く アナーキック・エンパシーのすすめ』文藝春秋、二〇二一年、三六頁)。

*11 グレーバーはそれを「愛」とも結びつけている。この主題については筆者の『負債論』書評、「愛とともに読まれるべき美しい書物」を参照(『文藝』二〇一七年春季号【本書所収】)。なお私見では、韓国KBSのドラマ『プロデューサー』(二〇一五年)は、債務関係と愛をめぐる見事な物語となっている。

すのではなく、外的な病のようなものとして再定義して、それから癒やされるならほんとうの自分になれる、と考えてみてはどうだろうか?」

こうして彼は、「クルド人たちの革命的実践」を解決策として提案する。彼らがシリア北部と北東部に維持している事実上の自治領ロジャヴァでは、ジェンダー平等の理念を受け入れようとしない男性たちに対し、「彼らの振る舞いはほんとうは彼ら自身のものではなく、知らないうちに家父長制のような構造に動かされた結果なのだ」という論理のもとに説得がなされるのだという。悪いのはそうした構造的力なのだから、それを理解しそれから解放されれば、「あなたは自分自身になることができる」というわけだ。じっさい、ロジャヴァでは純化された少数の革命集団の維持が問題なのではなく地域社会全体の生活様式の変容が目指されているのだから、一人ひとりに深い自己革新を迫り途方もない精神的努力を強いるようなことをしていては収拾がつかなくなってしまうというか、社会は変容する前に単に解体してしまうだろう。けれどもこうした相対的に気軽な自己批判の形態は、グレーバーの左派の友人たちには受け入れがたいらしい。「彼らの最初の反応は、深層の自己は罪から逃れているという考え方に対する本能的な反発だった。わたしは思った。なんてこと。キリスト教は根深い」。

7 「五万年の序文」の先の未来

構造よりも深いもの、それは要するに、一般性において捉えられた「人間（human beings）」、つまりは人間本性にほかならない。人間一般を考えるというこの姿勢は、人類学者ならではのものだとも言えるが、ある意味ではむしろ、グレーバーを人類学者中の異例な存在にしている。人類学はたしかに、彼が定義するように、「人類というものの総体を一般化しうる唯一の学問」だ。けれども同時に、それは「多くの意味で、己の潜在的能力に怯えている学問」でもある（『断章』一六四頁）。じっさい、この怯えを平然と振り払う研究態度のために、彼は同業者からの批判にさらされることになった。

ブラジルの人類学者エドゥアルド・ヴィヴェイロス・デ・カストロは、グレーバーを「オールドファッションな人類学者」の生き残りのようにみなしてその方法を問題視した。彼は非西洋の文化慣習を西洋の解釈格子で読み解いているにすぎず、それでは他なる文化集団の「ラディカルな他性」は取り逃がされてしまうというのだ。グレーバーは二〇一五年に反論を書き、ヴィヴェイロス・デ・カストロをはじめ、人類学の「存在論的転回」（ontological turn）に与する学者たち（彼は戯れに「Oters」と呼ぶ）と対比して、自己の立場を明確にしている。オーターらとは異なり、彼の関心は何らかの集団の「ラディカルな他性」を理解することにはない。彼はむしろ、他なる文化集団の他性が「われわれが思っていたほどラディカルなものではないこと」

を見極めようと努める。それにより、彼らのものの見方に触発されながら、「われわれ自身の日々の通念を問い直し、人間一般について、何か新しいことを言えるようにすること」こそが重要なのだ（*Hau: Journal of Ethnographic Theory* 5 (2), p. 6）。

人間本性に寄せるこの信頼は、グレーバーに一社会の構造の非対称的な力学を相対化させ、今日の地球上の文化集団間の隔たりを乗り越えさせるのみならず、近代以前と以後、さらには狩猟採集民の旧石器時代と農耕が開始された新石器時代以降の歴史的分割をまたいで人間一般を思考することをも可能にしている。「人間は一度たりともエデンの園に住んでいたことはないと認知して、われわれが失うものはほとんど何もない」――すでに『アナーキスト人類学のための断章』（二〇六頁）において、このような主張を読むことができる。失われた黄金時代など存在しないというのはつまり、自由と平等の完全な実現を禁じられた過去に閉じ込めることなく、歴史上の全時代を資源としながらさらなる自由と平等を求めていくことができるということだ。

すでに触れたグレーバーの最新プロジェクト、考古学者デヴィッド・ウェングロウとの共同作業は、まさにこの課題に捧げられている。彼らによれば、狩猟採集生活から農耕社会への移行による幸福喪失の物語を厄介払いすること、あるいは言い換えるなら、ユヴァル・ノア・ハラリ『サピエンス全史』（河出書房新社、二〇一六年）に至るまで繰り返される（前掲 *Disenz*）、不平等の歴史的必然を説くルソー的神話と縁を切ることこそが、未来を開くための必須の条件である。「ジャン＝ジャック・ルソーの永遠回帰」の克服を主題化した二人のデヴィッドの既発表論考から一節を引いて、本稿を締めくくることにしよう。

原初の無垢からの失墜の物語を捨て去ることは、人間解放の夢を捨て去ることを意味しない。つまり、財産権を他人を奴隷化する手段に変えることなど誰にもできないような社会、誰も自分の命や様々な要求について、そんなものはどうでもいいなどと言われないような社会を夢見ることを、諦めなければならないわけではない。むしろその反対だ。概念上の束縛を解き、そこに実際には何があるのかを認識しさえすれば、人類の歴史はかつて想像することが許されてきたよりもずっと希望に満ちた瞬間を数多く含んだ、これまでよりもはるかに興味深いものとなる（*Eurozine*, 2 March 2018）。

『民主主義の非西洋起源について』の延長線上に取り組まれるこの最新プロジェクトは、こうして人類史の始まりから説き起こしつつ、歴史上の諸時代と諸社会を貫いて存在する人間一般の秘密をわたしたちに伝えようとする。来たるべき共著書のタイトルは、『未来——五万年の序文』となることが予告されている（前掲*Disenz*）。現代社会の抱える困難に取り組み解放的な未来を模索する『ブルシット・ジョブ』の企てもまた、この途方もない野心の一環をなしているのである。

初出　『群像』（講談社）二〇二〇年九月号。

「魔神は瓶に戻せない」――デヴィッド・グレーバー、コロナ禍を語る

1「ほんとうに自由な社会」へ

デヴィッド・グレーバーは新型コロナ危機について、何を語っているのか?
本稿執筆現在、メディアを通してなされた最新の発言は、フランス発の動画ニュースサイト「ブリュット」の米国版に掲載されたインタヴューだ(二〇二〇年四月二九日)。「Brut. Japan」が翻訳字幕を付けて公開しているので(二〇二〇年五月一日のツイート)、日本語世界のわたしたちはそれを見ることができるが、ここでは冒頭部分の筆者訳を掲げよう。

わたしたちは、これらすべてが終わったのち、それは夢に過ぎなかったのだと考えるよう促されることでしょう。実に奇妙な出来事だったが、それは現実とは何の関係もない、今や目を覚まして、通常に回帰すべき時だ、というわけです。しかしほんとうはそうでは

ない。通常こそが夢だったのです。今起こっているこのことこそが現実だった。これこそが現実です。わたしたちは、わたしたちをほんとうにケアしているのはどんな人びとなのかに気づいた。わたしたちは、ヒトとしてのわたしたちは壊れやすい生物学的存在にすぎず、互いをケアしなければ死んでしまうということに気づいたのです。

上記で夢に過ぎなかったと人類学者が述べているこれまでの「通常」とは、『ブルシット・ジョブ』で執拗に記述される奇妙な現実だ。実入りのよいホワイトカラーであるほどその仕事には社会的意義がなく、そのことに自覚的な少なからずが「内心必要がないと思っている作業に時間を費やし、道徳的、精神的な傷を負っている」[*1]一方、「日々行われるケアによって社会を可能にしている人びと」[*2]は、医師のような例外を除き、不安定な低処遇を強いられがちであるという現実。グレーバーは新型コロナ危機を、何よりそうした「通常」の異常さが露呈する契機として捉え、彼が「ケア階級（caring class）」と名付ける人びとに正当な地位を回復させて新たな社会的現実を生み出すべきことを説く。

ラディカルな刷新の展望は、ラディカルな思索者の存在を必要とする。こうして求められていることへの確信を、グレーバーは別の場所ではっきりと表明している。ドイツのラジオ局「バイエルン放送」の文化番組が行ったインタヴュー（四月八日）[*3]の冒頭を引こう。

——デヴィッド・グレーバーさん、人びとは今、ホームオフィスで仕事をしています。一部には、無条件のベーシックインカムの実現可能性を思いめぐらせるひとさえいる。アナキストにとってはよい時代でしょうか?

デヴィッド・グレーバー　ともあれ、多面的にものを考える人間にとってはよい時代ですね。だって、エリートたちや指導者層は今、一種のジレンマの前に立たされているのですから。彼らはこの四十年というもの、わたしたちにはもはや新しくラディカルな発想など必要ないのだと人びとを説得することしかしてこなかった。もちろんそんな考えは間違っていたわけですが、ひっきりなしにこうしたことが主張されてきたのです。さて今、そう

＊1　「37%が仕事の意義を感じない「Bullshit Jobs」人類学者が明かす衝撃」(文＝デヴィッド・グレーバー　編集、翻訳＝フォーブス ジャパン編集部)、『Forbes JAPAN』(リンクタイズ)二〇一九年六月号(日本語版刊行前に掲載された『ブルシット・ジョブ』の抜粋記事)。ウェブ版は以下。https://forbesjapan.com/articles/detail/27585/1/1

＊2　デヴィッド・グレーバー「〈黄色いベスト〉運動——私たちの足元で地面は大きく動いている」『世界』(岩波書店)二〇一九年二月号。以文社ウェブサイトに転載されている。http://www.ibunsha.co.jp/contents/graeber01/

＊3　「デヴィッド・グレーバー、労働とコロナについて語る(David Graeber über Arbeit und Corona)」と題されたこの記事(聞き手：Ferdinand Meyen)は、下記のURLで読むことができたが、現在はリンク切れ。https://www.br.de/radio/bayern2/sendungen/zuendfunk/david-graeber-ueber-arbeit-und-corona-bullshit-jobs-dinge-veraendern100.html

した人びとは突如として、選択の余地のない状態に置かれてしまった。物事をラディカルに変えなければならない。それなのに、どうすれば変えられるのか、やり方を忘れてしまっている。だからアイディアを持った人間が求められているのです。

急いで付け加えておくなら、グレーバーはここで、ある種の特権的な知識人（例えば彼自身のような？）の必要性を強調しているのではない。市井の活動家であれ、さらには〈黄色いベスト〉の参加者のようにこれまで運動の世界とは距離を置いてきた「普通の」人びとであれ、変化を求め新しい発想を生み出していく人間について、彼は語っているのだと思う。

ともあれこうして、「Brut America」のインタヴューにおけるのと同じ夢と現実の比喩を用いて、ここでのグレーバーは金融資本主義の転覆を提案する。

——コロナはシステム・チェンジャーとなることができますか？

デヴィッド・グレーバー　そうならなくては。ここではロックダウンのことばかりでなく、経済的帰結のことも考えているのですが。いずれにせよ、コロナ危機は、わたしたちの社会がこれまでかたちづくってきたあれこれの幻想の維持を、きわめて困難にしています。もちろん一部の人びとは、わたしたちは悪い夢から醒めたばかりだと、そして通常の生活に戻っていくのだと、そんな風に振る舞おうと努めるでしょう。しかし大部分の人びとは今や気づいています。わたしたちの通常の生活こそが実は夢にすぎないのだと。わたしたちは単に、自分たちが仕事をしているかのように振る舞っているにすぎないのだと。わたしたちは単に、巨大金融機関の存在には何かしかるべき理由があるのだと信じているかのように振る舞っているにすぎないのだと。しかしそうした機関の存在理由とはいったい何でしょう、ただ自らの存在を維持することのほか、何もないのではありませんか？　例えば、ウォール街。閉鎖すべきかどうかの議論がなされています。そこではずっと、すべてがクラッシュしてきたのですから。

わたしは今、ほんとうに素敵なことだと思っているのですが、ロックダウンをするなら経済的損失が引き起こされることになるという発想を、誰も当然だと思っていない。そうであるなら、どうしていまだにウォール街が存在しているのでしょう？　巨大金融機関は失敗したのです。今となってはもう、魔神を瓶に戻すことなどできません。

これまで揺るがしがたい現実とみなされてきたものが壮大な虚構にすぎなかったという事実は、すでに周知されてしまった。もはや人びとを、オルタナティヴの不在というかつての固定観念へと再度押し込めるなどできはしない、というわけだ。確認しておくなら、ここにあるのは反経済の主張ではない。重要なのは「経済の基本原則」を改め、「わたしたちがそれぞれの必要を満たせるように、互いをケアすること」という新たな原則から出発して、わたしたちの経済社会をつくりなおすことだとグレーバーは言う。

わたしたちは経済を、まるでわたしたちには帰属しないものであるかのように扱っています。経済を救うためには人間が死んでもOK、などと言うひとさえいる。命と経済を分けて扱うことなどできないということが、どうしてわからないのでしょう？ ほんとうに自由な社会では、こうした考えの誤りが正されなければなりません。

「経済とは何かというと、わたしたちが互いをケアするための方法、わたしたちが互いの生存を支えていくための方法にほかなりません」――最初に見た「Brut America」のインタヴューでもこのように説かれている。

2「わたしたちにできる最も愚かなこと」

とはいえ、「ほんとうに自由な社会」――『ブルシット・ジョブ』の最後の一文で掲げられる理念であるが――へと向かうこのような展望は、自明のものとはほど遠い。グレーバー自身、ドイツの有力紙『ディー・ツァイト』のウェブサイト「ツァイト・オンライン」とのインタヴュー（三月三一日公開）[*4]で、これまで見てきたのと同じ展望を描き出しつつも、二〇〇八年の金融危機後の状況の繰り返しを警戒している。

誰もが一週間は、こんな風に言ったものです――「おお、わたしたちが真実だと思っていたすべてが、真実ではなくなってしまった！」ついには、貨幣とは何か、負債とは何かといった、根本的な問いかけがなされるに至りました。けれどもある時点で、人びとは突然決意を固めたのです。「やめよう、こんな問いかけはもう放り出してしまえ。何も起きなかったかのように振る舞おう。すべてを以前と同じようにやっていこうじゃないか！」

魔神は瓶に戻せないという先ほど見た断定が、こうした危惧を打ち消すようにして口にされていることがわかる。しかしインタヴュアーはいっそう懐疑的だ。「多くの活動家が今、もうひとつの世界について語りだしています。そうした別の世界が、突然可能になったように思われる、というわけです。しかし、このような危機のさなかにわたしたちの経済システムを解体できるなどというのは、まったくの幻想ではないでしょうか？」問いかけを受けたグレーバーは、「むしろ危機のさなかのほうが、こうした変革をやり通すのはずっと容易なんです」と応

＊4　「わたしたちは事後、すべては夢に過ぎなかったかのように振る舞うことになるのでしょうか（Werden wir danach so tun, als sei alles nur ein Traum gewesen?）」と題する記事（聞き手：Lars Weisbrod）。ＵＲＬは以下。https://www.zeit.de/arbeit/2020-03/david-graebner-coronavirus-kapitalismus-bullshitjobs

じる。しかし取材者は続けて問う。「多くの人びとがとりわけ望むのは、健康を保ち、いつかすべてが元通りになることでしょう。彼らはいかなる変化も求めず、ただ通常の、新自由主義的な生活へと立ち返ることを求めている。そういうものではないですか?」グレーバーの答えはこうだ。

明らかに、そのように望んでいる人びとは多い。けれどもわたしたちは、これまで進んで身を委ねてきた幻想の多くをすでに失ってしまいました。労働世界について、そこで重要なのは誰なのかについて、もはや幻想はありません。ですから、魔神を瓶に戻そうとするなら、大変な忘却の作業が必要になります。ほんとうに働いていると言えるのは誰なのかを忘れ、そうした人びとがどれほどわずかしか稼いでいないのかを忘れなければならないのです。しかもそれだけではない。わたしたちの目の前には、気候変動という最大の危機が迫っています。わたしたちはずっと線路のうえに立っていた。列車が向こうから迫ってくる。そして今、誰かがわたしたちを荒っぽく、線路から突き落としました。痛いですし、まったくひどい話です。そうではあるのですが、どうにか立ち上がったあとで、わたしたちにできる最も愚かなことは、再び線路に戻ろうとすることです。列車がわたしたち目がけて突進しているというのに!

もちろんコロナ禍は「痛い」し、「まったくひどい話」だ。それでも、以前の状態の単純な回復は穏やかな現状維持の道ではありえないのだから、それを新しい経済関係へと、地球環境とのより適切な関係へと向かう契機としなければならないのだとグレーバーは言う。魔神を瓶のなかに封じ込めていた力は、パンデミックによって突然無効にされたように見える。そのことを奇貨として、コロナ後の世界をこれまでの世界への回帰とは別のものにしていけるかどうかは、わたしたちにかかっているのだと人類学者は説く。

実に多くの根本的な問いが、長い間提起されずにきました。なぜならそのような問いは、新自由主義的経済学者の言語では言葉にできないものだったからです。そうした経済学者は、自分たちの学問はあらかじめすべての答えを用意しているかのように振る舞ってきた。新自由主義とは本質的に言って、人びとが今とは別の、もうひとつの未来を思い描くことのないように計らう妨害の手段にほかなりません。どんなオルタナティヴもありはしないのだから、というわけです。けれどもたぶん、未来はほんとうは、わたしたち次第なのです! わたしたちは今、この危機のなかでまさにそのことに気づいている。

3「アナキストのようなもの」にとっての国家

それにしても、最後に、この「わたしたち」と国家の関係について触れておかなければならないだろう。というのも、休業補償やその他の生活保障的措置を担うのは国家であり、しかもその国家は現在の危機においては同時に、警察やさらには軍隊を投入して市民の生活を統制する強制力としても現れている。この事実は、「ほんとうに自由な社会」の展望を不吉に曇らせるものではないだろうか？「バイエルン放送」のインタヴューには、まさにこの点についてのやり取りが見られる。

――世界中の政府が行っている措置をどう思いますか？　アナキストにとってはまさしく、外出制限や接触禁止のような措置は普遍的自由の原理に背くものではないでしょうか？

デヴィッド・グレーバー　政府はそうした措置を取らざるをえないわけですが、それはなぜかというと、コミュニティ感覚というものがもはや存在しなくなっているからです。各国政府はたしかに過去において、ほとんどすべてのローカルなコミュニティを破壊してきました。人びとはもはや隣人がどんなひとなのかを知りません。以前ならそんなことはなかったはずなのに。職場ではアウトソーシングが進み、もはや誰も、ほんとうに自分自身のチームに属して仕事をしているという感覚を持てなくなっている。こうして人びとは、よき相互関係のなかで生きることを忘れ、互いをケアすることを忘れてしまった。だから国家が引き受けなければならないのです。国家のやるべきことなど、ほかには何も残っていないのですから。けれども逆説的なことに、コミュニティはまさに今、再び生み出されつつあります。人びとは、集まることができないにもかかわらず、この危機のさなかにあって、自分自身と自分の仲間たちをまったく新しいやり方で知りつつあるのです。

いくぶんか曖昧なこうした見解は、しかしその楽観性ともども、きわだってグレーバー的なものであることを指摘しておこう。最近も彼は、ツイッター上のやり取りで「わたしはアナキストのようなものなのでね」(2020.3.7、強調引用者)とつぶやいて物議を醸したばかりだ。「ようなもの(kind of)」とは！　真正のアナキストとして論陣を張ってきたのではなかったのか？真意を問われたグレーバーは、このように応じている――「わたしは声高にではなく、穏やさとユーモアをもって、アナキストなんです。何か問題が？」

福祉国家に対する彼の眼差しのうちにも、こうした穏やかさとユーモアは感じられる。普遍的ベーシックインカムを擁護するグレーバーは、「ＵＢＩの長所のひとつは、扶助受給がふさわしいほど貧しいのは誰か、また実直なのは誰かを判断する福祉国家機構を、不要にしてしまうこと」(2019.4.5)であると述べている。しかし別の機会には、「福祉国家が偉大ではないなんてことは誰も言っていない」のであり、ただそれは「すべての美点にもかかわらず、くそくだらないペーパーワークによって台無しにされている」（2018.5.8）にすぎないのだと断っているのだから、彼の提案を福祉国家の前向きな改革として受け止めることもできるかもしれない。もちろん、コービンに率いられた労働党による政権交代を望むのは「社会民主主義の国家を見てみたいからだけれど、その後にわたしたちはそれを壊して、自主管理の諸団体に取って替えることができる」（2016.8.18）といった発言を見るなら、国家廃絶の原則に変わりはないようだ。それでも、彼が「事実上、コービン時代の労働党のために何年も仕事をしてきたあとで、党首選に参加すべく正式に入党しようと試み」（2020.3.12）さえした事実を知るならなおのこと、[*5] 暫定的なプラットフォームとしての福祉国家再建への関与が、かなり真剣に取り組まれてきたことも疑いえないだろう。

それゆえ、グレーバーが、ロックダウンに際して国家権力が発動する一連の強制的措置の告発を——例えばジョルジオ・アガンベンのように[*6]——最優先の課題とするのではなく、それを積極的に称賛しないまでも多少とも脱問題化しているように見えるとしても、そこに変節のような何かを認める必要はなさそうだ。むしろこの事実は、福祉国家の一定の擁護を含め、このアナキスト（のようなもの）における国家の位置づけを再考する機縁ともなりうる。

英国の政治学者デヴィッド・ランシマンは、市民的自由を制限する保守政権の措置を野党も支持するほかない状況のなかで、「リヴァイアサン」としての権力の本性があらわになったと指摘している。「わたしたちの政治的世界はいまだ、ホッブズがそれと識別できるようなものであり続けている」[*7]というのだ。ここにわたしたちは、グレーバーそのひとを主要なアクターとする二〇〇〇年代以降の「アナキズム的転回」ののちにもなお問われることをやめない、権力の垂直性と強制性にどのように向き合っていくべきかの問題を認めることができるだろう。[*8]

初出　以文社ウェブサイト、二〇二〇年五月六日。

＊5　反コービン派の党幹部に警戒されたためだろう、労働党は英国の選挙人名簿にない住所からの入党は認められないとして、彼を「ただちにブロックしてしまった」のだという。しかし実際には英国籍がなくとも入党は可能で、彼のツイートへのあるリプライ（@bothnessのツイート、2020.3.12）に引かれているように、党則が求めるのは「一年以上英国に居住していること」にすぎないのだから、これは疑いなく厄介払いの口実だ。

なお、ここ数年の英国では、コービンとその周辺を「反ユダヤ主義的」とみなす一連の告発が、労働党の内外において、明らかな追い落としの意図をもって続けられてきた。グレーバーは英国内外の知識人やミュージシャンらとともにコービン支持の公開書簡に署名しているほか（「ロジャー・ウォーターズら、英労働党党首のジェレミー・コービンを支持する公開書簡に署名」『NME Japan』2019.11.18）、ひとりのユダヤ人として「反ユダヤ主義の武器化」を深刻に憂うる論考を『ガーディアン』紙に掲載しようと努力し（そして――あるツイート（2020.4.20）で打ち明けるように――断られたので独立系メディア *openDemocracy* に掲載し）、また二つの動画を通して問題を訴えている（二〇一九年一二月四日に自身のツイートで公開したものと、二〇二〇年四月二〇日に『ダブル・ダウン・ニュース』に掲載されたもの）。

＊6　コロナ危機をめぐる新刊『パンデミック！』（原著二〇二〇年四月、日本語訳はPヴァインより六月刊）を著したスラヴォイ・ジジェクは、「剣を抜いた恐るべきリヴァイアサン」の台頭を懸念するアガンベンの論調に反論しつつ、ジョンソンやトランプのような保守派の政治家さえもが一定の「社会主義的」ないし「コミュニズム的」措置を採用しつつある現状の先に、「災害コミュニズム」（言うまでもなくナオミ・クラインの「災害資本主義」のもじり）の可能性を、懐疑的に示唆している。さしあたり、本稿の筆者によるジジェク「人間の顔をした野蛮がわたしたちの宿命なのか――コロナ下の世界」の翻訳と解説「生き延びのための「狂気」の行方」を参照（『世界』二〇二〇年六月号）。グレーバーはあるツイートで、ジジェクを長年「憎んできた」のち、今では「哀しい男、〔…〕宮廷道化師に落ちぶれた髭面のレーニン主義者」として憐憫を感じていると述べているが（二〇一六年一〇月一三日）、そんな両者の現状認識がさほど変わらないものになっているのは興味深い。

＊7　David Runciman, "Coronavirus has not suspended politics – it has revealed the nature of power," The Guardian, 27 Mar. 2020. URL.: https://www.theguardian.com/commentisfree/2020/mar/27/coronavirus-politics-lockdown-hobbes

＊8　デヴィッド・グレーバー『民主主義の非西洋起源について――「あいだ」の空間の民主主義』の訳者あとがきとして書かれた、本稿の筆者による「「あいだ」の空間と水平性」を参照。

デヴィッド・グレーバーを追悼する

世界的に著名な英国在住の米国知識人、デヴィッド・グレーバーが五九歳で急逝した。王道を歩む人類学者として、この分野の拠点ロンドン・スクール・オブ・エコノミクスの教授職にあった彼は、より公正な世界を訴える二〇一一年のウォール街占拠への関与によって、国際的に知られた活動家でもあった。

グレーバーは学問と政治を峻別(しゅんべつ)し、「私をアナキスト人類学者と呼ばないでください」と絶えず求めていたけれど、とはいえ二つの領域はまったく無縁だったのではない。

人類学とは彼にとって、「人間とはなにか、人間社会とはなにか、またはどのようなものでありうるのか」(『負債論』)を探究する学問だった。マダガスカルのような他なる文化地域に赴いたのも、人間一般の本性をより広く深く理解するためにほかならない。

そんな彼が関わったからこそ、ウォール街占拠では、「わたしたちは九九%だ」という驚くほど包括的なスローガンが掲げられた。もちろん彼は、富と権力の集中する一%以外の残りの九九％の内部にも、様々な隔たりや対立や闘争が存在することを認めないのではない。けれどもグレーバーはどんな人間にも共通の本性が備わっていると確信し、その探究をすべての仕事の中心に据えていた。

今年夏に翻訳が出た話題作『ブルシット・ジョブ　クソどうでもいい仕事の理論』は、占拠参加者らがウォール街勤めの人びとと交わした対話を背景に生まれた著作だ。後者はしばしば自分たちの仕事の空虚さを自覚し、魂に傷を負っていた。こうしてグレーバーは、社会を回すのに必須でありながら低処遇の「エッセンシャルワーカー」と高処遇のホワイトカラーを対立させず、両者がともに解放される「本当に自由な社会」を求めた。

対立をまたいだ共通性は、やはり今年翻訳刊行の『民主主義の非西洋起源について』でも探究されている。民主主義は古代ギリシア起源ではない。とはいえ、他の諸文明のもとでより立派に体現されてきたわけでもない。それはむしろ、文明と文明、文化と文化の「あいだの空間」で、人びとが非暴力的な共存を希求する中に生まれるのだとグレーバーは説く。民主主義とは、意見を異にする人びとが粘り強い交渉を通して行う合意形成のプロセスにほかならないのだ。賛否の分断を生む古代ギリシアの多数決方式は、むしろ特殊事例にすぎない。

彼によれば、互いを理解し配慮するという人間一般の「ケア的」本性が共同体を可能にする。こうした楽観性を、彼は誠実に生きたように見える。

グレーバーは人間的に尊重しあえるなら、立場を超えた対話をも拒まなかった。米共和党支持者として知られるシリコンバレーの顔役ピーター・ティールとの六年前の対談は、今なお話題の種だ。自由を平等に分かちあえるかという論点では対立しても、二人には共通の願いがあった——空飛ぶ車の実現という願いが（『官僚制のユートピア』酒井隆史訳、以文社、二〇一七年）。

元SF少年のグレーバーは、基本的に、技術革新の味方だった。単純な進歩史観を退ける一方、原始の自由と以後の堕落といった説も採らず、技術発展の先に自由と平等が両立しうるのではないかと展望していた。『負債論』では過去五千年の歴史をひもときながら、貸し借りに還元されないつながりを人間の本性ととらえ、債務帳消しの運動を提起した。新たな代表作となるはずの遺作（共著、二〇二一年原著刊）は実に五万年の時空を探索し、『サピエンス全史』の歴史学者ハラリに典型的な、陰鬱（いんうつ）な未来像を打ち破ろうとする野心的な仕事だ。

何世紀も生きられるとしても決して退屈しない、それなら新しい言語や楽器や核物理学の勉強を始めたいと語った人類学者の早すぎる死を、筆者はまだ適切に受け止められずにいる。

初出　『朝日新聞』二〇二〇年九月一六日夕刊。掲載時のタイトルは、「人間の本性、対立超えると信じた人類学者、デヴィッド・グレーバーさんを悼む」。

「神秘的な、楽しい未来」に向けて
——デヴィッド・グレーバーを読み続けるために

1 突然の死

「昨日、世界で最もいいひと、わたしの夫であり友人、デヴィッド・グレーバーがヴェネツィアの病院で亡くなりました」——日本時間の九月三日夜（欧州時間の同日昼）のツイートを受け、各国メディアはすぐさま、国際的に著名な在英米国人人類学者（一九六一〜二〇二〇年）の思いがけない死を報じた。

妻のニカ・ドゥブロフスキー（一九六七年〜）——旧ソ連出身のアーティスト・著作家であり、昨年春にグレーバーと結婚して多岐にわたる共同作業を進めつつあった[*1]——ののちのツイートによれば、「直接の死因は内出血」（欧州時間九月四日）で、検死の結果は「自然死」（同九月九日）だという。[*2] 八月末に投稿されたYouTube動画で、たしかに彼は「ちょっと具合が悪かったのだけれど、よくなりつつあると思う」と語り、不安定な健康状態を公にしていた。しかしドゥブロフスキーの一連のツイートを見る限り、彼女もグレーバー本人も、このような死を予期していたとは思えない。じっさいベルリンとヴェネツィアでの休暇中、彼は妻や友人たちと元気に語らっていたようなのだ。「唯一無二のあのひと、デヴィッド・グレーバーは、まったく突然に予期しないかたちでわたしたちのもとを去ってしまいました」――九月一七日、すなわち二〇一一年に〈オキュパイ・ウォールストリート〉が始まった記念の日を選んで、人類学者の公式サイトに発表された「ニカと友人たち」名義の文章に記されたこの感慨は、まぎれもない実感なのだろう。

ともあれこうして、世界中に読者と友人を持つ知識人の五九歳での死は、大きな衝撃をもって迎えられた。わたし自身の追悼は、別のところで簡単に記したので（『朝日新聞』九月一六日夕刊【本書所収】）、ここではそうした反響の若干を紹介することにしたい。各国政府に準ずる組織

＊1　そうした成果のうち、日本語では以下の見事な論考を読むことができる。「『パラサイト』はなぜ社会的不平等を描いた映画ではないのか――神の建築とクレイジーキルト」片岡大右訳、以文社ウェブサイト、二〇二〇年八月三日。

＊2　ドゥブロフスキーは九月二五日のツイートで検死結果を公開している。「臨床報告」には「二か月前から腹痛、体重八キロ減。昨日、刺すような痛みに続く出血性ショック」とある。「臓器内の血管構造の糜爛による広範囲にわたる腹腔内出血」に始まる「診断」の記述を見ると、内臓が相当痛んでいたことがわかる。

からの公式の反応としては、ロジャヴァ／北東シリア自治局が発した「弔文」がある。シリア内部のこの事実上の自治地域（二〇一三年〜）は、「最大の国家なき民族」とされるクルド人の独立国家建設という悲願に固執するのではなく、民族的・宗教的多様性を保持したままで水平的な共同体構築を企てることで、近年のグレーバーが最も気にかける存在となっていた。[*3] 両者の関係の深さを伝える証言として、英語版の全体を訳出しておこう。

> デヴィッド・グレーバー博士の逝去の知らせを、わたしたちは大きな悲しみとともに受け止めています（一九六一年二月一二日ニューヨーク生、二〇二〇年九月二日ヴェネツィア没）。人類は重要な人間思想家にして人類学者を、そして現代の最も革命的な知識人のひとりを失ってしまいました。
>
> 　彼の喪失は、わたしたちにとってはいっそう重大な事実です。わたしたちの人民は忠実な友を失ったのですから。彼はわたしたちの人民と北東シリア自治局のために、全精力と全知識を捧げてくれたのです。グレーバーはロジャヴァ諸地域／北東シリアを何度も訪れ、この地を構成する誰もが享受する民主主義的経験と集団間の同胞愛について、多くを学びました。
>
> 　彼は米国の人類学者であり、アナキスト活動家でした。彼の同僚モーリス・ブロック〔一九三九年生まれ、マダガスカルを専門とする人類学者で、ロンドン・スクール・オブ・エ

コノミクス名誉教授」が記すところによれば、世界最良の人類学の理論家でした。人類学の博士号を持つ彼はたくさんの本を書き、それらは世界の図書館を満たして人類の思想を豊かにしてきました。

わたしたち北東シリア自治行政圏は、わたしたちおよびわたしたちの人民の名において、人類、米国、そしてご遺族に対して、デヴィッド・グレーバー博士の逝去に際し深甚なるお悔やみを申し上げます。

彼の魂の安らかならんことを。そしてご遺族、ご友人、彼の愛する人びとに、心より哀悼の意を表します。

北東シリア自治局
二〇二〇年九月四日

＊3　なにしろ彼は今年六月、#BlackLivesMatter運動を支持するロンドンのデモ行進に参加した際にもクルド人ブロックに身を置き、#KurdishLivesMatterの大義にも人びとの目を向けさせようとしていたほどだ。以下を参照。片岡大右「暗黒×IDW×海賊…「啓蒙」の後で何を信じるのか?」講談社現代新書ウェブサイト、二〇二〇年七月一〇日。ロジャヴァの実験が彼の民主主義論の中で持つ重要性については、以下に若干の説明がある。片岡大右「「あいだ」の空間と水平性」、デヴィッド・グレーバー『民主主義の非西洋起源について――「あいだ」の空間の民主主義』。

その一方、彼が「亡命」の地として過ごした英国では、今年春まで労働党の影の財相を務めたジョン・マクドネル（一九五一年～）がドゥブロフスキーのツイートに応答している。「悲嘆に暮れています。まったく衝撃です。デヴィッドのことは、ほんとうに価値ある友人そして協力者だと思ってきました。彼の偶像破壊的な研究と著作は、わたしたちみなを新鮮な思考へと、また政治的アクティビズムに対する革新的アプローチへと導いてくれた。わたしたちみなが彼の喪失を途方もなく惜しむでしょう。深甚なるお悔やみを申し上げます」（九月三日）。

2 国家をめぐる両義性

国家規模の広大な領土であえてアナキズム的実験を試行する中東の革命集団と、福祉国家再建を志す西洋先進国の大物政治家。ある意味で対照的な二つの政治的傾向を体現する人びとから追悼が寄せられたという事実は、デヴィッド・グレーバーの思想と行動の生産的な両義性をよく表していると言えるかもしれない。じっさい、原理上の反国家主義と実際上の国家再建支持については、[*4] 彼を知る人びとの追悼文の多くで言及されているが、誰もがその指摘を矛盾の追及としてではなく、肯定的ないし興味深いものとして捉えている。

コービン党首の広報アドバイザーを務めた労働党の若手政治活動家ジェイムズ・シュナイダー（一九八七年～）が、ラディカルな思想家でありながら「実際的なひと」でもあったというグレーバーの稀な資質を称えているのは（*ROAR Magazine*, September 13, 2020）、議会政治の世界に関わる彼の立場からして当然とも言える。けれども、同じような評価は、路上での活動をともにした人びとの回想にも見て取ることができる。そもそもそうした回想を読んで実感されるのは、グレーバーが彼の反国家主義を共有しないほんとうに多くの友人を持っていたという事実だ。

『ニューヨーク・レビュー・オブ・ブックス』誌（NYR）ウェブサイトの緊急追悼特集で、米国のアーティスト、ベカ・エコノモプロス（一九七四年〜）は、ともに参加したオキュパイ運動をめぐる人類学者との理解の相違を振り返っている。「彼はこの運動の「ジェネラル・アセンブリー」に肩入れして、直接民主主義が実践される空間とみなしていた。わたしのほうでは、このアセンブリーの力はおおむねパフォーマンス的なものだと思っていた。〔…〕彼のアナキズム的政治観を思えば、近年のデヴィッドが英国労働党とその社会主義者の首相候補ジェレミー・コービンを支持した事実には興味をそそられた。わたしたちが目下経験しつつある激しい社会的・政治的変化のただなかで、彼とおしゃべりする機会を持てたらよかったのに」。この特集企画の取りまとめ役で、オキュパイ運動に先立つ二〇〇九年以来の友人だというドキュメンタリー映画作家アストラ・テイラー（一九七九年〜）は、彼女自身の追悼文のなかで、決して

＊4　グレーバーのコービン支持とそれを取り巻く文脈については以下を参照。片岡大右「「魔神は瓶に戻せない」——デヴィッド・グレーバー、コロナ禍を語る」以文社ウェブサイト、二〇二〇年五月六日【本書所収】。

アナキストではなく強力な国家を求め、合意形成による意思決定がうまくいくことなど滅多にないと考えている自分との議論を、[*5]グレーバーは大いに楽しんでいたのだと証言する。「彼は教条的でもセクト的でもなかった。意見の相違は楽しみの一部をなしていた。〔…〕去年一〇月にロンドン・レビュー・ブックショップで行った最後の対話のなかで、彼は熟議のプロセスを通して自分の考えを変えていくことの喜びについて語った[*6]」。

こうしたやり取りの基盤をなすのは、誰のことも知的な対等者とみなす誠実な姿勢だと言える。テイラーによれば、「デヴィッドは活動の現場にただならぬ謙虚さで身を置き、対等者のなかのひとりとして参加した。運動のミーティングで、彼は静かに座って人びとの話を聞き、決して権威ぶることがなかった」。一九九〇年代初頭生まれのヴィジュアル・アーティストで、オキュパイ運動に関わるなかでテイラーらとともに〈債務コレクティブ〉——学生ローンや医療ローン等、個々人の債務問題の集合的解決を目指す——を結成したトーマス・ゴーキーは、同じ特集への寄稿で、自分のような若者が負債と貨幣の関係について「彼に説明を求め、また求め、さらにまた求めても、彼は決して自分を馬鹿な人間だと感じさせるようなことをしなかった」と述べている。同じ謙虚さは幼い子どもを前にしてさえ発揮されていたようだ。前出『ロア・マガジン』に追悼文を寄せたジャーナリスト、ダイアン・ニアリーは、二歳から四歳の頃の娘に、グレーバーが「まるで彼女が三〇歳であるかのように」話しかけたことを愉快に思い出している。「彼は誰の歓心を買おうとすることもなかったけれど、特に子どもにそんな振る舞いは決してしなかった。彼がわたしに保証してくれたところでは、子どもはいつの日か世界を変える存在なのだ。「ウィトゲンシュタインの卵だよ」、彼はわたしの娘をそう呼んだ」。

3 アナキズムの二つの次元

意見の相違の乗り越えという観点に戻るなら、NYRの追悼特集でさらに興味深いのは、米国のジャーナリスト、デビー・ブクチン（一九五五年〜）の証言だ。彼女は社会生態学の創始者として知られる社会理論家マレイ・ブクチン（一九二一〜二〇〇六年）の娘だけれど、父の死後のグレーバーとの出会いについて、このように振り返っている。「わたしのデヴィッドとの接触は、父が時として不必要に（とにかくわたしにはそう思える）開いてしまった大きな亀裂のうえに橋を架けなければならないというおぼろげな感情の一部をなしていた」。ブクチン父はアナキズムの伝統から出発しつつ、やがてその個人主義的側面を論難して、自らは「コミューン主

＊5　何しろ彼女の最初の映画作品は二〇〇五年の『ジジェク！』であり、この国家重視のマルクス主義哲学者をグレーバーはまったく評価していなかった。この点については前掲「魔神」の注6を参照。

＊6　"David Graeber, 1961–2020," *NYR Daily*, September 5, 2020. なお、同特集記事掲載の人類学者マーシャル・サーリンズの追悼文は、以下で日本語訳を読める。「追悼　デヴィッド・グレーバー（1961-2020）／マーシャル・サーリンズ」中川理訳、以文社ウェブサイト、二〇二〇年九月一〇日。

義」を唱えるに至った。しかし娘によれば、「アナキストとコミューン主義者は、自由な社会のヴィジョンにおいて多くを共有しているのだから、こうした問題についてデヴィッドと議論するのは正しいと感じられたのだ」。要するに、意見の相違は単に国家志向と反国家志向のあいだにばかりでなく、アナキズムの伝統の内部にも見出されるのだけれど、グレーバーはこの対立関係を乗り越える力になってくれる存在として、大いに見込まれたのだった。

『直接行動――ある民族誌』を読むなら、こうした期待がまったく適切なものだったことが確認できる。グレーバーはそこで、マレイ・ブクチンが集団志向の「ソーシャル・アナキズム」と個人志向の「ライフスタイル・アナキズム」を対立させ、両者の「架橋不能の断絶」を説きつつ後者を非難したことを振り返ったうえで、「そもそも前提が間違っている」と指摘する。優先事項が異なるだけで、両者はまったく相容れないわけではないし、現実を見れば二つの側面はしばしばひとりの人間のなかに共存しているというのだ。じっさい、彼によれば、水平的な組織化を実践するニューヨークの〈直接行動ネットワーク〉は決してアート系の集団とみなされていなかったにもかかわらず、参加者の大部分は「何らかの創造的な自己表現にも取り組んできた人びと」だった（二五四〜二五五頁）。

4 新しい産業世界に向けて

こうしてマレイ・ブクチンの一面的なアナキズム理解を修正してみせるからといって、グレーバーは彼の仕事に敬意を払っていなかったのではない。デビー・ブクチンの回想を読むなら、彼女の父の一九七一年の著作『ポスト希少性のアナキズム』（=『現代アメリカアナキズム革命』鰐淵壮吾訳、ROTA社、一九七二年）が人類学者のお気に入りの本だったことがわかる。ブクチンの娘が述べるように、「そのことはまったく偶然ではない。デヴィッドは真のユートピアンだった。そして一九七〇年代初頭のこの著作は、科学技術の途方もなく飛躍的な発展により可能となった新しい世界の約束に満たされ、不可能な事柄を企てるようわたしたちを促すカウンターカルチャーの理想主義をたっぷり含んでいたのだ」。

じっさい、グレーバーの社会観の重要な部分は、彼の少年期に当たるまさにこの時期の経験に根ざしたものだと言える。その点を彼自身が強調した「空飛ぶ車」論文（二〇一二年）の一節は、米紙『ニューヨーク・タイムズ』（九月四日）と英紙『タイムズ』（九月二二日）の死亡記事がともに参照しているように、グレーバーの全著作の背景をなす根本的気分が告白されたものとして、繰り返し想起するに値するだろう。「アポロの月着陸の時代に八才だった人間としていうならば、二〇〇〇年というマジカルな年にじぶんは三九才だと計算し、そのときいったいその世界はどうなっているんだろうと考えをめぐらせた、はっきりとした記憶がある。〔…〕そのような驚異にあふれた世界に生きているだろうと、わたしはそのとき心の底から考えていたのであろうか？　もちろんである。〔…〕それでいま、だまされたと感じているのだろうか？　まったく、そうなのである」（『官僚制のユートピア』一五一〜一五二頁）。

もちろん、人類学者としてのグレーバーの偉大さは、この個人的な経験を広大な時空のなかに位置づけたうえで、二一世紀の現在を理解し前向きな未来を開くための鍵をもたらそうと努めた点にある。今年（二〇二〇年）夏に日本語訳が出たばかりの『ブルシット・ジョブ』では、別稿で述べたように、「無駄なペーパーワークを増やすばかりのブルシットなシステムを改め、テクノロジーの停滞を脱した輝かしい未来社会を開いていくべきことが展望されている」[*7]。ところがこのような展望は、興味深くも厄介なことに、時に読者を不安にさせるものらしい。そのことは人類学者の急逝後、にわかに注目された公式ウェブサイトのドメイン名が一部で物議を醸したという事実を通して、改めて意識されることになった。

なぜ公式サイトは「davidgraeber.industries」なのか――このように問いかける人びとがいたのだ。サイト運営スタッフは応答を公開し、このドメイン名はリストのなかからグレーバー本人が選び、とても気に入っていたことを確認したのちに、「産業資本主義（industrial capitalism）」とそこでの社会的不平等を想起して不安に思うことはないと述べて、まずは読者を安心させる。そのうえで、「空飛ぶ車」論文その他で繰り返されてきた議論を正確に踏まえ、現代資本主義のもとでの「産業」がうまくいっていないとしても、「産業」それ自体を打ち捨てるべきではないこと、むしろ想像力を思い切り拡張して、「人間解放のための道具をつくりあげる」ものとしてそれを捉え直すべきことを説いている。「よりよい世界でなら、このウェブサイトのような種類の産業は実在できるのではないでしょうか?」

このように考えることが重要なのは、そうしないと社会の大規模な組織化と高度に発達した技術という現実的な前提に立った新たなヴィジョンを打ち出すことができなくなってしまうからだ。詳論は他日を期すこととして、実のところ、グレーバーは初期の著作以来一貫して、文明と技術の単なる拒絶に依拠した発想を警戒し、適切な距離を置きながら折に触れて主題化してきた。別の観点からするなら、彼はシカゴ時代の恩師マーシャル・サーリンズ(一九三〇~二〇二一年)の「原初のゆたかな社会」のテーゼを一方では高く評価しつつも、それに影響された「原始主義」の潮流を絶えず相対化しようと努めてきた。[*8] 急逝の直前に脱稿され、没後に版元ファラー、ストラウス&ジルー社から来年(二〇二一年)秋の刊行が予告された『あらゆるものの夜明け――新しい人類史』(考古学者デヴィッド・ウェングロウとの共著)の狙いもまさにそこにある。

未だ全貌の明らかではないこの著作については、やはり『群像』九月号の別稿で――『未来

*7　片岡大右「未来を開く――デヴィッド・グレーバーを読む」『群像』二〇二〇年九月号、三四五頁、注7【本書四九頁】。

――五万年の序文』の仮題のもとに取り上げて――さしあたりのことを述べたので、ここで繰り返す必要はないだろう。それにしても、「ＯＫみんな、これから少なくとも九か月、ティーザーを出してじらしていくから覚悟するように」（八月一二日）といったツイートを読み返すにつけ、すでに書かれたものだけが、もはや新しく生まれる彼の言葉に決して伴われずに刊行されることになるという事実が、やり切れない思いとともに胸に迫ってくるのを感じる。修業時代からの驚くべき知的一貫性を保ちながらも、グレーバーは「「いま」重要なことを、どんどん「いま」重要になっていることを書いていた[*9]」し、語っていた。そのことをわたしたちは、新型コロナ危機のさなかにしみじみと確認したばかりだ。

そうは言っても、深い喪失の思いにいつまでもとらわれているわけにもいかない。冒頭で触れた九月一七日公開の公式サイトの文章は、まさに前を向こうという呼びかけ、急逝した人類学者の生前を後ろ向きに追憶するのではなく、「神秘的な、楽しい未来」に向けて記念していくことを目指して、世界中で一斉にカーニヴァルを開こうという招待状だ。指定された一〇月一一日（日曜）に向け、本稿執筆現在、公式サイトのトップページには「Carnival4David」の開催地情報をちりばめた世界地図が掲げられている。

初出　『群像』（講談社）二〇二〇年一一月号。

＊8　多少とも同じ論理のもとに、グレーバーはアーロン・バスターニが唱える〈完全自動の贅沢コミュニズム〉（前注の参照先で言及）を応援する一方、「脱成長」の潮流に不満を抱いていた。例えばあるツイートでは、「「脱成長」はそもそもあまりよい名前ではありません。わたしたちみなが貧しくなっていくように思えてしまう」（二〇一九年一月二四日）と述べているし、別のツイートでは、クリスティーナ・アギレラがシングル「Accelerate」（加速せよ）とアルバム『Liberation』（解放）をリリースすることを知って、「おもしろい、彼女はもっと脱成長っぽいひとかと思っていたけれど」（二〇一八年五月四日）と軽口を叩いている。

＊9　ブレイディみかこ「THE BRADY BLOG」、二〇二〇年九月四日。

懐疑的に、けれど「とりあえず信じること」

——デヴィッド・グレーバーの死に寄せて

1 「信用できる」ひと

デヴィッド・グレーバーの突然の死（九月二日）を受け、真っ先に追悼特集を組んだのは『ニューヨーク・レビュー・オブ・ブックス』ウェブ版だった。早くも九月五日の夕方には、シカゴ大学での指導教員マーシャル・サーリンズを含む一九人の追悼文が公開され、どれもが興味深い証言となっている。その一部には別稿で言及したけれど（「「神秘的な、楽しい未来」に向けて」、『群像』十一月号【本書所収】）、取りまとめ役を務めたドキュメンタリー映画作家アストラ・テイラー自身の寄稿は、二〇〇九年以来というから十年ほどの、けれども深い信頼に基づく持続的な関係を感じさせる際立って充実したもので、ここでも取り上げるに値するだろう。

当初は乗り気でなかったにもかかわらず、グレーバーに強力に促されて〈オキュパイ・ウォールストリート〉の運動に立ち上げ時から関わったテイラーは、有志で『債務抵抗者の作戦マニュアル』（二〇一二年）を著した際のことをこのように振り返っている。「デヴィッドは決して、自分が『負債論』の著者だという事実を振りかざして共著者たちに威張ったりしなかった。共著者たちといってもその多くは、ただひとつの項目さえ書いてはいないというのに。それは彼が、五千年の歴史をわがものにしているからといって、借金取りを逃れる最良のコツがわかるとも限らないし、マフィア資本主義の今日的形態と闘う最も効果的な方法がわかるとも限らないということを、理解していたからなのだ。わたしたちはともに学び、ともに経験を深めていった」。やがて同じ問題に取り組む〈債務コレクティブ〉の設立者のひとりとなるテイラーは、こうして「デヴィッドはわたしの人生を変えた」のだと回想する。

とはいえその一方、決してアナキストではない彼女はオキュパイ運動が採用した方法に満足していたわけではなく、この点は二人の以後の議論の争点であり続けた。「わたしたちはどちらも「民主主義」という言葉を大切にし、それを分析しそれについて書きそれを実現しようと試みてきたのだけれど、彼と比べるとわたしは、民主主義というこのコンセプトを表明しようとするわたしたちの運動の試みの失敗、とわたしがみなすものに対して、彼よりも批判的だった」。けれどもグレーバーは――「しっかりと自分の見解を持ちつつも、教条的でもセクト的でもなく」、意見の相違を「楽しみの一部」とみなしていて――、「議論するたびに別の考え方をするようわたしを促し、わたしの視野を広げて、意見を変えるのを何度も助けてくれた。〔…〕

彼は、わたし自身よりずっと型破りで希望に満ちユートピア的な考え方を、信用できるやり方で示してくれる存在として、わたしが当てにしているわずかなひとのひとりだった。わたしたちのデュオでわからず屋を演じられなくなるなんて、とても寂しい」。

ティラーは、「信用できる（credible）」というのが重要なところだと強調する。グレーバーは、独創的なアイディアを書物に記すだけでは世の中を変えることなどできないと心得て、「ただならぬ謙虚さ」で運動参加者らに接したのだという。「彼は気取った様子を嫌い、ヒエラルキーを憎んだ。たとえ彼をトップに据えるようなものであっても」。ラディカルな発想の集合的共有を信じるからこそ、グレーバーは誰のことも知的な対等者として尊重しようとした。

2「パンチの効いた感じ」

けれども、ここで目を留めておきたいのは、ティラーが運動の現場でのグレーバーの肖像を描き出すに際して、このように補足していることだ——「直接会って話すときの彼のやさしさは、ツイッターでの人格とかなり劇的なコントラストをなしていた。ツイッターでは、彼はちょっとパンチの効いた感じ（punchy）になることがあった」。日本語世界においてもそうであるように、ツイッターを頻繁に利用する著名人の世間的イメージは、時に著作やメディアでの発言にもまして一連のツイートを通して形成されてしまう傾向がある。ティラーがこのような断りを入れるのは、ツイッターの印象でグレーバーの人となりを決めつけないでほしいと心配してのことであって、それは要するに、ツイッターでのグレーバーの印象が、少なくとも満場一致の共感を集めるようなものではなかったということを示唆する。

別の証言も引いておこう。カナダのSF作家コリイ・ドクトロウは、面識がないままに彼とツイッターで親交を深め、二〇一八年の『ブルシット・ジョブ』刊行を機にインタヴュアーとして初めて対面することになったのだけれど、グレーバーの死後の追悼的ツイートで、その時のことを以下のように回想している——「彼がチャーミングでやさしいひとだということを知って、わたしは喜んだ。オンラインでのあの辛辣な、稲妻のようにきらめく才気の刃はやはり感じられたけれど、それが深い人間的な共感によって和らげられていた」(2020.9.4)。ドクトロウの場合、親交の経緯からしてもツイッター上のグレーバーに含むところがあるわけではない。そんな彼でもやはり、実際の印象との違いを強調したいと感じたというのは意義深い事実だ。

グレーバーはどういうツイートをしていたのか。ここではさしあたり、二つの例を挙げよう。「わたしは寛大であろうと努めていますが、あなたが打ち出している立場は精神錯乱の一形態にきわめて近いのです。まったく意味がわかりません」(2015.8.8)。「それを「痛ましい」なんて言うのなら、くたばってしまえ、ゾーエ。そのブルジョワ的な尊大さと一緒に消え失せろ」(2016.7.11)。口調は違えど、いずれも辛辣——さらに言えば攻撃的であることは疑いえない。後者は十歳以上若いジャーナリスト、ゾーエ・ウィリアムズとの不幸なやり取りのなかでのツイートだ。彼女は一度はブレアの「第三の道」の遺産を擁護し、その後より左派的なコービンの路線を応援してグレーバーとも穏やかな関わりを持ったものの、やがて再びコービン路線から距離を取るようになった。それを問題視するグレーバーとの応酬のなかでウィリアムズが「痛ましい」という挑発的な言葉を投げつけたのは、彼が活動家だった両親との精神的結びつきを強調したのを突き放してのことだ。彼女の趣旨は、家族の来歴と自分の立場は関係ないはずだということにあった（彼女の祖父は英国共産党の創設メンバーだけれど、自分はその意志を引き継ぐ気はないという）。激怒したグレーバーの切々とした吐露は、その生々しさのためか誰も反応していないけれど、彼の生涯の重要な一面を照らし出すものとして引用に値するだろう――「わたしの両親は高貴なひとたちだった。父はスペインで戦い、母は労働運動家だった。わたしはそのため貧乏に育った」、「父が酒の飲みすぎで死んだのは、子どもたちに十分にしてやれなかったことで自分を憎んでいたから、というのが大きい」、「彼はわたしに憎まれて当然と感じていたのだと思う、でも実際には、わたしは彼の生き様を深く誇りに思っていた」……。

3「トローリング」をどうするか

やり切れないのは、グレーバーのこうした労働者階級出自の強調は、時に一部の左派からの揶揄の対象となったことだ。彼は慎ましい出自にもかかわらず、「マヤの神聖文字を翻訳するという奇妙な趣味が高じて、マヤを研究する一部の考古学者に見出され」（公式ウェブサイト掲載のグレーバー自筆の「略歴」）、名門寄宿校フィリップス・アカデミーで学ぶことができた。ツイッターのある有名アナキスト・アカウントは、ブッシュ大統領親子がイェール大学進学への足がかりとした排他的学校で学んだような人間にアナキストの代表面をされたくはないとばかりに、彼を「アナーキー親父」と呼んで嘲笑した。グレーバーは「誰かこの負け犬に「奨学金」と呼ばれるものの存在を教えてやってください」と応じている（2015.4.15）。

じっさい、グレーバーは先ほど言及したウィリアムズのような中道志向の「リベラル」と時に衝突する一方で、よりラディカルな左派の一部との軋轢をも抱えていた。突然の死にひと月ほど先立つ最近のツイートでも、「セクト的な集団思考」に駆られた「リブコムやジャコバンの支持者、原始主義者、独裁政権擁護の「反帝国主義者」たち、蜂起派」といった人びとがいかに自分を憎んでいるかが嘆かれていた（2020.8.7）。ウィリアムズに対するツイートの前に引いたツイート（「寛大であろうと努めていますが」）は、このうち「反帝国主義者」たちとの応酬のなかで発せられたものだ。グレーバーは米国によるロジャヴァ支援に期待をかけ、トランプのアサド暗殺方針を支持する発言さえ行って（2018.9.7）、そのため米国の軍事力行使に一律に反対する——そして結果として独裁政権の残虐行為を消極的に容認する——人びとにしきりに攻撃を受けてきたのだった。

英国の有力なアナキスト系ウェブサイト「リブコム」（「リバタリアン・コミュニスト」の略）とも、

とりわけロジャヴァ評価をめぐって意見がわかれ、グレーバーはそこに集う人びとを現在進行中の「革命」を認めない理由を探すばかりの「負け犬左翼」とみなしていた（2015.4.6）。「リブコムはほんとうは革命に興味があるのではなく、議論に勝つことにしか興味がないのだと思う」（2017.1.20）。「ジャコバン」はバーニー・サンダース支持者と結びついて成長した米国の活気ある左派のプラットフォームだけれど、グレーバーによれば「彼らは反オキュパイ・ウォールストリートとして自己規定していて、それでわたしのことを、彼らがOWSの主張とみなすすべて（水平性、予示的政治、公式の政治空間を正当化することの拒絶）を体現するトーテムめいた存在に仕立て上げているのです」、「そうしたものはまったく正当な違いであって、政治的な議論の対象にすることができる。けれども彼らは議論しようというのではないのです。彼らはただただ人間的にたちが悪いだけでした」（2020.8.6）。

故郷の地でのこうした扱いは、英国でのグレーバーがコービン労働党の熱心な支持者として最後の数年を過ごし、反国家のアナキスト的原理に対する柔軟な身振りを示していたことを思うと皮肉なものに感じられる。しかしここでは、ジャコバン一派の振る舞いの性質に焦点を当てることにしよう。意見の違いを正当な議論の対象とするのではなく、それを口実に人間的な次元での攻撃を繰り返すこと。これは近年の英語では「トローリング」と呼ばれるものだ。「トローリングの戦略は、まずは右派が左派に対して使うために発展させたものですが、左派の多くがそれを右派から借り受けて、左派内部の別の人びとを攻撃するのに使っています。つまり、卑劣なやり方で誰かを怒らせておいて、相手がやり方を咎めようものなら、そのひとの人格的欠陥とされるものを取りざたして大騒ぎするのです」、「右派はいつもそれを右派の敵陣営に対して用いているのですが、わたしの見るところ、自分たちの内部でそんなことをしているのは左派の側だけです。つまり、左派に属する他のひとの仕事をわざとあからさまに間違ったかたちで要約して、相手が不平を述べるなら、「批判を受け入れられないとは」、と一斉に騒ぎ立てるのです」(2020.8.6)。

4「とりあえず信じる」

日本語世界ではそれほど認知されていないこの「トローリング」については、最近小沢健二が取り上げてちょっとした炎上を招いたことが記憶に新しい。彼は〈ブラック・ライヴズ・マター〉の運動参加者たちの振る舞いを、「わざと怒らせる方法」としてのトローリングと(同一視しないまでも)比較して論じ、「下品」であるには違いないそうしたやり方が、切迫した状況のなかでは必要なこともあるかもしれないとして、あえて擁護してみせた。その結果、彼が距離を置いて擁護しようとした当のマインドセットを抱えた人びとから、正義のために声を挙げている人びとの振る舞いをトローリング扱いするとは何ごとか、という趣旨の激しい攻撃を受けるに至ったのは何とも言えない展開だったけれど、実のところ、今日的な左派の振る舞いの一部にトローリング戦略を認めるというのは、英語世界ではありふれた流儀であるわけだ。

小沢健二はそうした常識を踏まえ、問題を認識しつつも一定の正当化を試みた。グレーバーのほうでは批判を前景化して、この戦略を民主主義との関係で疑問視している。「わたしの問題は、わたしが民主主義的な本能を持っていることです。わたしはみんなのことを真面目に受け止めたい。トローリングは、エリート主義者として行動するようにデザインされたやり方だと思うのです」（2017.4.7）。じっさい、自分たちの側に正しさの専有を想定したうえで、相手の説得を放棄してもっぱら人格的な非難に力を注ぐというのでは、合意形成の基盤となるような共同体をつくるのは難しい。それにまた、ラディカルさの根拠を多くの人びとの無理解に求め続けている限り、世の中の大がかりな変化を促すこともできないだろう。「多くのグループは、単に大衆的基盤を求めていないだけではなく、それだけだったらよいのですが、一部はそもそも多数派の人びとがラディカルになることをまったく望んでいないのです。というのも、そうなると自分たちが特別な存在ではなくなってしまうからでしょう」（2020.8.9）。

もちろんすでに見たように、グレーバー自身もまた、とりわけSNSにおいて、時に「パンチの効いた感じ」で振る舞ってきたことは事実だ。それでも、彼はそうした振る舞いを、ある痛みとともにしか行うことがなかった。ツイッターでの彼はしばしば、「とりあえず信じること（benefit of the doubt）」の原理を引き合いに出していた。「わたしは、とりあえず信じるという原理を保ちながらひとと関わることが多いのですが、そうして次第に、相手がわたしをまるで人間扱いしていないという事実に気づいていくわけです」(2017.4.7)。「わたしはとりあえず信じるという原理を、反射的な民主主義的衝動のようなものとして広げていくという馬鹿げた傾向を持っていて、それはトロールでいっぱいの環境では、時に不適切なものとなります」(2018.1.14)。

まずは信じてみること。けれど愚かだったとわかったら、然るべく対処すること。こうした両面は、グレーバーの著作にもはっきりと感じられるものだ。例えば『負債論』で強調される「基盤的コミュニズム」の原理。それが他の諸原理にもまして重視されていることは疑いえない。けれどもそこでは、無償の贈与を基盤とする共同体は、一方的に求めるだけの人びとによる深い混乱を帰結しうることもはっきりと指摘されている。その場合、共同体はそうした人間を殺してしまうこともあるというのだ。

人類学者が急逝した二〇二〇年は、吾峠呼世晴『鬼滅の刃』が驚異的な成功のなかで完結を迎えた年でもある。主要人物のひとりは、鬼との相互理解を信じながら鬼に殺された姉を持ち、自らは鬼との共生を願いつつも、必要が生じるたびに仮借ない態度で敵を葬っていく。アナーキーを、直接民主主義を、コミュニズムを、人間の「ケア的」本性を信じるデヴィッド・グレーバーのもとにも、同じ両義性の絶えざる自覚が感じられるように思う。その意味では、彼がSNS上で時に示した「パンチの効いた感じ」は、前向きな未来を開こうとするほとんど楽観的な信念に劣らず、貴重な何かであるのかもしれない。

初出　『図書新聞』（武久出版）二〇二〇年十月一七日・三四六七号。

デヴィッド・グレーバーの人類学と進化論

1 アナキスト人類学者？

デヴィッド・グレーバーを「アナキスト人類学者」と呼ぶのはやめたほうがよい。少なくともそのように呼ぶことは、本人の意思に反する。じっさい彼は、つねにそのことを強調しながら人生を終えたのだった。「つねに」というのは文字通りにそうなので、彼のツイッターアカウントを見ればいつでも、プロフィール欄には以下のように記されているのを読むことができた。「わたしは人類学者であり、時々何かを占拠したりします。アナキズムというのは実践の問題であって、アイデンティティだとは思わないので、どうかわたしをアナキスト人類学者と呼ばないでください」。

グレーバーがこの点をことのほか気にかけていたことがうかがえるのは、彼は『ブルシット・ジョブ』の原著刊行に合わせ開設した公式ウェブサイトに掲載した自筆の「略歴」でも、同じことをより詳しく説いているからだ。

恩師マーシャル・サーリンズが小冊子の叢書を始め、わたしに一冊協力するよう求めてきたので、『アナーキスト人類学のための断章』と題する小さな本を書いたのですが、そのせいで以後ずっと、「アナキスト人類学者」と呼ばれるのがわたしの宿命になってしまいました（実際にはこの本はおおむね、アナキスト人類学など存在していないし、たぶん現実に存在することはありえないと説いているというのに。お願いだからこんな風に呼ばないでください。誰かを「社民主義人類学者」などとは呼ばないものでしょう？）。

要するに、グレーバーは活動家の側面をつねに保ち続けたし、その活動を支える原理をアナキズムの名のもとに置くことを躊躇しなかったけれど、人類学上の探究はそれとは別個になされるものだと捉え、人びとにも両者をわけて考えてほしいと願っていたわけだ。

2 文化人類学者？

この点についてはすでに論じたことがあるので（『群像』二〇二〇年九月号【本書所収】）、これ以上詳述することは差し控えるとして、ここで確認しておきたいのはまた別の呼称上の問題だ。

彼は日本では多くの場合、「文化人類学者」として紹介される。すべての日本語訳のプロフィールにそのように書かれているし（正確には、航思社刊『デモクラシー・プロジェクト』〔木下ちがや・江上賢一郎・原民樹訳、二〇一五年〕の場合、専門分野として「文化人類学」が記されている）、様々な機会にこの肩書が用いられているのを見る。けれども、英語圏では（また本稿の筆者が専門とするフランス語圏でも）、単に「人類学者」とされるのが一般的だ。何か形容詞が添えられる場合は、「社会人類学者」となることが多いように思う。日本で――グレーバーに限らず文系の人類学者に関し――一般に「文化人類学者」の肩書が好まれてきたのには固有の歴史的事情があるわけだけれど、それを今後に引き継いでいくべきだとも思わない。そのため、筆者がこの点に留意してから関わったグレーバー関係の仕事では、彼のプロフィール欄の肩書として「人類学者」を採用している（例えば『朝日新聞』二〇二〇年九月一六日夕刊に寄せた追悼文【本書所収】）。

この点が気になるのは、グレーバーは別段、人間または人類を、文化の観点から論じるといったところに学問的アイデンティティを置いているようには見えないということがある。『負債論』であれ『ブルシット・ジョブ』であれ、彼にとっての問題は人間本性の一般的な探究であって、個別的な文化の解明にはない。しかも彼はこの一般的な探究の企てを、他の人類学者のためらいを乗り越えて敢行していることをはっきりと自覚していた。『アナーキスト人類学のための断章』では、以下の挑発めいた不満が述べられている。

人類学とは、多くの意味において、己の権能に怯えている学問である。たとえばそれは人類というものの総体を一般化しうる唯一の学問なのである。それは人類の全体性を考察の対象にし、あらゆる異例とも親しんでいる唯一の学問である〔…〕。だがそれでもなお、人類学は断固としてこれを実践することを拒絶している。

彼にとって人類学とは、人類を総合的に研究し一般化を行う力を持つ唯一の学問として貴重なものだったのであり、「アナキスト～」はもちろんのこと、「文化～」であれ「社会～」であれ何らかの下位分類を設定し、その枠組みの内部に自己を限定するようなことに大きな意味を認めていなかったことはたしかだろう。社会人類学者としてキャリアを積んだティム・インゴルドは、アバディーン大学で自分たちの人類学のプログラムの名称をあえて形容詞抜きの「人類学」とした際の事情を語りながら、この言葉がAから始まりリストのトップに置かれる（!）という実際的な理由のほか、自分たちのプログラムが「より大きな学の特殊な下位部門ではない」という思い、その関心が「人間の生の特定の側面というよりは、あらゆる面に関わるべきだという確信」があったのだと説明している（『人類学とは何か』奥野克巳・宮崎幸子訳、亜紀書房、二〇二〇年、第五章）。グレーバーが自分の学問について、ほぼ同様の確信を抱いていただろうことは容易に推察できる。

3 進化生物学的アプローチへの無関心？

ところで、人類学とは、単に人文・社会科学の一部門にとどまる学問ではない。理系の人類学——自然人類学あるいは生物学的人類学——は、ダーウィニズムの刷新と結びついて目覚ましい成果を上げてきた。そうした成果を背景に、進化生物学の側から文化および社会人類学に対して投げかけられる学問的総合の呼びかけを前にして、例えばインゴルドは警戒心を隠さない。彼は二〇〇七年に「「進化生物学」との諍い」(*Anthropology Today*, Vol. 23, No. 2) を発表し、このように書いている。

「進化生物学者」の目には、社会・文化人類学者は新しい未開人のようなもので、屈服を定められた生存闘争に追い込まれていると思われているのだろう。これが言い過ぎだと思うなら、バーコフの以下の診断を読んでみてほしい。「政策立案者や教育を受けた市民が人間社会の理解を深めるため、仮説検証やデータ収集や数学的モデル構築を行う研究者に目を向けるようになるなら、人文学志向の人類学者は縄張り争いにあっさり敗れるだろう」。

インゴルドはここで、新しいダーウィニズムの成果を単純に拒絶しているのではない。それが人間に対する他のすべてのアプローチを退け、排他的に適用されることに異議を唱えている。

「わたしたちはダーウィンを、生命とその条件に関する現代的な理解の形成に根本的に寄与した多くの思想家のひとりとして認めている。けれども——新ダーウィン派に宗旨替えした人びととは異なって——彼の仕事を聖杯のようにみなし、ほかのすべてを無価値な偶像崇拝と考えたりはしないのだ」。

グレーバーはどうだろうか。彼は、人間の一般的な理解を目指すという野心のなかで、生物学的アプローチの台頭をどのように受け止めていたのか。

まずは、この点に関する証言として、英国の人類学者クリス・ナイトの追悼記事を見てみよう。そこで彼は、先ほど本稿でも引いた『断章』からの一節を引いてグレーバーの野心を確認したのち、そうであるなら「人類学内部を分断する境界線を——とりわけ、生物学を研究する人びとと文化的多様性を専門とする人びとを隔てる粗野で有害な有刺鉄線を——乗り越えること」が必要であるはずだと主張する。そしてグレーバーがこの必要性を理解しようとしなかったことを惜しんでみせるのだ（Weekly Worker, Sept 10, 2020）。

デヴィッドはこのフェンスの片側でだけ居心地良く感じていた。人間は本能的にコミュニズム的生物なのだと主張しながらも、生物学や霊長類学の研究者と協力するに至らなかったのはそのためだ。この分野の研究者は数十年にわたり、感受性に富み、ケアを志向し、他者を思いやる社会的本能がいったいどこからやって来たのかを進化論の観点から解明しようと努めてきたというのに。〔…〕デヴィッドに出会ってすぐに、彼がまったく、あるいはほとんど、進化人類学にも狩猟採集民の研究にも関心を持っていないことが明らかになった。

グレーバーが、その広大な知的好奇心にもかかわらず、人間をめぐる知の自然科学における刷新に関心を寄せていなかったとしたら、そこにはどのような意味があるのか。そしてまた、ナイトの回想のなかで、進化人類学への無関心と狩猟採集民の研究への無関心が並列されているのはどういうことなのか。

4 ダーウィンとクロポトキン

「ラディカル人類学」グループを率いるクリス・ナイトは、活動家の顔を持ちつつ、人類学者としては、社会人類学の側からダーウィン進化論の現代的再生の成果を積極的に取り込もうとしてきたことで知られる。そんな彼にとって、グレーバーの主要な問題はダーウィンへの敵対にある（*The Brooklyn Rail*, Jun 2021）。

グレーバーはダーウィンの『種の起源』を捨ててクロポトキンの『相互扶助論』（一九〇

二年）を選ぶよう勧めている。十代の頃はクロポトキンを糧としたものだし、わたしはクロポトキンが好きだった。けれども今日の進化論学者にダーウィンを捨ててクロポトキンの全面的相互扶助のビジョンを選ぶよう求めるというのは、ドン・キホーテ的と言うほかない。いずれにせよ、そんな必要はないのだ。

なぜそんな必要がないのか。ドーキンスの「利己的遺伝子」説を取るとしても、複数の個体が共有する遺伝子を守るためには相互の協力が求められるのであって、クロポトキンの理想のためにダーウィンを捨てる理由などないからだとナイトは言う。けれどもグレーバーも当然、そのようなことはわかっている。ナイトが参照するエッセイを見ると、クロポトキンはあくまでもスペンサー流の「社会ダーウィニズム」への反対者であって、『相互扶助論』は「競争ではなく協力を進化の動力として強調する、ロシアに生まれたオルタナティブなダーウィン派」の宣伝役であると指摘されている（*The Baffler*, No 24, Jan 2014）。さらにまた、グレーバーの最後のテクストのひとつ、近刊が予告される『相互扶助論』の序論（アンドレイ・グルバチッチとの共著）を見てみよう。そこでは、社会生物学と進化心理学という二つの分野の存在理由が、「動物たちの相互協力をめぐるクロポトキンの指摘を、わたしたちは究極的にはドーキンスが述べたように「利己的遺伝子」によって駆り立てられているのだ、という想定と両立させること」にあったと説かれる。両立の例として引き合いに出されるのは、「兄弟なら二人、腹違いの兄弟なら四人、従兄弟なら八人」を救えるのなら命を投げ出してもよいという、生物学者J・B・S・ホールデンの有名な発言だ。

こうしてこの序論ではたしかに、ドーキンス流の新しいダーウィン主義が、「クロポトキンの進化的全体論を中和する」ための「右派知識人たち」の努力として片付けられてはいる。けれどもこうした自然科学の取り組みは、少なくともクロポトキンの主張の重大な意義を理解し、自らの枠組みの内部に回収しなければ脅威となると心得るだけの見識を前提としているわけだ。それにもましてここで辛辣に扱われているのは「マルクス主義的左派」であり、さらには「左派的学問一般」である。

相互の助け合いを基盤とする社会構築を唱えるクロポトキンのビジョンは、左派の人びとによって、「救命ボートの社会主義」、「素朴なユートピア主義」等々として大いに揶揄された。左派のこうした態度のうちには、「ラディカル」であるとは何かをめぐる理解の相違が認められる。クロポトキンの考えるラディカルさとは、既存の社会を構成する諸要素の中から人びとを分断するものと人びとを結びつけるものを腑分けし、両者の適切なバランスを見定めながら少しずつ社会のあり方を変えていくことなのだ。続けて著者らは、マルクスとクロポトキンを補完的に結びつけることを提案する。そうすれば、「資本主義でさえも、究極的にはコミュニズム（相互扶助）を基盤としていることが理解できる」のだという——「たとえ、それが自らをコミュニズムとは認めないコミュニズムだとしても」。資本主義的工場でさえも労働者の助け合いなしでは操業不可能だというこの議論は、すでに『負債論』(第五章)において、資本主義的大企業の人間関係をすら支えているという「基盤的コミュニズム」として定式化されていたものだ。

この観点からすると——再び序論から引くなら——、「伝統的マルクス主義と現代の社会理論」はいずれも、資本主義のもとでの「寛大な態度や協力関係や利他主義を示唆するものはみな一種のブルジョア的幻想として頑なに跳ね除ける」というまさにその態度のために、「われわれの行動は「利己的遺伝子」に支配されているという社会生物学の仮説」をなぞっているように見えてしまう。それも、クロポトキン的な相互扶助を利己主義的原理と結びつけるという努力とも無縁であるだけに、左派の諸理論こそが救いのないむき出しの殺伐とした世界観を提示しているようにすら思えてくるわけだ。

いずれにせよ、相互扶助を強調することの狙いはダーウィンを退けることではない。著作よりもざっくばらんな発言をツイッターから探してみても、グレーバーが素朴な誤解を晴らそうと配慮していたことは明らかだ。「わたしはまったく現実を尊重しますから、反ダーウィンのように思わないでください」(二〇一四年二月二三日)、「いやいやダーウィンはOKですよ——ただ彼がすべてを説明できるわけではないというだけです」(二〇一四年二月二六日)。

5 「原始主義」との対決

こうして見ると、クリス・ナイトの批判はいくぶん的外れのようにも思えてくる。彼の批判の根拠は、さしあたりは進化論の受容の有無にあるように見えて、強調点は別のところにあると言えるのかもしれない。ナイトの反発は、実のところ、気前の良い相互関係をそのように呼ぶというグレーバーのコミュニズム理解――その原理は歴史上のあらゆる社会に内在するもの、ただそれのみで律せられる社会はありえないとされる――が、一方では所有関係を問い直さず資本主義批判としては弱すぎるように思われる点（二〇二一年のテクストにはこうある――「一部の銀行家が気に入ったというのも不思議はない！」）、他方では、かつて「原始コミュニズム」と呼ばれた狩猟採集民の平等な社会を一種の幻想として退けてしまう点に大いに起因している。

ナイトの「ラディカル人類学」グループは、進化生物学の成果を借りながら、旧石器時代の狩猟採集民の平等を、それもジェンダー間の平等に中心的な位置を与えつつ提起してきた。それゆえ、このグループのフェミニズム的側面を代表する人類学者、カミラ・パワーは、グレーバーが『負債論』以後の主要プロジェクトとして取り組んだ考古学者デヴィッド・ウェングロウとの共同作業を盛大に批判することになったのだった。

グレーバーとウェングロウの研究（まもなく *The Dawn of Everything: A New History of Humanity* として原著が刊行される）は、原始の平等と不平等発生の歴史的起源を語るルソー的神話の克服を主題とし、狩猟採集民であろうと完全な平等を生きていたわけではないこと、逆に大規模に組織化された社会においても平等の追求は可能であることを、数万年の人類史を踏破しつつ明らかにする企てだ。パワーは批判的論評のなかで（*openDemocracy*, Aug 31, 2018）、とりわけ類人猿／ヒトのメス／女性の進化的戦略を論じたサラ・ブラファー・ハーディの一連の業績を用いながら、[*1]二人のデヴィッドの研究においては家父長制確立以前の男女平等が見過ごされていると説く。紙幅の都合により詳述はできないけれど、ダーウィニズムとフェミニズムを和解させようとする意図はわかるにせよ、またハーディ自身の議論に照らしても、過去の社会の達成をそこまで高く見積もるのは、グレーバーが絶えず対決しようと努めてきた「原始主義」に近接した態度とみなされても仕方がないという印象を受ける。[*2]

6 五万年の人間本性

ともあれ、グレーバーが進化論に敵対する意図はまるでないにせよ、その同時代的展開に深い関心を払ってこなかったことは事実だろう。この相対的な無関心はおそらくそれ自体が、彼の人間理解と結びついているのだと言える。ウェングロウとの共著は、一時期『未来——五万年の序文』という仮題を与えられていた。このタイトルが示唆するのは、彼にとって人間の本性が過去数万年にわたりおおむね変わらないものであり続けたということ、だからこそこの広大な時空を経巡って得られる知見は、わたしたちの未来を開くのにそのまま役に立てることができると彼が考えていたということだ。五万年変わらない人間本性というこのような発想は、社会・文化人類学者としてのグレーバーに固有のものではない。日本における自然人類学の権威として知られる尾本恵市の以下の記述は、ほとんどグレーバーそのひとによって書かれたものと思えるほどだ（『ヒトと文明——狩猟採集民から現代を見る』ちくま新書、二〇一六年、第五章）。

私としては、現代人の遺伝子は総体として一万年どころか、五万年前の祖先集団のそれと基本的に同じであると考えたい。約五万年前は、ヒトの現代的特性（第二章参照）がほぼ完成し、おそらく人口増大のためヒトがアフリカから世界中に拡がり始めた時期でもある。SFのストーリーとして、仮にこの時代の先祖の一人が現代によみがえったとしたら、彼（女）はわれわれの都市生活を充分受け入れることができると信ずる。

要するに、グレーバーが進化論の展開と無縁に彼の探究を続けることができたのは、この五

＊1　ハーディの仕事の意義については以下を参照。片岡大右「『鬼滅の刃』とエンパシーの帝国」、『群像』二〇二一年一一月号【本書所収】。

＊2　「原始主義」とグレーバーの関係については以下を参照。片岡大右「「神秘的な、楽しい未来」に向けて——デヴィッド・グレーバーを読み続けるために」、『群像』二〇二〇年一一月号【本書所収】。

万年に関する限り、基本的に人間の生物学的与件は変わらないという確信があったからではないだろうか。尾本は同じ著書の「おわりに」で、グレーバーの『断章』の読書経験を語り、「クロポトキンの『相互扶助論』に感激した私は、心情的にはこの考え方に近いと思う」と記している。最新の研究動向の知識と基本的な発想の共有は、二つの別の事柄であることがよくわかる事例だと思う。

初出　『現代思想』（青土社）二〇二一年十月号。

愛とともに読まれるべき美しい書物／デヴィッド・グレーバー『負債論』

国際的成功を収めた大著がついに日本語で、それも実に明快な訳文で読めるようになった（酒井隆史監訳、高祖岩三郎・佐々木夏子訳、以文社、二〇一六年一一月）。この種の翻訳書にあっては例外に属する見事な達成に対し、監訳者をはじめとする訳者諸氏に感謝しなければなるまい。ところで「感謝」とは何か。それは相手に対して何らかの心の負担を感じている者が、言葉を射ることによってその緊張を解消することだ。本書の著者は、「please」や「thank you」、「por favor」や「merci」といった欧米諸語の例を取り上げつつ、何気なく交わされるこうした言葉のうちに、人間とは何かという根源的な問いを解く手がかりを見出そうとする。これらの言葉は、一方では、相手をモノ扱いしていないこと、「共通の人間であることとの承認」の証しだ。しかし他方、著者によれば、そこでは「ただちに帳消しにされるつかのまの債務関係のはてしなき交差」として社会関係が想定されることで、負債概念がモラル上の原理として特権化されている。ナイジェリアのティブ族の慣習にしても同様だ。贈り物に対する等価のお返しを決してしないという配慮を通し、彼らは「だれもがだれかに対して、いつもほんの少し負債があるようにすることによって、〔…〕人間社会を創造」する。しかし債務関係は唯一の根本原理なのか。

かつて世界宗教は、「市場に対する怒号」とともに発生しつつも、「人間の生を商取引に還元してしまうことがよくないのはそれがよい商取引ではないからだ」とでもいうべき主張に帰着した。今日の社会科学における経済学の特権的地位に反対する試みでさえも、互酬性を前提とする交換の論理に依拠することにより、結局は「遅延された交換」としての負債を「すべてのモラリティの根本」に置いてしまう。しかしグレーバーによれば、等価性へと向かう交換がすべてなのではない。「ヒエラルキー」が、そしてとりわけ「コミュニズム」が、それと並んで三つの主要なモラルの原理を構成している。「各人はその能力に応じて、各人にはその必要に応じて」として定式化されるこの最後の原理は、本書では遠い過去または未来の理想を指し示すのではなく、あらゆる社会の基盤をなすものとして再提示される。「ほとんどの資本主義企業がその内側ではコミュニズム的に操業していることこそ、資本主義のスキャンダルである」——こうして人類学者は、かつて「民主主義は工場の門前で立ちすくむ」といった言葉で表現されえた過酷な現実と両立するもうひとつの現実を明らかにするとともに、「すべての社会が矛盾するいくつもの原理の寄せ集めであることを認識した最初の人物」たるモースを踏まえつつ、マルクス主義の理論的前提を相対化する。「ありがとう」その他を口にする言語習慣も、ティブ族の実践も、負債の論理に依拠しつつも実際のところ、「わたしたちの根本的相互依存の承認」として定義される「基盤的コミュニズム」の経験を証言しているのだ。この美しい書物はそれゆえ、感謝とは別の感情とともに読まれることを求めている。本書自身において示唆されているように、それは愛と呼ばれる感情である。

初出　『文藝』（河出書房新社）二〇一七年春季号。

第二部

作品とともに生きるための批評

はじめに

第二部には、わたしがこれまでに発表してきた現代の文芸と芸術をめぐる文章の一部を収めています。大部分を占める最初のセクションを構成する三編は、いずれも二一世紀のポピュラーカルチャーを主題としています。「序に代えて」でフランスの哲学者、サンドラ・ロジエの引用を通して確認したように、わたしはこれらの作品を、批判意識を欠いた「大衆」に提供される「マスカルチャー」として論じているのではありません。そもそもそのような論じ方は、すでに過去のものとなったと思われるでしょうか。しかし例えばデヴィッド・グレーバーは『ブルシット・ジョブ』のなかで、「時間を割く余裕のあるものといえばひそやかな消費の快楽のみである」という現代社会の窮状を説きながら、「カフェで一日中政治について議論したり、友人の複雑でポリアモリーな恋愛事情のゴシップを報告し合う」ことの重要性と比べて、「『ゲーム・オブ・スローンズ』を観たり」することを他愛のない消費行動のうちに数え入れています(第七章、酒井ほか訳)。わたしはこのくだりを、グレーバーの全著作中で最も説得力に乏しい部分だと考えています。

最初の『ゲーム・オブ・スローンズ』論は、連続テレビドラマを「二一世紀の哲学的芸術」として捉えるロジエの説を紹介し、また日本では十分な反響を得たとは言えないこの惑星規模の文化現象それ自体の導入となることを願いながらも、さらに進んで、「権力と人間社会の関係を問い直す試み」と言うべきその作品世界の内実に迫ろうとしています。『ウォッチメン』論は、近年のドラマや映画における「多様性」の文化表象に焦点を当て、それが一定の偏りを持ちつつも前向きな展開を示していることを評価する一方、これらの作品が「階級」の問いを――この問いが、現実世界においては前世紀末以降新たに浮上しているにもかかわらず――周縁化している事実と、その背景をなす困難を論じています。『鬼滅の刃』論は、ロジエの視点の日本のマンガ文化への適用可能性という論点を提起し、鶴見俊輔、高畑勲、加藤周一のマンガ・アニメ論を振り返ったのちに、「エンパシーとケアの主題を殺しの主題とともに奏でる」この作品を構造化している内在的な緊張を浮き彫りにしようと努めるもの。先立つ二論考でも示唆されていたフェミニズム的主題系に、より明示的に取り組んだ論考でもあります。

続くセクションは書評を収めます。G・R・R・マーティンの架空の歴史書、松田青子の小説、小原眞紀子の『源氏物語』論はいずれも、批判の問題系に連なる「行為可能性（エイジェンシー）」の問題をフェミニズム的文脈のなかで問うている。金井久美子の美しい装幀に包まれた金井美恵子のエッセイ集の書評は、「血と肉と内臓の塊としてのわたしたちを覆う表皮が帯びる色彩」、つまり生きることの生物学的基礎に関わる色彩としての「薔薇色」や「桃色」をめぐる作家の想像力に注目するもの。本稿には、ジェンダーの問いとも不可分なこうした色彩的想像力に焦点を当てた、現在準備中の金井美恵子論の予告の意味も込められています。

「惑星的ミサ」のあとで――『ゲーム・オブ・スローンズ』覚え書き

1 「頭を切り落とされた世界」

〈壁〉の外の怪異によって仲間の首が切り落とされる様に戦慄した男は、〈七王国〉の辺境を守る誓いを破って逃走し、北部総督エダード（ネッド）・スタークによって斬首の刑に処せられる。『ゲーム・オブ・スローンズ』（以下しばしば『GOT』と略記）第一シーズン第一話（以下S1E1のように表記）冒頭で描かれるこの斬首刑はそれ自体としては、正義を貫徹し秩序を維持するための措置にほかならない。しかし同シーズンは終盤に至り、正義を貫徹しようとする同じ努力の帰結としてネッド自身に首を失わせることで、わたしたちが以後第八シーズンまで付き合っていくことになる世界がどのようなものであるのかを鮮烈に示すだろう。「わたしたちが訪れるよう招かれているのは頭を切り落とされた世界、針路も定かならず、指導者もいない世界なのだ」――ミシェル・フーコーの研究者として知られ、今日ポンピドゥー・センターの文化推進局長を務めるマチュー・ポット＝ボンヌヴィルが、最初の斬首の光景についてこのように述べるのは正しい（Mathieu Potte-Bonneville (dir.), *Game of Thrones : Série noire*, Les Prairies ordinaires, 2015）。

それでは世界に頭部を取り戻せばよいのか。正義を求めるウィンターフェル公は、〈鉄の玉座〉（アイアン・スローン）を不正に占める少年暴君の無分別によって斬首された（S1E9）。玉座が正統な継承者に委ねられ、〈七王国〉がしかるべき頭部を得るなら、王土（レルム）は秩序を回復するのだろうか。しかしこの作品の全体を通して、〈鉄の玉座〉の価値は絶えざる疑念にさらされるのだ。この点に関する最も明快なコメントのひとつとして、死亡した登場人物の役者たちになされたあるアンケートを引用することにしよう。最終シーズン放送を控えた時期、誰が〈鉄の玉座〉に座るのかという質問に対して、エスメ・ビアンコ——陽気で聡明な娼婦ロスを演じ、痛ましくも印象的な映像を残して退場した（S3E6）——はこのように答えている。

> 率直に言って、ひとが〈鉄の玉座〉に座りたいと思う理由が、私にはわからないんです。この玉座は、そこに座った人びとにトラブル以外の何ももたらしてこなかったように見えるし、それにものすごく座り心地が悪そうですから。じっさい、それは破壊されるか、ドラゴンの炎で溶かされてしまうのではないでしょうか。作品の最後に、誰かはっきりとした「勝者」が残るようには思えないんです。『ゲーム・オブ・スローンズ』はそんな作品ではないですよね！（*HuffPost US*, April 13, 2019）

的確な予想、的確な作品理解と言うほかない。こうしたコメントが示唆するのは、「玉座を目指す争い（ゲーム・オブ・スローンズ）」は――HBOの連続ドラマは、ジョージ・R・R・マーティンの連作長編『氷と炎の歌』の第一部のタイトルを総題とすることで、この争奪戦を主題として示しているのだけれど――実のところ、この作品における自明の枠組みを定めているのではないという事実だ。先ほど参照したポット＝ボンヌヴィルは、この点についても適切に、タイトルに掲げられたゲームの比喩それ自体の妥当性を疑うことを提案している。陣営間の明確な対立を前提とし、勝利の意義を自明視するところに成立するチェスのようなゲーム（小説に登場する「サイヴァス」）を、この作品と重ね合わせることはできない。それには少なくとも二つの理由があると哲学者は言う。第一に、『GOT』においては、〈鉄の玉座〉によって象徴される権力獲得の意義が鋭く問い直されている。その獲得は虐殺を対価とし、まさにそのためもあって、そこに身を置いた者自身の運命さえも不安定に揺るがせずにはいない。第二に、権力を目指す人間たちのゲームは、〈壁〉の彼方からの脅威――「冬来たる」という定式と結びついたこの脅威は、地球温暖化の反転としてしばしば解釈され、現実世界における気候変動の寓意のようにみなされてきた――によって無効となることが示唆されている。

　第八シーズンの展開は、この第二の次元が――未完の小説はさておきドラマ版においては――克服可能な副次的主題にすぎないことを示したけれど（この最終シーズン放送と前後して、現実世界ではグレタ・トゥーンベリが真の現象を巻き起こし、環境変動の問題を改めて現代の中心的争点に押し上げるに至ったのを思えば皮肉なことではある）、その一方、そこでは第一の次元の持つ決定的性格が改めて確認されることになった。『GOT』は誰が〈鉄の玉座〉につくのかをめぐる物語ではなく、この玉座によって象徴される権力と人間社会の関係を問い直す試みなのである。

とはいえ、この作品の重要性はこの点にとどまるものではない。権力論的次元には最後にもう一度立ち返ることとして、以下ではこのHBO作品の歴史的意義について簡単に論じることにしよう。

2「二一世紀の哲学的芸術」

すでに伝説化されたエピソードであるが、ジョージ・R・R・マーティンは『氷と炎の歌』を「映像化不能」のものとして執筆した。「レイバー・デイ・グループ」の一員として一九七〇年代のSF界に足跡を残した小説家は、八〇年代にはハリウッドに活動の中心を移すのだけれど、主としてテレビ向けの脚本を手掛けるなかで繰り返し障害にぶつかり、映像化に伴う制約からの解放を求めて再び小説執筆に向かう。一九九六年に第一部を出版、以後一九九八年に第二部、二〇〇〇年に第三部を刊行していく彼のもとに、映画化の提案が舞い込むようになる。ピーター・ジャクソン監督『ロード・オブ・ザ・リング』（二〇〇一年）の大成功が、ハリウッドのスタジオを次なるファンタジー映画の素材探しに駆り立てていたのだ。しかしトールキンの大作をはるかに上回る豊富な内容を、一本ないし数本の長編映画に収められるはずがない。そこに現れたのがデヴィッド・ベニオフとD・B・ワイスだ。ダブリンのトリニティ・カレッジの修士課程で出会った二人の米国人は——前者はベケット、後者はジョイスについて論文を書いた——、大学で文学研究を続けるのをやめ、小説執筆に取り組むとともにハリウッドで働くようになっていたが、マーティンの破格のファンタジー小説の虜になり、映像化の権利を求めて、ロサンゼルスで昼食を兼ねたミーティングを行う。夕食時まで続いた会合で、彼らはケーブルテレビ局HBOでの連続ドラマ化を提案する。マーティンにとっても、それは自作を映像化しうる唯一の道としてひそかに願うものだった。しかしそれはあくまで夢想にすぎない。「あなたたちは頭がおかしいね。これは大きすぎる。複雑すぎる。金がかかりすぎる。それにHBOはファンタジーはやらないよ。」しかし「二人の狂人はくじけなかった〔…〕。それで私は好きに交渉させることにした」(George R. R. Martin, "Preface: From Page to Screen," in Bryan Cogman, *Inside HBO's Game of Thrones: Seasons 1 & 2*, Chronicle Books, 2012)。HBOは二人の提案を受け入れた。こうして、彼らをショウランナーとする『ゲーム・オブ・スローンズ』は、二〇一一年春に放送開始されるやたちまち米国内外で成功を収め、同局のこれまでの傑作群を凌ぐ人気を獲得するばかりか、二〇一〇年代の世界を代表する映像作品——いや、それ以上の何かとみなされるに至ったのだ。

「これは連続ドラマではない。惑星的なミサであって、誰もが、社会から破門されたくなければ臨席するようにと求められている」――最終シーズン放送開始を翌月に控えた二〇一九年三月、フランスの『ル・ポワン』誌は臨時増刊号刊行に際してこのように確認する（Philippe Guedj, « La reine des séries »）。やがて第一話放送の週末、仏紙『リベラシオン』はこのHBO作品を一面で取り上げ（四月一三・一四日）、『ル・モンド』紙は五月三日の社説を「『ゲーム・オブ・スローンズ』、惑星的な成功」と題するだろう。欧州の一国でのこうした反響は、マーティンの小説のドラマ版が、SF・ファンタジー愛好者はもとより米国映像産業の文脈をもはるかに超える巨大な文化現象としてこの星を席巻した事実の一証言である。のちに見る知的世界へのインパクトはフランスにおいても顕著で、放送中からすでに、バカロレアの哲学試験で例に取り上げてもまったく問題のない――採点官は個人的好みを超えて受け入れざるをえない――国民教育省お墨付きの作品とみなされていたことを付け加えておこう（フランス・キュルチュール、二〇一八年五月二八日）。

この途方もない成功の要因が、まず何よりも原作の驚くべき豊かさにあるのは間違いない。しかしHBOの力なしでは、「映像化不能」の作品がこれほど見事に映像化され、小説の豊かさがほぼ忠実に別の媒体に移し替えられるようなことは決してなかった。じっさい、『GOT』の例外的な成功の背景には、二一世紀における連続テレビドラマの目覚ましい品質向上と社会的役割の変容ないし深化がある。そしてこうした変化を主導してきたのが、HBOにほかならない。

フランスの哲学者サンドラ・ロジエが新刊の連続ドラマ論（Sandra Laugier, *Nos vies en séries*, Climats, 2019）――タイトルを仮に『連続ドラマのなかの人生』と訳しておく――で述べているように、一九九〇年代以降のＨＢＯ作品は、テレビドラマという「メディアに深い革命を引き起こし」、「連続ドラマの要求水準を完全に変えてしまった」。一九六一年生まれの彼女にとって、青春期に親しんだ一九八〇年代の米国ドラマの登場人物たちはすでに、「なお時に戯画的」でありつつも、「自分の一部となっていた」。しかしＨＢＯ作品は、単に広く見られるのみならず高度な美的達成と政治的・倫理的議論の喚起を実現することで、前世紀に映画が果たしていた役割をいっそう効果的に果たしうる存在にまで、連続ドラマの社会的位置づけを高めるに至ったのだという。

数年前から、私はよい映画を見ると（よい映画はまだたくさんある）、二時間ばかり（もっと長いこともあるけれど）のあいだに理解させ、感じさせ、見せることができるものの限界を思い、そのあいだに経験することができる時の流れと風景がどの程度のものに過ぎないのかを思って、唖然とするようにさえなった。人びとは今では、もっと長大なフォーマットに慣れ親しんでいるのだから（十から二十のエピソードからなるシーズンが積み重ねられていく連続ドラマはもちろんのこと、「ミニ・シリーズ」であっても十二時間や十五時間のとんでもない大長編映画のようなものだ）。といっても私は決して、映画とテレビのあいだに対立関係を見定めたりはしない。むしろ継承と相続の問題だと考えている。

映画と比べるなら長大と言うほかないこのフォーマットに、しかし人びとは日々の生活のなかで、リニアなテレビ放送で見る場合には一定のリズムをもって、身を浸していく。だから連続ドラマは、わたしたちの日常から切り離しうるものではない。「連続ドラマは、今日あまりにしっかりと日々の生活の生地の一部となっているので、それは当然、わたしたちの判断力や経験を育むことができる」。つまり元々視聴者の側に確固たる判断力や経験が備わっていて、それらを基準にドラマを鑑賞し判断を下すというのではないのだ。作品世界に身を浸すことそれ自体をひとつの経験としつつ、わたしたちは自らの判断力を培い、日々を生きていくための支えを手に入れていく。

こうして連続ドラマは、前世紀の映画に取って代わり、「二一世紀の哲学的芸術」となった——最終シーズン放送直前、『GOT』を特集するラジオ番組「哲学の道」に出演したロジエは、このように述べている（フランス・キュルチュール、二〇一九年四月八日）。『GOT』はじっさい、中世風の架空世界を舞台とし、性と暴力のあらわな描写に満ちているにもかかわらず、ゆっくりとした持続のなかでわたしたちの日常とわかちがたく混ざり合い、日々の生活と思考をかたちづくる糧となるにはうってつけの作品だと言える。

例えば、第五シーズンまでのこのドラマの主要な一側面であるロード・ムービー的次元のことを考えてみよう。ある批評家が述べているように、「『ゲーム・オブ・スローンズ』は本質的にロード・ムービーなのだ」(James Poniewozik, *Time*, April 3, 2014)。いくつもの旅によって意義深く構成されているこの作品では、何話もかけて描かれる移動の過程で、旅をともにする人物たちの心境や相互の関係が、徐々に変化していく。じっさい、タースのブリエンヌ（日本語版では「ブライエニー」となっているが、どうにもそうは聞こえない）とジェイミー・ラニスターがすぐさま王都にたどり着き、アリア・スタークとハウンドの道中が一瞬で処理されていたら、彼らの人生は——そしてあるやり方で彼らの旅に同行したわたしたちの人生も多少なりとも——別のものとなっていたに違いない。

そのうえ、かなりの時間をかけて辿られるこれらの旅はいずれも、「主演」とはみなし難い登場人物たちのものなのだ。より一般的に言うなら、エミリア・クラークさえもエミー賞や放送映画批評家協会賞の「助演女優賞」にノミネートされる一方（ただし前者では、最後の機会となった二〇一九年に「主演女優賞」にノミネート）、第二シーズン以降はオープニング・クレジットのトップにピーター・ディンクレイジの名が掲げられてきた（ロジエも強調するように、その高い評価がつねに「名バイプレイヤー」としてのものにとどまってきた小人症の俳優にとって、このような扱いは初の快挙である）事実が示しているように、そもそも主演と助演の境界が曖昧なこの作品は、「玉座を目指す争い（ゲーム・オブ・スローンズ）」の主要なプレイヤー以外の数々の登場人物の人生の諸相に、しばしば映画ではありえない時間をかけて立ち止まることで、彼らをわたしたちの人生のかけがえのない一部とする。

サムウェル・ターリー——「臆病さを認めるという奇妙な勇気」（『氷と炎の歌』第一部二六章）を備えた太った少年——が決定的ないくつもの瞬間に発揮することができた真の勇気を、シェイ——マーティンはトルコ系ドイツ人のあの「素晴らしいシベル・ケキリ」を、この抜け目のない従軍娼婦がその一方で保つ「隣の家の女の子といった雰囲気、壊れやすさの感覚、陽気な様子、それから、そう、無垢な感じ」（二〇一〇年七月二八日のブログ）を表現できる例外的な女優として選んだ——がティリオンとのあいだに少なくともひとときは築くことができた関係を、サンダー・クレゲイン——幼少期の虐待が刻まれた容貌をさらしながら、深いシニシズムをもって軽蔑すべき権力者の「猟犬（ハウンド）」として仕える戦士——がこのうえない不器用さで繰り返し体現することができた正義を、誰が思い起こさないだろうか。多様な指導者的形象のヒロイズムを称賛と懐疑の両義性において描き出すその一方で、劣らず多様な副次的登場人物の「慎ましいヒロイズム」（ロジエ）をしみじみと印象づけることができたのは、このHBO作品の最大の達成のひとつに数えられる。そしてこの達成は、連続テレビドラマの特性を最大限に活かすことによって可能になったのである。

とはいえ視聴形態についていうなら、リニアなテレビ放送のリズムに従う旧来のそれは、DVD／ブルーレイのみならず配信サービスの普及に伴い一気見（ビンジ・ウォッチング）が一般化するなかで、かつての自明性を失いつつあることは事実だ。ロジエはそれを認めつつ、人びとをかつての視聴形態へと連れ戻したことこそが、『ゲーム・オブ・スローンズ』という作品の比類なさなのだと述べている。

『GOT』はファンを〔…〕続きを不安に待つなかで活性化する想像力の動きに、再び結びつける。このリズムこそが連続ドラマの力なのだ。このリズムこそが、数日または数週間という人間的な時間の流れのなかに作品を組み込み、視聴者を期待の状態に置くことで、作品を彼らの生活の一部とするのだ。期待とは、哲学者ウィトゲンシュタインが適切に述べたように、わたしたちの生活のかたち〔生活形式〕の基本的要素にほかならない。

こうして、ネットフリックス——ロジエによれば「二〇一〇年代のHBO」——の時代に旧来のテレビ放送の同時性とリズムの力を呼び起こすばかりか、その力をかつてない規模にまで増幅させることができたところから、先ほど引用した「惑星的ミサ」のイメージが出てくるわけである。本稿の筆者にとっても、ある大学の政治学の講義で折りに触れてこの作品を取り上げながら第八シーズンの展開に目を凝らし、不安や喜びや深い動揺のなかで思いを巡らせた六週間は、人生の最も重要な経験のひとつとしてとどまるだろうと感じられる。『ゲーム・オブ・スローンズ』はしばしば、同時に注視され一斉に感想が交わされるという旧来のリニアなテレビ文化から生まれた最大にして最後の傑作となるだろうと言われるのだから、このような経験を惑星的同時性のなかで集団的に生きることは、以後この星においては二度と生じない出来事となるのかもしれない。とはいえもちろん、同時的視聴の傍ら配信サービスを通しても受容されてきたこの作品が、今後も後者のプラットフォームのもとで新たな視聴者を獲得していくのは間違いない。『ゲーム・オブ・スローンズ』の時代は、たぶんまだ始まったばかりなのだ。ミサの開催が国民的に周知されたとは言い難いままに二〇一九年五月二〇日が過ぎてしまったわたしたちの列島においてはなおのこと、こちらの方向での浸透に多くがかかっている。

3「マキァヴェッリ・ミーツ・マジック」？

ところで、ロジエが連続ドラマを「芸術」と規定し、さらには「哲学的」なる形容を付与するからといって、彼女は知識人としての何かしら特権的な立場から、一般のファンに教えを垂れようとしているのではない。『連続ドラマのなかの人生』の冒頭で言われているように、問題は「連続ドラマの情熱的な愛好家、つまりひとりのファン」として、職業批評家や学者と一般の視聴者がともに生み出していく「集団的考察」に寄与することなのだ。フランスにおけるアメリカ哲学――日常言語学派、ソロー、エマーソン、等々――の導入者であるとともに、〈オキュパイ・ウォールストリート〉以後の新たな民主主義的実践形態を論じてきたロジエは、連続ドラマに対しても同じアプローチを採用しながら、多少とも水平的な関係のなかで行われる新しい批評のあり方を提案している。

つまり大衆文化を前にした多くの大学人がそうするのとは異なって、彼女はそこに「事例の宝庫」を見出し、既存の概念を大衆向けに説明するための素材として利用するのではない。彼女が目指すのは、「連続ドラマに固有の力、連続ドラマの思想を解明ないし明確化すること」、つまり個々の作品に「内在する知性」に耳を傾け、そこから教えを汲み取ることなのだ。その時作品は、既存の概念図式にうまくはまるかどうかで評価される客体であることをやめ、むしろそうした図式の妥当性を試し、問い直しの契機となることで、わたしたちの思考を豊かに挑発する新たな経験となる。そしてこうした観点からしても、『ゲーム・オブ・スローンズ』は真に範例的な作品だと言うことができる。冒頭で簡単に見た権力論的次元との関係でそれを確認することで、このささやかな覚え書きを終えることにしたい。

主人公格の登場人物だったエダード・スタークの第一シーズン（二〇一一年四月〜六月）後半における失脚と斬首、そしてこの衝撃的出来事を取り巻く他の人物たちの策動は、政治理論や外交分析、（政治）哲学の分野でただちに国際的な反響を引き起こした。『フォーリン・ポリシー』のウェブサイトでは、全十話の放送終了の早くも翌月には「ファンタジー世界のレアルポリティーク」（Alyssa Rosenberg, “Realpolitik in a Fantasy World,” July 18, 2011）が取り上げられ、第二シーズン（二〇一二年四月〜六月）の直前に刊行された論集『『ゲーム・オブ・スローンズ』と哲学』では、「政治に関わる者にとって道徳性がどれほど致命的なものになりうるかを示す恰好の例」としてネッドが論じられるとともに、このＨＢＯ作品を「マキァヴェッリからの教訓」を得るための素材として活用すべきことが推奨された（Marcus Schulzke, "Playing the Game of Thrones: Some Lessons from Machiavelli," in Henry Jacoby (ed.), *Game of Thrones and Philosophy*, Wiley, 2012）。じっさい、「マキァヴェッリが魔法と出会う」（William P. MacNeil, "Machiavellian fantasy and the game of laws," in *Critical Quarterly*, Vol. 57, No.1, April 2015）とでも定式化できる見方は、『ＧＯＴ』に対する理論的アプローチの主流をなしてきたと言える。

けれどもこの作品の政治的射程は、政治的リアリズムやマキァヴェッリ的（またホッブズ的）政治学の説明に役立つ「事例の宝庫」であることに尽きているのではない。この点を最も早く、やはり第二シーズン放送開始前の時点で（マーティンの小説で以後の展開を把握しつつ）強調したのが、『フォーリン・アフェアーズ』のウェブサイトに掲載されたチャーリー・カーペンターの論考、「理論としての『ゲーム・オブ・スローンズ』」だ（Charli Carpenter, "*Game of Thrones* as Theory," March 29, 2012）。ナイーヴに正義を貫こうとしたために不正に処刑されたネッドの運命にもかかわらず、政治学者は『ＧＯＴ』の世界においても大抵の人物は規範を尊重していること――例えば、キャトリン・スタークがティリオンを拘束できたのはタリー家の家臣たちの忠誠ゆえにであり、そのティリオンが処刑されずに済んだのはライサ・アリンが「決闘裁判」の規則を尊重せざるをえなかったからだ――を指摘する。そして彼女は、ネッドを破滅させたのちのジョフリー王とラニスター家がいかに信頼を失い〈七王国〉を混乱させることになったかを思えば、「この物語の真の教訓は、よき統治がないがしろにされるなら、無秩序と崩壊があとに続く」というものだと主張する。結論部分を引用しよう。

外交政策をめぐる物語として読んでみた場合、マーティンの作品は一見そう見えるよりもずっと保守的な度合いが少なく、ずっと変化への志向性が大きいものだ。それはチェックされることのないレアルポリティークがいかなる帰結を迎えるのかを語るたとえ話であって、権力と権力者を礼賛するのではなく、それらに挑戦し、疑問を投げかけるものだ。

そもそもネッド・スタークは、一部の例外を除き大方の学者たちのお気に入りの攻撃対象となった一方で、彼が不在の第二シーズン以降も視聴者たちの少なからずによって、何かしらの積極的な価値を担う存在として想起され続けた。「マキァヴェッリ的分析によれば政治的振る舞いを誤ったのかもしれないけれど、彼の姿がたしかな道徳的形象として、わたしたちの心に刻みつけられていることには変わりない」（サンドラ・ロジエ）。彼の教え──「雪が降り白い風が吹く時、一匹狼は死んでも群れは生き延びる」（S7E7）──に忠実なスターク家の子どもたちが最終シーズンでどのような帰結を迎えたかを考えても、ネッドの破滅を最重要の教訓とするような見方は、作品の内側から導き出されたものだとは言えないだろう。むしろこの作品は、レアルポリティークの優位を説こうとする人びとの先入見を揺るがすものなのだ。

けれども、『GOT』は政治的リアリズムの一面的な礼賛の物語ではないのと同程度に、理想主義の単純な擁護の物語でもない。「落とし子の戦い」(S6E9) におけるジョン・スノウの勝利が、サンサの計らいによるピーター・ベイリッシュの介入なしではありえなかったことを思い出そう。そして彼との関わりを鮮烈に断ち切った (S7E7) のちも、キャトリンの娘はマーティン自身が「最もマキァヴェッリ的な登場人物のひとり」と認める (*Web exclusive: Game of Thrones writer George RR Martin talks to Alan Yentob*, BBC Homepage, November 26, 2013) この「リトルフィンガー」の教え子であり続けた (とりわけ、デナーリスへの対応に際して)。彼女のなかで生きることによって、ベイリッシュ公の術策はいわば「チェックを受けたレアルポリティーク」へと変容することができたのだろうか。物語は彼女の戴冠で終わったのだから、北部におけるサンサ・スタークの治世がどのようなものとなるのかは、究極的には未知数と言うほかない。視聴者が――本稿の筆者を含めて――〈北部の女王〉の今後を前向きなものとして思い描いているとしても、かつての「小鳥」がその内側に残酷な何かを抱え込んでいることには変わりないのである。

対照的に、デナーリス・ターガリエンの冒険は、衝撃的な破局によって幕を下ろした。この帰結が、世界の視聴者の途方もない規模の憤激を巻き起こしたのは記憶に新しい。動揺は政治の世界にも及び、例えば民主党の米大統領候補を目指すエリザベス・ウォーレンは、最終シーズン第二話放送を前に女性向けサイト「ザ・カット」に寄稿 (二〇一九年四月二一日)、サーセイと対比しながらデナーリスの勝利に期待を寄せていたというのに、最終話放送後のツイッターで「チーム・サンサ」への鞍替えを表明したのだった。「シャツとか全部取り替えて」(五月二二日）……。より真摯な検討に値するものとして、パブロ・イグレシアスのツイートを引用することにしよう。二〇一四年のポデモス立ち上げとともに仲間たちと『ＧＯＴ』論集を準備・刊行し、〈ドラゴンの母〉の来たるべき成功に仮託しつつ自分たちの政権獲得を展望していたスペインの政治学者兼政治家は、その彼女がドラゴンの炎で王都を焼き尽くした（S8E5）のを受けて、「登場人物たちと物語の複雑さが殺されてしまったと、誰も感じないのだろうか」と問いかけた（五月一三日）。

たしかに、物語を終わらせるのに急なあまり、脚本に雑なところがあったのは惜しまれる。それでも、あのような帰結が、潜在的な複数の可能性のひとつとして理解できるものであることは認めなければならない。そもそも、イグレシアスは多くの論者と同様、彼女の行動原理をマキァヴェッリの名のもとに評価していた。「善良な言葉だけでは不十分で、それらを守る爪と歯がなければならない」――彼によればこれが、「マキァヴェッリ、ティリオン、そしてまたグラムシにより打ち立てられた真実」であって、ドラゴン＝暴力装置の必要性を理解しそれを適切に用いることで社会正義の実現を目指す存在としてのデナーリスは、彼らの教えのこのうえない体現者として捉えられるというわけだ（Pablo Iglesias (coord.), *Ganar o morir: Lecciones políticas en Juego de tronos*, Pensamiento Crítico, 2014）。関連して、彼は同じ論考のなかでラテンアメリカ政治史を議論し、一九七〇年代前半のチリのアジェンデ政権と一九九九年以後のベネズエラにおけるボリバル革命政権を対比して、軍隊を統制できなかったための破滅という前者の運命から教訓を得て、後者が軍を掌握することで政権維持に成功していることを評価している。しかしこのように率直に暴力への依拠を論じるのであれば、逸脱や暴走の可能性に注意を向けるのは必須の義務ではないだろうか。現に、それ自体が両義性を抱えていたチャベス政権を経て、マドゥロ政権における暴力装置の活用は、市民生活が日々に荒廃していくなかで、単に政権を生き延びさせることにしか役立っていないように見える。そうした現実がある時に、フィクション作品のヒロインだけは途方もない暴力を適切に管理できると決めてかかるのは、いささか素朴な態度にすぎると言うべきだろう。この意味で、かなり不器用に展開されたとはいえ『GOT』の最後の数話は、マキァヴェッリ的政治の抱える還元不能の緊張を過小評価するたぐいの論者の楽観性に対する挑戦として、以後も不吉な力を保ち続けるのに違いない。

しかしその一方、デナーリスの破局を必然的な運命だったとみなすのも、もうひとつの素朴な決めつけであるように思われる。デヴィッド・ベニオフは、状況が別のものであれば——〈鉄の玉座〉の裏切り、側近の拉致と殺害、恋人による出自の告白がなかったら——、あのような展開にはならなかったろうと述べているけれども（*Inside the Episode: S8E5*）、じっさい、わたしたちにはあのような帰結に至らないデナーリスを想像することができるし、おそらくはそうしなければならない。まずい脚本を頭のなかで修正するため（だけ）ではない。彼女が体現したものに全面的に代わるオルタナティヴがたぶん存在しないから——彼女が抱える多面性と内的な緊張の外に、まったく晴朗な別の政治の可能性が開かれていると考えるのは難しいからだ。例えば、決裂に至ったティリオンにしたところで――先ほどの引用で、イグレシアスがマキァヴェッリと彼を並べていたことに留意しよう――、デナーリスとまったく別の政治を考えてそうしたわけではない。彼はたしかに、かつてドラゴンと軍隊の力により奴隷解放を果たした〈鎖を砕く者〉(Breaker of Chains)の破滅を受け、下半身不随のブラン・スタークを〈砕かれし者〉(the Broken)と称して王位につけた(S8E6)。統治観をめぐるレトリック上の反転は鮮やかだ。とはいえティリオンが新王に期待するのは、「わたしたちの女王が砕きたいと望んだ車輪」の破砕にほかならない。デナーリスは彼に、次のように語っていた。

> ラニスター家、ターガリエン家、バラシオン家、スターク家、タイレル家。どれも車輪の輻にすぎない。ある者が上に、次に別の者が上に。そうやって回り続けて、地面にいる人びとを押しつぶしていく。〔…〕私は車輪を砕いてみせる(S5E8)。

誰かが上に立つことで地べたの人びとが苦しむのであれば、世界から頭部をなくしてしまうほうがよい。じっさい彼女はこうして、〈奴隷商人湾〉を経巡り、奴隷主たる支配階級を屈服させていった。しかしデナーリスは車輪を砕くために、エッソスにおいては奴隷主よりも上に立ち女王として君臨すること、ウェスタロスにおいてはかつて父のものだった〈鉄の玉座〉を取り戻すことを目指した。そしてそのための手段は何より、彼女が卵から孵化させた三頭のドラゴンだ。こうしてあらわになる目的と手段のあいだの――矛盾と言わないとしたら――緊張は、〈ドラゴンの母〉の全冒険に還元不能のものとしてつきまとい続けた。この緊張が、〈砕く者〉に代わって〈砕かれし者〉を上位につけることで解消されるものなのか。フーコーは権力表象における王政のイメージの存続を指摘して、「王の首はいまだ切り落とされていない」と述べたけれども（『知への意志』）、統一的な主権的権力のモーメントをまったくなしで済ますことができるのかどうか――頭部を欠いた世界を望ましいものとして生きることができるのかどうか――は、今日においてもなお、論争的な問いであることをやめてはいないのである。

じっさい、ここにあるのは狭義の暴力の問題にとどまらず、権力の垂直性をどうするか、という問題でもある。デナーリスは「〈カリーシ〉の称号の再定義を行う」（Valerie Estelle Frankel, *Women in Game of Thrones*, McFarland & Company, 2014）ことで、〈族長（カール）〉の配偶者にすぎない者から権力を行使しうる女王へと立場を向上させる。こうして彼女はドスラキの水平的関係性のなかから垂直性を立ち上げるわけだけれど、この上昇が可能にする切断の力なしでは、戦場におけるレイプ――彼女以外の誰もが当然視していた――の廃止のような決定は果たしえなかったに違いない。彼女だけではなく、ティリオンもジョン・スノウも、それぞれに水平性と垂直性のあいだの緊張を生きている。垂直性を完全に廃することが可能なのか、不可能だとしたら、それをどの程度のどのようなものにするのが望ましいのか。

『氷と炎の歌』は、ベトナム反戦世代の作家によって、青春期のアナキズム的風土との対話のなかで執筆されている小説である。原作者とは世代を異にする二人が手掛けた『ゲーム・オブ・スローンズ』もまた、権力獲得という展望を自明視することからは思い切り遠く、しかし権力――そしてそれとわかちがたく結びついているように思われる暴力――の避けがたさの意識を保ちながら、私たちの生きる世界の根本的な不安定性を絶えずあらわなものとする。多様な登場人物はみな、この深い不安定性を生きている限りにおいて、わたしたちと同じ生地でできている。だからデナーリス・ターガリエンの破局的な失敗は、彼女の果たしえた最も美しい成功ともども、わたしたちと決して無縁のものではない。私たちは、エミリア・クラークがその驚くべき才能によって全域を表現することができた人間的諸次元を、様々な度合いで共有しながら生きている。他の登場人物についても同様だ。「『GOT』、強化された個人的経験」とサンドラ・ロジエが述べているのは、その意味で際立って的確であるように思われる。

初出　『文學界』（文藝春秋）二〇二〇年二月号。

多様性と階級をめぐる二重の困難
——HBO版『ウォッチメン』とそのコンテクスト

1 『ゲーム・オブ・スローンズ』と『ウォッチメン』

二〇一九年、第七一回プライムタイム・エミー賞で最多受賞（一二部門）に輝いたのは、同年五月に最終第八シーズンの幕を下ろしたHBO作品『ゲーム・オブ・スローンズ』だった。二〇二〇年の第七二回エミー賞では、やはりHBOのドラマ『ウォッチメン』（二〇一九年十月〜一二月放送、全九話）が最多受賞（一一部門）を果たした。同じケーブルテレビ局により制作され、著名な原作を持つ点でも共通していながら、二つの作品はある意味で対照的だ。

『ゲーム・オブ・スローンズ』は、一九九〇年代に執筆開始されたジョージ・R・R・マーティンの傑作ファンタジー小説『氷と炎の歌』のおおむね忠実な映像化を目指して企画された。二つの架空の大陸にまたがる壮大な物語には多様な女たち男たちが登場するけれど、主役級の登場人物はみなわれわれの地球における「西洋」の「白人」に相当する。なかでもデナーリス・ターガリエン（演：エミリア・クラーク）は代々プラチナブロンドの髪と薄い色の瞳を受け継いできた一族の末裔で、白人至上主義の具現化のようにさえ見える。「黒人」の登場人物としては、ミッサンデイ（演：ナタリー・エマニュエル）とグレイワーム（演：ジェイコブ・アンダーソン）といういずれも魅力的な脇役がいるけれども、デナーリスに解放された元奴隷である彼らの役割はおおむね、彼女の誰より忠実な配下として振る舞うことの枠を出ない。

一方『ウォッチメン』は、アラン・ムーア作、デイブ・ギボンズ画による同名の伝説的DCコミック（一九八六～一九八七年）に基づきつつも、一九八五年の米国を舞台とする原作から三十年以上を経た二〇一九年に展開される後日譚として構想された。ムーアの原作は、自警活動を行う「スーパーヒーロー」たちの栄光とその後を描いた物語で、最初のチーム「ミニッツメン」（一九三九～一九四九年）も後継チーム「クライムバスターズ」（一九六六～一九七七年）もメンバー全員が白人であり、母娘二代のシルク・スペクターとミニッツメンのシルエット以外はみな男性だ。それに対してHBOのドラマは、覆面警官シスター・ナイトことアンジェラ・エイバーというアフリカ系の女性（演：レジーナ・キング）を主人公に据えて展開される。

しかもこのアンジェラはやがて、前世紀のヒーロー・チームの一員――フーデッド・ジャスティス――の孫であることが明らかになる。フーデッド・ジャスティスは、一九三〇年代末に自警活動に身を投じた最初のヒーローで、原作では一度も素顔を見せることがない。HBO作品はこの点を利用して、法の力を信じてニューヨーク市警に入るが警察内に浸透する白人至上主義を前に絶望し、覆面をかぶりたった一人でも正義を実現しようとする黒人男性ウィル・リーヴス（演：ルイス・ゴセット・Jr／ジョヴァン・アデポ）としてフーデッド・ジャスティスを再創造した。ショーランナーのデイモン・リンデロフの創意はとりわけ、この一点に関わる設定変更により、ムーアとギボンズの傑作コミックの諸要素を巧みに引き継ぎつつもそこで閑却されていた米国史の一側面を前景化して、原作の正統的な後日譚でありながらもまったく新たな視座を導入しえた点にある。

2 二つのBLMのブレンド？

主要な舞台をオクラホマ州タルサ市に定め、一九二一年のタルサ人種虐殺——当時「ブラック・ウォールストリート」と称されるほどの繁栄を見たこの地を見舞った惨劇は、近年までほとんど忘れ去られていた[*1]——の生存者ウィルと孫娘アンジェラの人生を描き出したHBO版『ウォッチメン』は、黒人の視点から見た米国史の一世紀を鮮やかに浮き上がらせている。二〇一九年の秋冬に放送されて好評を博したこの作品が、翌年五月末のジョージ・フロイド殺害事件以降の「ブラック・ライヴズ・マター」（BLM）運動の高揚のなかでさらに評価を高めることになったのは当然だろう。

もっとも、白人警官による黒人男性の殺害をきっかけに勢いを強め、「構造的人種主義」を抱えた警察の廃止さえが唱えられる運動との関係では、スーパーヒーローの孫娘である覆面警官と元スーパーヒーローのFBI捜査官——二代目シルク・スペクターとしてクライムバスターズで活動したローリー・ジュスペクツィク改めローリー・ブレイク（演：ジーン・スマート）は、今やこの新たな身分のもとにヒーローの自警活動の取締りに当たっている——を主要な「善玉」とする物語は、幾分か不調和なものと感じられなくもない。しかもシスター・ナイトは第一話からして、情報を得るためなら容疑者を平然と拷問する人物として描かれているのだからなおさらだ。じっさい、フロイド事件がこの作品を改めてタイムリーにしたことを評価する「Forbes」の記事には、警官（コップ）をヒーロー視するテレビ番組が「コッパガンダ」として告発されるフロイド事件以後の状況下では、「大胆に構造的人種主義を俎上に載せる『ウォッチメン』も、同様の批判を免れない」との指摘が読まれる。[*2]

なお同じ著者は、すでに第一話放送時に次の感想を記していた——「ここまでのところ、『ウォッチメン』は真っ向から衝突する二つの観点、つまり〈ブラック・ライヴズ・マター〉と〈ブルー・ライヴズ・マター〉の馬鹿げたブレンドのように見える。人種主義に対する空虚なハリウッド式の告発であって、構造の批判を欠いているように思われるのだ」。[*3] ブルー・ライヴズ・マターとは、BLMの警察批判に対抗する人びとが編み出したスローガンで、青い制服を着た警官の生命こそが危険にさらされているのだと訴えるものだ。白人至上主義団体「第七騎兵隊」

に立ち向かう黒人警官を主人公とする作品に対する第一印象としては、二つのＢＬＭの問題含みの混合という感想はごく自然なものだろう。

もちろん、すでに指摘したように、このドラマはやがて、アンジェラの祖父ウィルが白人至上主義の守り手としての警察に失望して自警活動に向かう次第を描き出すことになる。そしてアンジェラもまた、物語が進むにつれ、上司でありともに第七騎兵隊と闘ってきたタルサ警察署長ジャッド・クロフォード（演：ドン・ジョンソン）が、実はこの人種主義団体の背後にある「サイクロプス」――ウィルの時代から活動していた、クー・クラックス・クランの流れをくむ白

＊1　二〇一九年の本作の放送によりかなりの注目を集めたとは言え、この事件がいっそう米国人に知られるようになるには、翌二〇二〇年、ドナルド・トランプが六月二〇日にタルサで大統領再選を目指す集会を開くと宣言するのを待たなければならなかった。ジャーナリストたちはこの虐殺事件を紹介するにあたり、しばしば前年のＨＢＯ作品に言及した。Stuart Emmrich, "The Emmys, Watchmen, and Black Lives Matter," Vogue, Jul 29, 2020.
https://www.vogue.com/article/watchmen-emmys-26-nominations-black-lives-matter
（ＵＲＬの最終確認日は二〇二一年五月一一日。以下同様）

＊2　Dani Di Placido, "HBO's 'Watchmen' Has Never Felt More Timely," Forbes, Jun 12, 2020.
https://www.forbes.com/sites/danidiplacido/2020/06/12/hbos-watchmen-has-never-felt-more-timely/

＊3　Dani Di Placido, "'Watchmen' Episode 1 Recap: An Intriguing, Provocative Departure From The Source Material," Forbes, Oct 22, 2019. https://www.forbes.com/sites/danidiplacido/2019/10/22/watchmen-episode-1-recap-an-intriguing-provocative-departure-from-the-source-material/

人至上主義の組織――の指導者だったこと、さらにはオクラホマの上院議員であり大統領の地位を狙うジョー・キーン・Jr（演：ジェームズ・ウォーク）がすべての糸を引いていたことを知るに至る。

けれども、「バッジは正義を保証しない」として覆面ヒーローとなったウィルの自警活動が妻ジューン（演：ダニエル・デッドワイラー／ヴァレリー・ロス）の無理解と別離を引き起こし、ミニッツメンをやめた彼は人に知られぬ長い余生を耐え忍ぶことになるのに対して、アンジェラは上司や現地の上院議員の正体を知ったあとでも、警察や政界やそれにより支えられる社会構造全体との深刻な葛藤を生きるわけではない。彼らが張り巡らせていた陰謀はあまりに戯画めいていて、それが社会に隈なく浸透し全体を構造化しているとは思えないのだから、当然と言えば当然だ。

こうしてHBO版『ウォッチメン』は、全体として見るなら、反黒人の人種主義を改めて告発する現在の社会的雰囲気のなかの相対的に穏健な部分を代表していると言えるかもしれない。ウィル・リーヴスは警官でありながら職務の外に正義実現のすべを求めざるをえなかったが、もはやそのような時代ではない。たしかに、どこにでも悪人はいる。けれどもそうした諸個人を超えて、社会全体を懐疑するには及ばない。アンジェラ・エイバーはだから、クロフォード署長とキーン上院議員が死の制裁を下されたのちの世界で警官を続けていくことができる。要するに、一部の「レイシスト」さえいなくなれば（悪質な警官がいなくなれば、あるいはトランプとトランプ支持者がいなくなれば）……というわけだ。

3 ヴェトナム人の命は大切ではないのか

ともあれ、デイモン・リンデロフが創造した『ウォッチメン』の後日譚が、第一に米国における黒人の歴史を前景化し、第二に女性たちの活躍に焦点を当てることで、今日的な「多様性」の要請に応えようと企て、一定の達成を果たした作品であることは間違いない。けれどもこの多様性という観点からすると、アラン・ムーアの原作からHBO作品が引き継いだもうひとつの要素を忘れることはできない。

『ウォッチメン』の世界では、米国はヴェトナム戦争に勝利したことになっている。一九七一年、ニクソン大統領はヒーローの一人Dr.マンハッタン――この元原子物理学者は、実験室での事故による肉体の消失からほとんど神のような存在として復活し、クライムバスターズの一員となった――を戦場に送り込み、彼の派遣後三カ月で戦争は終結してしまったのだという。そしてリンデロフのドラマでは、すでに取り上げたアンジェラとローリーに加え、米国五一番目の州となったヴェトナムに生まれたアジア人、レディ・トリュー（演：ホン・チャウ）が主要な女性登場人物として活躍する。それではこのHBO作品において、米国の「帝国主義」的野心に屈したヴェトナムの人びとは、解放奴隷の末裔であるアフリカ系アメリカ人の扱いに見合った配慮をもって描かれているのだろうか。

肯定的に答えることは難しい。アンジェラは、ウィル・リーヴスの息子であり、ヴェトナム戦争に従軍し勝利ののちもこの地にとどまった軍人マーカス・エイバー（演：アンソニー・ヒル）と、やはりアフリカ系のその妻エリーゼ（演：デヴィン・A・テイラー）の娘としてサイゴンに生まれ育ち、ある年の戦勝記念日に、「ヴェトナム解放戦線」のメンバーによる爆弾テロで両親を失う（第七話）。ポップカルチャー批評サイト「The Nerds of Color」へのある寄稿は、この第七話のタイトルを以下のように変えることを提案している――「ヴェトナムに関する映画やテレビドラマには爆弾を体に括り付けたヴェトナム男が付きものだけれど、その唯一の存在理由は、視聴者が彼を指差してなんて恩知らずな細目野郎（チンキー）だと語り合えるようにすること」[*4]。

長じて警官となったアンジェラは、サイゴンのあるバーでDr.マンハッタン（演：ヤーヤ・アブドゥル＝マティーン二世）と出会う（第八話）。地球を去り、人びとが信じていたように火星に、ではなく木星に向かい、その衛星エウロパをテラフォーミングして新たな「エデン」をつくり上げていた彼だったが、アンジェラとの結婚生活を望んで地球に戻ってきたのだ。初対面で唐突に告白を受けた彼女は、目の前にいるのがDr.マンハッタン本人なのかどうかと半信半疑なまま、ヴェトナム人を屈服させたことで両親の死の遠因をつくったこのスーパーヒーローへの憎しみを伝える。けれどもここには、ヴェトナム人の大量殺戮という事実それ自体への告発は見られない。

では、名もなき「ヴェトコン」や元ヴェトコンのテロリストとは異なり、名前と来歴を与えられた主要登場人物であるレディ・トリューについてはどうだろうか。第四話冒頭で初登場し、以後最終話に至るまで存在感を示す彼女は、この作品で最も興味深い登場人物の一人だ。ヴェトナム州に生まれ、一五歳にして米国領ビルマのミャンマー工科大学（MIT）で四つの博士号（天文物理学、核分裂研究、生物工学、ナノ化学）を取得した彼女は、[＊5] やがて母校を買収しサイゴンを拠点にトリュー・インダストリーズを興して、記憶回復薬ノスタルジアの成功により世界初の一兆ドル長者（トリリオネア）となり、宇宙開発に乗り出す。ドラマの現在時である二〇一九年の時点で、トリュー・インダストリーズはニューヨークを拠点とするコングロマリット企業ヴェイト社——創業者である元クライムバスターズのオジマンディアスことエイドリアン・ヴェイト（演：ジェレミー・アイアンズ）は公には行方不明となっており、ドラマでは第一話から、年老いた彼が英国風の田園地帯の城館で謎めいた隠遁生活を送る様が断片的に描かれる（この地はエウロパ

＊4　Adam Chau, "Disappointment For Người Tội In HBO's 'Watchmen'" The Nerds of Color, Jan 13, 2020. https://thenerdsofcolor.org/2020/01/13/disappointment-for-nguoi-toi-in-hbos-watchmen/

＊5　HBOのドラマ公式サイト中の「ピティペディア」——FBI捜査官デイル・ピーティ（演：ダスティン・イングラム）が収集した資料集の体裁を取った特設ページ——による。したがって、第七話でレディ・トリューが口にする「MIT」を日本語字幕が「マサチューセッツ工科大」と訳しているのは誤り。"CLIPPING: 'Lady Trieu: Fact or Fiction'" Peteypedia: File 6. https://www.hbo.com/peteypedia

であり、彼はかつての仲間Dr.マンハッタンの計らいでここに転送されていたことがやがて明らかになる）——を傘下に収めており、このヴェイト社の資産とＭＩＴの大型加速器を活用して、タルサに「ミレニアム・クロック」と称する巨大な時計塔を建設していた。

レディ・トリューは第七話でアンジェラと出会い、自分が彼女の祖父との協力関係にあることを告げる。第七騎兵隊は、Dr.マンハッタンがひそかに地球に戻り黒人の姿でアンジェラと夫婦生活を営んでいることを突き止め、その力を手中に収めようと計画している。ウィルにそのことを教えられた彼女は、白人至上主義者たちのこの企てを阻止し、人類を救うつもりだというのだ。第九話冒頭で、彼女は実はエイドリアン・ヴェイトの娘——彼の南極の秘密基地「カルナック」で清掃員として働いたヴェトナム難民ビアン・マイ（演：エリス・ディン）が、彼の精液が保存されている試験管のひとつを盗んだことで生まれた——であることが明らかになる。父に娘として承認されなかった過去にもかかわらず、彼女は単調な楽園生活に耐えきれなくなったヴェイトが使用人たちの死体を連ねてつくった「Save me daughter」の人文字をエウロパの地表に認め、宇宙探査機を飛ばして彼を地球に連れ戻す。そしてサイクロプスの面々に向かいウィル・リーヴスの告発文を読み上げ、彼らを一瞬で殲滅する。

白と灰色を基調にしたスタイリッシュでエキセントリックな衣装に身を包み[*6]、超然として不敵な表情を保ったこのアジア系の天才女性企業家を、親思い——そもそも「ノスタルジア」も「ミレニアム」も父の会社がヒットさせせた香水の名前であり、亡き母ビアンについて言えば、彼女はそのクローン（演：ジョリー・ホアン＝ラパポート）に生前の記憶を与えてともに暮らしている——で人種主義を許さない人物として描き出す一方、この最終話はレディ・トリューの野心の危険性をほとんど無根拠に、ただ不実な父親の判断だけに基づいて断定し——「彼女は世界を正すと言っているが……」と語るヴェイトは、「どうしてそうじゃないとわかる？」と問われて、「なぜなら彼女は明らかにどうしようもないナルシシストで、その野心はとどまることを知らない」と決めつける——、ミレニアム・クロック（単なる未来志向のモニュメントのように宣伝されていたこの時計塔は、実際には量子遠心分離機だった）を用いてDr.マンハッタンの力をわがものにしようとする彼女は、父が天空から降らせた冷凍イカの雨に片手を貫かれ、自ら開発した巨大装置の下敷きになって死ぬ。

4 ホン・チャウの創造性

HBO版『ウォッチメン』における黒人の歴史の前景化を歓迎する声の傍らで、一人のアジ

＊6 衣装デザイナーのメーガン・カスパリックは、とりわけイリス・ヴァン・ヘルペンにインスパイアされたと述べている。Esther Zuckerman, “The Costume Designer for ‘Watchmen’ Unveils the Secret of Lady Trieu’s Look,” Nov 12, 2019.
https://www.thrillist.com/entertainment/nation/hbo-watchmen-costume-design-lady-trieu

ア人女性の人生を粗雑なやり方で断ち切った事実は、少なからずの視聴者を失望させることになった。日本では、批評家の北村紗衣が、「この作品において深く掘り下げられている「人種差別」が、白人からアフリカ系アメリカ人に対する人種差別だけだということ」を指摘しつつ、トリューの描写のうちに「アジア人差別」のみならず「野心的で人一倍努力家の女性は不愉快で面白くない、という性差別的な前提」を読み取っている[*7]。

英語圏の議論として、まずはすでに引いた「The Nerds of Color」の記事を再び取り上げよう。ゼロから身を起こし世直しを志すスタイリッシュな大富豪のうちに「新種のヴェトナム系アメリカ人キャラクター」の可能性を認め、レディ・トリューがルイス・ゴセット・Jr演じるウィルの傍らに立つのを見て、この作品が黒人とアジア系の橋渡しを促しつつあるものと期待した著者は、物語全体の基本的なヴェトナム人軽視に加え彼女の最終的な運命に愕然として、次のように嘆いている。「偉大なキャラクターを殺そうとするのなら、少なくとも正しく殺すべきだと思う。しかるべきスタイルで、もっともらしく殺すべきだ。何か手応えを残してほしいんだ。視聴者として、私はそのくらいの配慮はしてもらってもいいと感じている」。ほかの主要キャラクターが無傷ななか、彼女だけがあっさり冷凍イカに身体を貫かれるのは釈然としないし、ミレニアム・クロックの崩壊にしても、抜け目ない発明家がこの程度の打撃に備えた防御も施していなかったのはおかしいだろう、というのだ[*8]。

また、女性向けオンラインマガジン「Bustle」へのある寄稿は[*9]、最終話冒頭で振り返られる二〇〇八年の父娘の出会いの場面でレディ・トリューが口にする言葉を、なぜ疑わなければならないのかと問いかけている。カルナックを突然訪れた二十代前半の彼女は、Dr.マンハッタンを殺してその力を獲得するという展望を打ち明ける。たしかに不穏なその野心は、しかし「彼がすべきだったあらゆること」を実現するという目的に結び付けられている。「核兵器を全廃し、飢餓に終止符を打ち、空気をきれいにすること」。じっさいDr.マンハッタンは、神のごとき力をただヴェトナムの人びとを屈服させることにしか用いずに地球を去ってしまったのだから、力の出し惜しみを非難されても仕方はないだろう。「彼女は平和とグリーンテクノロジーと寛容の新たな時代を、そう、極悪な人種主義者たちを地上から消し去りつつ、見事に切り開いていたかもしれないのだ」。それなのにレディ・トリューは父の手にかかり、人類を二度にわたって救うという彼の慢心の犠牲となって滅びてしまう。

エイドリアン・ヴェイトは原作の物語のなかで、米ソの共通の敵を出現させて核戦争の脅威

＊7　北村紗衣「努力家で優秀なアジア系女性という「人種」ステレオタイプ～『ウォッチメン』分析」、「WEZZY」二〇二〇年六月十日。https://wezz-y.com/archives/77740

＊8　Adam Chau, "Disappointment For Người Tôi In HBO's 'Watchmen'" The Nerds of Color, Jan 13, 2020. https://thenerdsofcolor.org/2020/01/13/disappointment-for-nguoi-toi-in-hbos-watchmen/

＊9　Gretchen Smail, "Hear Me Out: Lady Trieu Deserved A Lot Better On 'Watchmen'" Bustle, Dec 17, 2019. https://www.bustle.com/p/lady-trieus-fate-in-the-watchmen-finale-wasnt-totally-deserved-19452435

を取り除くのだと称して、遺伝子操作でつくった巨大なイカめいた怪物をニューヨーク上空から落下させ数百万人の命を奪った。HBO作品の終わりで、この大量虐殺の証拠を突きつけられた彼はローリー・ブレイクによって逮捕される。しかしこうして一度目の人類救済の控えめに言っても両義的な性格が改めて強調される一方、第二の人類救済と称してなされた娘殺害の正当性が作中で問い直されることはないので、彼女の名誉回復の務めは心ある視聴者に委ねられることになる。

本稿の筆者としては、「Bustle」の記事がタイトルで主張する「レディ・トリューはもっとずっとましな扱いに値した」という印象が、脚本による以上にホン・チャウの演技によって生み出されていることを力強く主張しておきたい。チャウ自身は、「Bustle」の別の記事で「最も神秘的なテレビドラマのひとつに登場する最も神秘的な人物の一人」を演じた経験について問われて、リンデロフらの脚本を称賛している。「灰色の領域を認める、というのがこのドラマのよいところだと思う。〔…〕私の考えでは、どのキャラクターも『善』とも『悪』ともつきません。どちらの側面も持っているのです。人生においてそうであるように。〔…〕レディ・トリューはヒーローかヴィランか？　私にはわからないし、見る人それぞれの受け止め方次第だと思う。それに彼女はさまざまなことを行うので、どの行為について語るかによって、秤はあちらにもこちらにも傾くでしょう[*10]」。けれども、「世界を正す」という前向きな野心が何の根拠もなく危険視されて大量殺人者の父により殺されるという脚本はやはり性急なものと言うべきであって、この最終話の展開を少なからずの視聴者が不当なものと感じ憤るのは、この才能豊かな女優がレディ・トリューの肖像にたしかな実質を与えてきたからだ。

一九七九年、中越戦争に伴いボートピープルとしてヴェトナムを逃れた両親のもと、タイの難民キャンプで生まれたホン・チャウは、やがて家族で渡米しニューオーリンズで少女時代を過ごしたのち、奨学金を得てボストン大学に進学する。映画学専攻から演技の道に進んだ彼女は、アジア系の俳優として――「ニューヨーク・マガジン」のウェブサイト「Vulture」の記事に引かれる本人の弁によれば――「ゆっくりと漸進的」なキャリアを歩んでいく。[*11] アレクサンダー・ペイン監督作品『ダウンサイズ』（二〇一七年）に起用され、亡命の地で出会った米国人男性（演：マット・デイモン）と惹かれ合うヴェトナムの反体制活動家を好演して脚光を浴びたチャウは、[*12] 以後『ウォッチメン』の重要な助演を経て、Amazonビデオの配信ドラマ『ホームカミング』の第二シーズン（二〇二〇年）ではジャネール・モネイとともに主演を務め、名声を

＊10 Jefferson Grubbs, "Why Hong Chau Says Her 'Watchmen' Character Reminds Her Of Mark Zuckerberg," Bustle, Nov 11, 2019. https://www.bustle.com/p/why-hong-chaus-watchmen-character-lady-trieu-is-kinda-like-mark-zuckerberg-19302034

＊11 以下もおおむね、インタビューとメールでのやり取りをまとめたこの記事による。E. Alex Jung, "Hong Chau Doesn't Need Your Approval," Vulture, May 22, 2020. https://www.vulture.com/article/hong-chau-profile.html

確立するに至った。

どんな小さな役であっても「キャラクターに台本を超えた生命力を与える」というチャウの才能は、『ウォッチメン』のレディ・トリュー役でも遺憾なく発揮されている。彼女は演じる役のイメージを膨らませる必要を感じる際には、「創造性を発揮して、セリフを増やしてもらうことなしに問題を解決しようと試みる」のだという。じっさい、彼女が自ら提案した「ヘルメット風のカットとフロスティなメイク」に身を包むのではなく、制作陣の意見に従い持ち前のロングヘアをそのまま生かした「アーシー」な雰囲気で出演していたなら、レディ・トリューはこれほど強い印象を視聴者に与える登場人物にはならず、「もっとましな扱いに値する」という期待を集めることもなかったかもしれない。

もちろん、結局のところ、わたしたちは「Vulture」の記者の言葉に同意せざるをえないだろう――「それでも、たぶん彼女のキャラクターに最も必要だったのはより多くの登場時間だった」。こうしてリンデロフによる『ウォッチメン』の再創造は、今日の米国における「多様性」表象のうちなる不均衡を図らずも証言することになった。「『ウォッチメン』はブラック・アメリカンを周縁部から中心部へと移動させる作業に捧げられている。しかし周縁部をまったく消し去っているわけではない。ヴェトナムとヴェトナム人とヴェトナム系アメリカ人がこうして空いた周縁部を占めることになるのだけれど、その役割はおおむね、ほかの人びとの物語に奉仕することでしかない」[*13]――「ワシントン・ポスト」の文化記者はこのようにまとめている。

そして――繰り返すなら――ホン・チャウの卓越した表現力がレディ・トリューの人物像を、おそらくは制作陣の想定以上に豊かなものにしてしまったために、この事実はわたしたちをいっそう惜しませるのだ。

5 ジャネール・モネイとホン・チャウ

とは言え、事態は徐々に変わりつつある。そのことはほかのさまざまな作品を通して見て取ることができるけれど、ここでは同じホン・チャウの新作、すでに言及した『ホームカミング』第二シーズンを取り上げたい。チャウはジュリア・ロバーツ主演の第一シーズン（二〇一八年）にもガイスト・グループ本社の受付係オードリー・テンプルとして出演しているが、そこでの

＊12 なお、同時期公開の『スター・ウォーズ／最後のジェダイ』のローズ・ティコ（演：ケリー・マリー・トラン）と対照的に片言の英語を話すこのノク・ラン・トラン役は、一部では古めかしいステレオタイプとして批判されることもあった。同記事のなかで、チャウはそれでは自分の両親のような英語の不得手な移民は外出を恥じなければならないのか、英語の達者な子どもの後ろに控えていなければならないのかと反論して、今日的な「表象の政治」の一面性から距離を取っている。

＊13 Alyssa Rosenberg, "If HBO makes a second season of 'Watchmen,' it should be about Vietnam," The Washington Post, Dec 17, 2019. https://www.washingtonpost.com/opinions/2019/12/16/if-hbo-makes-second-season-watchmen-it-should-be-about-vietnam/

彼女は――原案・製作総指揮のイーライ・ホロヴィッツが上記「Vulture」の記事で証言するように――「ほかの登場人物からだけでなく、視聴者からも見過ごされることを想定される」存在だった。ところが第一シーズン最終話での急展開とチャウ自身の俳優としてのキャリアの上昇を経て、第二シーズンのオードリーはガイスト・グループの重役に収まっている。「『ホームカミング』の二つのシーズンの流れは、彼女自身の演技者としての地位向上と軌を一にしたわけだ」（ホロヴィッツ）。

第二シーズンから登場するもう一人の主役アレックス・イースタン（演：ジャネール・モネイ）はオードリーの同棲相手で、企業などで生じたトラブル解決の専門家だ。セクシャルハラスメントの訴えを起こそうとする女性の決意を萎えさせるため、自分のセクハラ裁判が無意味に終わったという偽りの物語を傷心のインド旅行の合成写真を片手にしみじみと語るといったその仕事ぶりは、およそ正義に適ったものとは思えない。オードリーの受付係から重役への躍進も、はかりごとに長けた彼女の入れ知恵によるものだった。以後、物語は二人のたくらみの帰趨をたどっていく。

『ウォッチメン』との比較において興味深いのは、この作品ではアジア系のオードリーのみならずアフリカ系のアレックスもまた、ヒーローともヴィランともつかない両義性をもって描かれていることだ。ジャネール・モネイはあるインタビューで、[*14]「悪だくみと変身を黒人女性の姿を通して描き出す」という今回の配役の意義を語っている。「大抵の場合、両義的だったり反ヒーロー的だったりするキャラクターは男性」であることを思えば、人種的・性的マイノリティの登場人物を「とても複雑でいくつもの層を持つ」存在として演じるのはやりがいのある挑戦だというわけだ。

ところで、モネイはチャウとの共演を「とても楽しんだ」と語っているけれども、[15] 実のところ、二人は自らが人種的マイノリティであるという事実と演技者としての仕事の関係を、同じやり方で捉えているのではない。モネイは上記のインタビューで自らの演技観について、このように述べている——「私は黒人で、黒人であることを誇りに思っていて、だからどんな役を演じるときにも、黒人アーティストであり人間である私の経験を注ぎ込んでいる」。一方チャウは、「Vulture」のインタビューで、「ピープル・オブ・カラー」という表現——歴史的理由から侮辱的な響きを帯びるに至った「カラード」に代わり、黒人をはじめとする「非白人」を敬意をもって指し示すために用いられる——を好まないと断言し、「なぜならわたしたちは単にピープルだと思うから」と続けている。記者が指摘するように、こうした「ふてぶてしいヒューマニズム」は、「彼女をパワフルな女優にすると同時に、アジア系アメリカ人の表象政治の

＊14　Kristen Lopez, "How Janelle Monáe Built a Character We Don't Often See in Television," IndieWire, Jul 7, 2020. https://www.indiewire.com/video/janelle-monae-homecoming-1234571751/

＊15　彼女はツイッターでも、「ホン・チャウはただただすごい人」と絶賛している（二〇二〇年七月一三日）。https://twitter.com/JanelleMonae/status/1282370375603519488

時に軽薄な自己宣伝志向との関係を難しいものにする」。こうした立場が、「みんなの命が大切」（オール・ライヴズ・マター）というそれ自体としては自明の命題が警戒対象とされる現在の状況のもと、黒人のアイデンティティ政治との関係でも不協和音を響かせることになるのは言うまでもない。[*16] それでも――あるいはそれだけにいっそう――、異なったヴィジョンのもとに演技する二人の協働を通して、劇中における黒人女性とアジア系女性の悪だくみによる連帯が表現されている事実には心動かされるものがある。

6 冷戦と階級問題の周縁化

HBO版『ウォッチメン』に戻ろう。リンデロフは原作にないアフリカ系の歴史を導入し、原作からヴェトナムの主題を引き継いだが、これらはいずれも「多様性」の問題系に属するものだと言うことができる。その一方、彼はこの問題系には統合不能の重要主題を一九八〇年代の原作コミックのうちに置き去りにしている。それは冷戦の主題であり、その背後にある社会主義または共産主義、そして階級問題の主題系である。ザック・スナイダー監督による二〇〇九年の映画版は、冷戦終結後およそ二〇年を経て原作の物語のおおむね忠実な再現を目指す作品で、独自台本の部分でもあえて――公開時の社会的雰囲気との齟齬を承知で――この主題系への目配せをしていた（ヴェイト社の無料エネルギー供給の計画が「『無料』とは『社会主義』の同義語だ」

として嫌疑の的となり、エイドリアン・ヴェイトは過去の共産党籍を疑われる)。二〇一九年のリンデロフ版『ウォッチメン』がこうした要素を削ぎ落としているのは、一面では、この作品が放送の現在時を物語時間としているからだと言うことができる。リンデロフ自身の発言を引こう——「それ〔冷戦期の核戦争の不安〕を二〇一九年に移し替えるなら、本質的に言って、今のアメリカで最高度に不安をかき立てているのは何か? 私にとって、答えは疑いなく人種です[*17]」。

しかし皮肉なことに、実は「社会主義」や「階級」の主題は、二〇一九年には二〇〇九年よりもはるかに、現実の米国の社会的風景になじんだものとなっていたと言うべきだ。二〇一一年秋の〈オキュパイ・ウォールストリート〉による深刻な経済的不平等の可視化ののち、二〇

*16 中越戦争——植民地解放闘争を経て成立した二つの社会主義国の衝突——のさなかにヴェトナムを逃れた華人の子どもという出自からしても、チャウが白人とアジア系を単純に対立させるアイデンティティ政治にたやすく乗れないのは当然と言えるかもしれない。なお彼女は二〇一九年公開の米国映画『American Woman』(セミ・チェラス監督)で、一九七〇年代の極左組織「人民解放軍」(実在した「共生解放軍」がモデル)の女性闘士ジェニー・シマダ(ウェンディ・ヨシムラがモデル)として主演している。日系米国人である彼女はリーダー格のファンに「第三世界のパースペクティヴ」を期待されるのだが、別の登場人物——グループに誘拐され活動をともにする大新聞社主の娘ポーリーヌ(パトリシア・ハーストがモデル)——はこのほとんど戯画的に描かれる偽善的な左翼青年を告発して、「あなたが彼女を評価しているのはその肌だけ」と断じる。

*17 Ethan Sacks, "Who watches the 'Watchmen'? That's the question for the TV sequel," NBC News, Oct 20, 2019. https://www.nbcnews.com/pop-culture/tv/who-watches-watchmen-s-question-tv-sequel-n1065701

一六年大統領選の予備選挙における「民主的社会主義者」バーニー・サンダースの健闘、その選挙事務局で老政治家を支えた若いアレクサンドリア・オカシオ＝コルテスの二〇一八年における下院議員当選といった一連の出来事を経て、二〇二〇年大統領選におけるサンダース出馬の可能性が取り沙汰されるに至ったのが、二〇一〇年代の政治状況の無視し難い一側面だった。けれどもリンデロフはこうした観点から『ウォッチメン』を再創造することを差し控え、人種的（また性的）多様性をめぐる物語の構築へと進んだ。

こうした選択は、決して彼だけのものではない。ライアン・マーフィーとイアン・ブレナンが製作総指揮を務めた二〇二〇年のNetflixドラマ『ハリウッド』を取り上げよう。一九四〇年代後半の同地を舞台とするこの物語は、虚構の登場人物に数々の実在した映画関係者を交えて展開される歴史改変もので、さまざまな人種的・性的マイノリティが奮闘し、現実のこの時代にはありえなかった成功をつかみ取る次第を描き出す。しかし改変はこの点だけに関わっているのではない。ここで指摘しておくべきは、この時期のハリウッドを暗く染め上げていた冷戦下の現実が、この全七話のミニシリーズからはほとんど完全に抹消されているという事実だ。人類学者デヴィッド・グレーバーは、当初はこの作品に魅了されていたにもかかわらず、途中でこの事実に気づいて呆然としたのだとツイートしている——「ちょっと待て、一九四七年のハリウッドを舞台にしてラディカルさを志向する作品をつくっているのに、非米活動委員会にもブラックリストにも共産主義にも触れずに済ませようというのか」。[*18]

続けてグレーバーは、こうした選択の政治的含意の解説に替えて、このように提案している――「政治と言えばアイデンティティ政治以外にはありえない、そんな世界を想像してみよう」。つまり彼によれば、『ハリウッド』における冷戦下の現実の抹消は、単に現在の視聴者の関心を引かない過去の歴史的一面を省略することを意味しているのではない。それは政治から既成の社会秩序のラディカルな問い直しの契機を脱落させること、政治とは今や、既成秩序から排除されるか内部で従属的地位に置かれた人びとを、当の秩序の構成自体を変動させることなしに、「多様性」の名のもとに可能な限り取り込んでいく作業以外のものではないという感覚を確立することを意味している。HBO版『ウォッチメン』が、ウィルの時代には厳しく乖離していた二つのBLMをアンジェラの時代において曖昧に和解させる時に前提としているのも、おおむね同様の政治理解だと言えるだろう。またこの観点からするなら、Dr.マンハッタンの力を有効活用することで既成秩序のラディカルな変革を志すレディ・トリューは、この作品が許容できる政治の枠組みを踏み越えかねない存在として、作品それ自体の構造上の要請によって滅ぼされたのだと言いたくもなる。対照的に、最終話末尾で示唆されるアンジェラによるDr.マンハッタンの力の獲得は、おそらく世界の秩序を何も変えはしないだろう……。

*18　二〇二〇年七月十日のツイート。https://twitter.com/davidgraeber/status/1281382070183514113

7 二つの仮面――ロールシャッハとガイ・フォークス

とは言え、最後に確認しておくなら、HBO版『ウォッチメン』は冷戦と階級の主題系をまったく排除しているわけではなく、この作品なりのやり方で表現してはいる。前者については、タルサの覆面警官の一人「レッド・スケア」を通して。後者については、ロールシャッハのマスクの第七騎兵隊による流用を通して。

まずは前者から説明しよう。レッド・スケア（演：アンドリュー・ハワード）は共産主義者を公言する警官で、ロシア語風のなまりがあることからソ連または東欧の出自を推察される。赤いトレーニングウェアと赤いスキーマスクに身を包んだ彼は、警察暴力の「抑制を解かれた残忍性」[*19]を体現する人物だとみなしうる。レッド・スケアすなわち「赤の恐怖」とは、現実の米国史では日本で言う「赤狩り」時代の風潮を指して用いられる言葉だが、この警官はおそらく「恐るべきコミュニスト」の意味で自称しているのだろう。第二話での彼はクロフォード署長の死を取材しようとする記者に襲いかかり、「大衆にはここでの出来事を知る権利がある！　ナチ野郎！」と罵倒されて、「俺はナチじゃない、コミュニストだ」とうそぶきながら攻撃を続ける。こうした展開から察せられるのは、ソ連が崩壊せず二〇一九年に至るまで米国と一定の交流を維持してきたこの作品世界で、共産主義がかつてのような深刻な脅威であることをやめ、しかし米国人一般の意識のなかでそれ以上の正当性を獲得することもなく、時にナチズムやファシズムとの近接性を揶揄嘲弄されつつも警察でのキャリアの妨げにならない程度には無害な思想として許容されている、といった状況だ。冷戦とその背景をなすイデオロギー対立の帰結をコミック・リリーフ的な脇役を通してこのように表現することができるという事実は、かつて世界の被抑圧者の希望とみなされもしたひとつの理念が今日の米国においてどのような存在となっているかを物語るひとつの証言だと言える。

後者について。原作のロールシャッハは、「ポルノと共産主義」を選好する「リベラルなインテリども」を呪詛する一方で「日々の労働が糧をもたらすと信じた正直な男たち」を称える第一章冒頭のくだりからも明らかなように[*20]、労働を尊ぶ反共右翼といった人物だ。彼なりの正義を貫こうとするその姿勢もあって非常に人気が高いが、アラン・ムーアの創作意図は――二〇〇八年のあるインタビューで打ち明けているように――、バットマンのようなスーパーヒーローが実在していたら「ちょっとした精神異常者」であるに違いない、という信念を例示することにあった[*21]。さて、HBO版『ウォッチメン』では、そのロールシャッハが自警活動の際に被っていた白と黒のまだら模様のマスクが第七騎兵隊のコスチュームに採用されている。一九

＊19 Rebecca Patton, "Red Scare Lowkey Has The Best 'Watchmen' Costume," Bustle, Nov 10, 2019. https://www.bustle.com/p/red-scare-is-not-in-the-watchmen-comics-but-he-has-the-best-costume-19306325

＊20 アラン・ムーア、デイブ・ギボンズ『ウォッチメン』石川裕人・秋友克也・沖恭一郎・海法紀光訳、小学館集英社プロダクション、二〇〇九年、七頁。

八〇年代の反共右翼の思想がクー・クラックス・クラン型の白人至上主義と同じものかどうかは別として、こうした継承関係を演出することで発せられるメッセージは至って明快だ。階級関係をめぐる正義の要求は実のところ、白人（とりわけ男性）がマイノリティに向ける人種主義的衝動以外のものではないということ。こうして階級問題の強調は、ただアイデンティティ上の多様性への反発、いわばマジョリティの側からのアイデンティティ政治としてのみ——つまり予め正当性を奪われたものとして——理解されることになる。

このように、フィクションで描かれる米国において、経済的不平等を正そうとする動きはしばしば保守的マジョリティの人種主義のひとつの表現として描かれて、現実の米国における草の根のトランプ支持のような傾向との関連性を想起させることになる。そうでない場合には？そのときには、背後に邪な野心を隠した欺瞞や、野放図な暴力の噴出と結びつけられるのであって、『ウォッチメン』で言うなら、レディ・トリューの飢餓撲滅の願いが、傲慢な才女が危険な野心の上にかぶせた覆い程度のものとみなされてしまう事例がそれに当たる。米州ヴェトナムに生まれビルマ——作品世界においてラオス、カンボジア、タイとともに「アジア圏アメリカ」を構成する——で学業を修めた彼女が、惑星全体の現実を見据えてそれなりの真摯さで問題に取り組もうとしていた可能性は、そこでは排除されてしまう。別の作品から例を取るなら、クリストファー・ノーラン監督の『ダークナイトライジング』を挙げることができるだろう。この二〇一二年公開作品は、チャールズ・ディケンズ『二都物語』（フランス革命期の恐怖政治を描いた）からの当初のインスピレーションに加え、制作時にニューヨークで展開されていた金融街占拠の運動にも目配せして、被抑圧者の解放を唱えゴッサム・シティを占拠する暴徒たちとバットマンの闘いを描いている。

このノーラン作品における〈オキュパイ・ウォールストリート〉への暗示的言及は、公開当時から指摘され、文字通りに賛否両論を呼んだ。デヴィッド・グレーバー（周知のように、この人類学者兼活動家はオキュパイ運動の組織化に関わり、「わたしたちは九九%だ」という有名なスローガンの中心的な考案者となった）は批判的論考を執筆し、この作品の背景にある世界観を次のように説明している――「ノーランの世界では、構造的問題に取り組むいかなる試みも、たとえそれが非暴力的な市民的不服従によるものであったとしても、実のところ暴力の一形式である」[*22]。つ

＊21　「ロールシャッハは『ウォッチメン』で一番人気のキャラクターになってしまいました。私としては彼は悪い例のつもりだったのに、路上で私に近寄ってきて、『私はロールシャッハです！　あれは私の物語ですよ！』と語りかけてくる人びとがいるのです。それで私が思うのは、『へえ、それは素晴らしいね、ちょっと私から離れて、私が生きているかぎり二度と近づかないでもらえませんかね？』ということです」（Cited in Steven Surman, "Alan Moore's Watchmen And Rorschach: Does The Character Set A Bad Example?," Steven Surman Writes, Jan 20, 2015. https://www.stevensurman.com/rorschach-from-alan-moores-watchmen-does-he-set-a-bad-example/）。

＊22　デヴィッド・グレーバー「バットマンと構成的権力の問題について」、『官僚制のユートピア』三一二～三一三頁。

まり既成の社会秩序は、たしかにさまざまな問題を抱えているとは言え全体として保守されるべきものであって、そのラディカルな変容を企ててなされる行為は、それ自体としては非暴力のかたちを取っていようとも、大いなる破局に道を開くという意味では暴力の発動にほかならない、というわけだ。

こうしたところに今日の大衆的フィクションが抱える保守的性格を認めることは、もちろん可能でもあれば必要でもある。そのうえで、それでは決定的な解放へと向かう集合的努力を単純に肯定的に描くことが容易にできるかと言えば、そういうものでもないだろう。そもそもこうした困難は、現実の世界においてさえ見出すことができる。しかも興味深いことにこの困難は、アラン・ムーア作品が現実世界に与えた影響を通して表れているのだ。

ムーアが英国時代に発表開始した『Vフォー・ヴェンデッタ』(一九八二〜一九八九年)は、『ウォッチメン』と並びコミック原作者としての彼の代表作で、近未来英国の独裁政権に立ち向かう主人公「V」はつねに、一七世紀の陰謀事件によって記憶されるガイ・フォークスの仮面を被って活動する。作画担当のデヴィッド・ロイドがデザインしたこのガイ・フォークス・マスクが、二〇〇六年の映画版公開以降——ムーアが憤っているように[*23]、ウォシャウスキー兄弟(現姉妹)製作・脚本によるこの映画では、原作に繰り返し現れるアナキズムへの明示的な参照が取り除かれているにもかかわらず——、〈オキュパイ・ウォールストリート〉を含む路上での集団的な抗議行動に際して、世界各地で盛んに用いられるようになった。けれどもVは紛れもなく「テロリスト」の側面を持ったアナキストであって、国会議事堂を爆破し体制側の人びとの殺害を繰り返す。「アナーキーには二つの顔がある。破壊者と創造者だ[*24]」——このように断じるVを、ムーアはアナキズムの抱える道徳的な曖昧さを体現する人物として創造した。

集団的抗議の現場におけるガイ・フォークス・マスクの目覚ましい成功は、だから人びとを路上へと駆り立てているのが創造への衝動であるのと少なくとも同程度に破壊への衝動であることを証し立てている。しかも、バットマンの宿敵として知られるスーパーヴィランの前半生を描いた映画『ジョーカー』——なおこのトッド・フィリップス監督作品が何より参考にしたのは、アラン・ムーア作の『バットマン：キリングジョーク』にほかならない——が公開され大ヒットした二〇一九年には、フランスの国際テレビ局France 24が報じているように、「ベイルートから香港まで、ジョーカーの顔がデモの現場に出現」し、定番化して久しいVの仮面とピエロの化粧の競合が注目を集めた[*25]。一定の政治的展望のもとにあえて暴力を行使するVと異

＊23 「『Vフォー・ヴェンデッタ』はとりわけ、ファシズムやアナーキーといったものをめぐる作品です。これらの言葉、『ファシズム』も『アナーキー』も、映画のどこにも出てこない。映画版は、自分自身の国を舞台に政治的風刺をつくることもできない臆病者たちの手によって、ブッシュ時代の寓話になってしまいました」(“Alan Moore: The last angry man,” MTV.com, 2006)。

＊24 アラン・ムーア原作、デヴィッド・ロイド作画『Vフォー・ヴェンデッタ』秋友克也訳、小学館プロダクション、二〇〇六年、二二二頁。

なり、恵まれない境遇のなか、数々の不幸に見舞われて暴力衝動に身を委ねるに至ったアーサー・フレック＝ジョーカー（演：ホアキン・フェニックス）にとって、破壊はただ純粋に、いかなる展望も欠いたままになされるものだ。

もちろん、路上のジョーカーたちは必ずしも、物理的な破壊に身を投じるのではない。CNNの取材を受け[*26]、レバノンの男性ストリート・アーティストは「暴力なし」での路上占拠を唱えている。それでも、彼は火炎瓶を手にしたジョーカーのポスターを制作するのだし、「ベイルートは新たなゴッサム・シティだ」と主張して、道化の化粧を施し暴徒と化した民衆が富裕なエリート層と対峙する映画末尾の展開に自分たちの抗議活動をなぞらえている。

破壊への――比喩的なものであるにせよ――衝動の背後には、幻滅と孤立の意識がある。同じ記事のなかで、ベイルートのデモに参加した二八歳の女性グラフィック・デザイナーは、「わたしたちは傷つき、ただただ失望したんです」と述べて、ジョーカーの幻滅を共有できるとしている。チリのコンセプシオンで抗議者の列に加わった女性心理学者は、「わたしたちの社会がどれほど病んでいるか」を表すためにこのメイクをしてきたと答えている。「ジョーカーは誤解された人物で、傷つきやすく、打ち捨てられています。特権的社会階級に属していないチリ人は――つまりわたしたちの大部分ですが――同じように感じているのです」。France 24の報道に戻るなら、歴史家ウィリアム・ブランは「右も左も代表しない」ジョーカーという人物が抗議者たちを引きつけた理由を、トッド・フィリップスの映画が「主として孤独を、いかなる集合性の感覚からも引き離された人生を描いている」点に求め、「この孤立こそは現代の病なのです」と結論している。

たしかに、二一世紀の現実世界では、経済的不平等の深刻化が意識されるなか、一度は過去の遺物となったかのように見えた「階級」の問いが再浮上している。けれども今日では、かつて「労働者階級」を統一的な集合体として想い描くことを可能にしたような共通の意識は失われてしまった。そしてまた、既成秩序に替わるべき何らかの新たな秩序の展望が共有されている気配もない。現実の抗議運動におけるガイ・フォークス・マスクの、さらにはジョーカーのメイクの成功は、同じ場に集う人びとのあいだで共有されているのがただ幻滅と相互的な孤立の意識でしかないという事実を証言している。階級的正義の集合的表象の困難は、フィクション世界に限った話ではないのだ。こうした観点からするなら、HBO版『ウォッチメン』は、見事な達成の面はもとよりそれが露呈させたいくつかの困難においても、多くを考えさせる無視し難い作品だと言えるだろう。

＊25 Jean-Luc Mounier, "From Beirut to Hong Kong, the face of the Joker is appearing in demonstrations," France 24, Oct 24, 2019. https://www.france24.com/en/20191024-from-beirut-to-hong-kong-the-face-of-the-joker-is-emerging-in-demonstrations

＊26 Harmeet Kaur, "In protests around the world, one image stands out: The Joker," CNN, Nov 3, 2019. https://edition.cnn.com/2019/11/03/world/joker-global-protests-trnd/index.html

初出　『メディア芸術カレントコンテンツ』（文化庁ウェブサイト）、二〇二一年六月一日。

『鬼滅の刃』とエンパシーの帝国

1 日本マンガの「鳥獣戯画」起源説再訪

二〇一九年五月二三日から八月二六日にかけて大英博物館で開催された「マンガ展」で、キービジュアルに選ばれたのは野田サトル『ゴールデンカムイ』のアシㇼパ、少年めいた面差しのアイヌの少女だった。二〇二一年春の開催であればどうだったろう。二〇一九年春に始まったテレビアニメ版の国際的成功とそれに伴う原作コミックの人気上昇を経て劇場版が二〇二〇年の年間興行収入世界第一位を記録するという勢いのなか、吾峠呼世晴の『鬼滅の刃』が選ばれていただろうか。だとしたらどのキャラクターが。

けれどもここで英国の記念碑的展覧会を想起したのは、キービジュアルの別の可能性を想像するためというよりも、導入部のアイディアに立ち返ってみたいからだ。会場入口で観客は、ジョン・テニエルの装画に基づくルイス・キャロルのアリスに迎えられる。そして彼女とともに、チョッキを着込み懐中時計を手にした白ウサギを追っていくと、ウサギはやがて上着も時計も脱ぎ捨て、「鳥獣戯画」（甲巻）のスタイルを現代風にアレンジしたような風貌に変容する（これはこうの史代が『ギガタウン　漫符図譜』に登場させた「みみちゃん」だ）。「絵も会話もない本」を読まされる退屈な国から、十二世紀以来のマンガの伝統を持つ不思議の国へ、というわけだろうか。「「鳥獣戯画」から「鬼滅の刃」まで」を副題とする日本マンガの概説書も刊行されている今日（澤村修治『日本マンガ全史』平凡社新書、二〇二〇年）、吾峠呼世晴作品の読解に先立って、まずはこの古くからの起源説に立ち返ってみるのも一興だろう。

「鳥獣戯画」からの伝統を強調するという「マンガ展」のコンセプトに、日本の関心層の少なからずは違和感を受けたように思われるけれど、それには一定の根拠がある。じっさい、「鳥獣戯画」や「信貴山縁起絵巻」といった絵巻に日本的マンガの祖を認める説は、日本のマンガ研究・批評においては過去二〇年以上にわたり批判にさらされ、克服の対象とみなされてきたのだった。

とはいえ、図録に寄稿した伊藤剛は、こうした日本側の動向を踏まえつつも展覧会のコンセプトに一定の理解を示している。日本マンガの伝統起源説は、事実上の連続性の主張としてではなく、「鳥獣戯画」等と第二次大戦後のマンガの両者が共有する「奔放な空想性や、誇張、ユーモアなど」を重視する文化的姿勢として捉えなおすならそれなりの意義を持つかもしれないというのだ（「マンガを描くということ」）。

伝統の事実性に拘泥せずに過去とのつながりを捉えるというこうした姿勢は、鶴見俊輔のものでもあった。たしかに鶴見は一九八七年の講演で、「日本の漫画は一千年以上の流れをもっている」と述べている（「講演　日本のマンガの指さすもの」、『鶴見俊輔全漫画論2』ちくま学芸文庫、二〇一八年）。しかし同じ講演で強調される彼の基本的な態度は以下のものだ。「私は日本と日本以外をきっぱり区別するという流儀をとりません」、「漫画としては日本のものと日本の外のものと共通のところがかなり多いと思っています」。一九八五年の別の講演では、「ユーモアこそ人類の思想の源泉だ」というフランスの古人類学者アンドレ・ルロワ＝グーランの説に拠りつつ、「漫画は人間の文化と同時に生まれているのではないでしょうか」と自らの仮説を提起し、「鳥獣戯画」も現代日本のマンガも人類精神史の遺産として位置づけている（「講演　マンガの歴史から」、同）。鶴見はすでに一九七一年の「鳥羽僧正と「鳥獣戯画」」でも、戦前の米国人学生が「鳥獣戯画」を見てディズニーのアニメ映画を想起したという逸話を紹介し、「この作品が、日本のローカルなわくをこえて、コスモポリタンなわくの中で新しい意味を獲得したこと」を評価していた（『鶴見俊輔全漫画論1』ちくま学芸文庫、二〇一八年）。

こうした観点は、実のところ、二十一世紀における伝統起源説の旗振り役を担ったと言える高畑勲のうちにも見出すことができる。高畑は著書『十二世紀のアニメーション』（徳間書店、一九九九年）以来、研究のモードを逆撫でしながら、この古くからの説の再定着に努めてきた。けれども同書の「鳥獣人物戯画」甲巻の章の見出しのひとつには、「時代を超えた現世謳歌のユーモア」とある。「鳥獣戯画」は「十二世紀の日本で描かれたとは信じがたいほど現代的」といった評価を見ても、特定の文化伝統に固有の価値を強調するというよりは、今日的とみなしうる価値の先駆的表現を日本の過去に探るといった姿勢が感じられなくもない。[*1]

そもそも、同書巻頭の有名な――中学校の国語教科書に採用されたことでも知られる――エッセイは、「日本人はアリスの同類だった」と題されている。「絵も会話もない本なんて、何の役に立つのかしら?」という作品冒頭の問いを共有している点で、「わたしたち日本人は大人も子どもも、昔からアリスの同類だったらしいのです」というのだ。

ここで再び、先ほど取り上げた大英博物館の展覧会入り口の演出に立ち返ってみよう。そこではテニエルのアリスのみならず、日本のマンガ家たちによる多様な「アリス」の翻案が紹介され、両国の文化の相互浸透が強調されていた。究極的に言うなら、高畑においても「マンガ展」においても、問題なのは時代も地域も超えて共有することができる、ある一般的な文化的態度だということはできる。

それでもやはり、高畑は「日本絵画史に見るマンガ的アニメ的なるもの」(『十二世紀のアニメーション』あとがき)の探究を、まずは日本の文化伝統に引きつけて理解していた。その際に彼が依拠したのはとりわけ、加藤周一の日本美術論、『日本その心とかたち』だった。加藤がそこで提示する「日本文化の文法」――「此岸性」、「集団主義」、「感覚的世界」、「部分主義」、「現在主義」の五項目からなる――は、日本のマンガ・アニメにもそのまま当てはまるのではないかと高畑は問いかける。

世界に冠たる日本の長編アニメもまた、日本文化の文法にまことによく従っている、と言えるのではないでしょうか。そしてこれが世界的に評価されるのは、その細部の豊富さ素晴らしさもむろんありますが、それだけでなく、その「主観主義」的な美しい心情とそれによる目的成就が、既成の価値体系が崩れ、因果関係が読み取れず、自信を失って不安に陥っている現代人の心に強く訴える（今はやりの言葉で言えば「癒す」）ことも大きいのではないでしょうか。日本だけでなく、世界で、圧倒的な「感覚的世界」を肌身に感じたがる人々がますます増えているのだと思います（「加藤周一『日本　その心とかたち』をめぐって」、『アニメーション、折りにふれて』岩波現代文庫、二〇一九年）。

ここで興味深いのは、加藤周一自身は、ここで高畑が援用する「主観主義」をはじめとする特徴を持つ日本文化のありようを、もっとずっと両義的に見ていたことだ。高畑との対談で、

＊1　なお、日本美術史研究者の伊藤大輔は近著『鳥獣戯画を読む』（名古屋大学出版会、二〇二一年）の第十二章で「「鳥獣戯画」とマンガ・アニメ」を論じ、やはり人類学の知見を参照しつつ、「鳥獣戯画」と戦後日本のマンガ・アニメのあいだに「歴史的つながりというよりは、超歴史的なつながり」を認めている。

加藤は次のように述べている。

アニメーションにせよ漫画にせよ、日本の芸術は世界的になったって最近言われるけど、なぜ歓迎されるかっていうと、世界のほうが日本化しちゃっているからです。逆にアメリカやヨーロッパは神様があまり好きじゃなくなっちゃったんだって、そういう感じがします（加藤周一『日本　その心とかたち』徳間書店、二〇〇五年）。

ここで加藤は、主観を超えた超越的価値によって社会を根拠づける一神教的風土を単純に理想視しているわけではない。それでも、日本の大衆文化の思いもよらぬ国際的受容を素直に言祝いでいるようにも思われない。その意味で、世界を「癒やす」日本アニメの力をより率直に肯定する高畑とのあいだには、一定の緊張があったろうと推察される。

国際的な映像文化受容の文脈を一般的に見るなら、二十一世紀はじめ以降の時期に注目されるのは米国産テレビドラマの目覚ましい品質向上だ。フランスの哲学者サンドラ・ロジエは、前世紀の映画に代わり、連続ドラマは「二十一世紀の哲学的芸術」となったと主張してさえいる。日本の文化的産物について言うなら、高畑や宮崎駿のジブリ作品を含むアニメ映画のみならず、連続テレビアニメやその原作マンガ、それも『週刊少年ジャンプ』のような最も商業的な媒体の掲載作のなかから、世界の共通文化となるような作品がいくつも出ているという事実が、加藤と高畑の対談が世に出た二〇〇五年から十五年を経た現在、ますます無視しがたい現実となっている。ロジエの主張の趣旨は、テレビやネット配信を通して日常生活のなかで見られ日常生活の一部をなす連続ドラマが、まさにそれゆえに人びとの日々の思索の豊かな糧となっているというものだった。[*2] 列島内部ではもちろん、ある程度はその外でも、日本のマンガ・アニメもまた、類似する役割を果たしているように思われる。

高畑勲が適切に指摘するように、日本のマンガ・アニメは（絵巻物や浮世絵と同様）、先進的な外国の文化に触発されつつも、「取り入れたいものは勝手にまた貪欲に取り入れ、本家に何の気兼ねもコンプレックスももたずに、のびのびと仲間内で」発展してきた（「加藤周一『日本 その心とかたち』をめぐって」）。そうした産物が想定外の惑星的成功を収めた事実をどのように受け止めるべきなのか。鳥獣戯画をはじめとする伝統美術とのつながりを今なお語りうるとしたら、事実としての継承の問題としてではなく、このような観点からだろう。そこに日本固有の何かを認め、良しにつけ悪しきにつけ、外部の価値観との差異を強調していくべきなのか、それともむしろ、人類精神史の遺産としてより一般的な視野のもとに捉えていくべきなのか。

こうした問いに取り組むのに、『鬼滅の刃』はうってつけの作品だと言える。理由は第一に、

＊2　ロジエのドラマ論については以下での紹介を参照。片岡大右「「惑星的ミサ」のあとで――『ゲーム・オブ・スローンズ』覚え書き」、『文學界』二〇二〇年二月号【本書所収】。

もちろん、それが内外で真の成功を収め、惑星の至るところで数えきれない人びとの心の糧となったからだ。そして、第二に、この作品は、現代世界のキーワードであると同時に始源の人類さらには霊長類にさかのぼる一般的性質であり、しかも日本の文化伝統としばしば結び付けられる概念――「エンパシー」との関係で評価されているからだ。ここではさしあたり、吾峠呼世晴が『タイム』誌の「次の一〇〇人」に選ばれた際に掲載された、台湾出身のジャーナリスト、キャット・ムーン(孟祥悦)の評言を引いておこう。「このマンガは十代の主人公、炭治郎の物語だ。彼は鬼と闘うため激しい修行を重ねつつも、元は人間だったこの鬼たちに大きなエンパシーを感じている。」

2 エンパシーの帝国の版図はどこか

「エンパシー」は、二十一世紀の英語・欧州語圏で盛んに用いられるようになった重要語であり、領域横断的な学術的検討がなされるとともに、政治的な意味を担ったバズワードとしても重宝されてきた。ここでは大統領就任以前のバラク・オバマが行った有名な演説(二〇〇六年六月十九日、ノースウェスタン大学)を引いておこう。「この国では、連邦予算赤字について多くが語られています。しかし思うに、わたしたちはエンパシーの赤字についてもっと語るべきなのです。エンパシーとは、他の誰かの靴を履いてみる能力、自分とは異なった人びと――例えば飢えた子ども、解雇された鉄鋼労働者、みなさんの寮の部屋を掃除してくれる移民の女性といった人びとを通して、世界を見る能力のことです」。

この言葉は「共感」と訳すこともできるし、じっさい多くの場合にそのように訳されている。けれども、しばしばこの言葉の説明として用いられる「他の誰かの靴を履く（to put oneself in someone's shoes）」という慣用句からわかるように、そこには他者の状況を認識するという知的次元が含意されることが多い。とりわけこちらの次元を重視しながらこの概念を論じたブレイディみかこが、それを「共感」と訳す慣習に従わずそのままカタカナで表記することで日本語世界に新たな気づきをもたらそうとしたのは適切というほかない（『他者の靴を履く――アナーキック・エンパシーのすすめ』文藝春秋、二〇二一年）。彼女は「感情的（エモーショナル）」エンパシーと「認知的（コグニティヴ）」エンパシーの二つを分ける定説に基づきつつ、「共感」という訳語がふさわしい前者ではなく後者に注目する。ただし後者にしても単に知的認識の能力なのではなく、これも先ほどの「別のひとの靴を履く」という比喩に即してみれば了解されるように、やはり一定の情感的基盤を備えていることを確認しておこう。チンパンジー研究の世界的権威による人間論として注目を集めた『共感の時代へ』（柴田裕之訳、紀伊國屋書店、二〇一〇年、原題は *The Age of Empathy*）のなかで、フランス・ドゥ・ヴァールは他者の視点の獲得という知的能力を重視しながらも、それを最も外側の層として持つエンパシーは全体として、「一億年以上も前からある脳の領域」を中核に秘めたマトリョーシカ人形のようなものだと説明している（第七章）。

その意味で、エンパシーは人間や他の霊長類が生まれながらに保持する深い本性に属するものだということはできる。それにもかかわらず、この能力は必ずしも人間の諸社会で十分に力を発揮していないように思われる。だからこそオバマはその「赤字」を指摘したのだった。彼は先ほどの演説でさらに続けて、米国の文化が決してエンパシー志向ではないことへの遺憾の意を表明している。「わたしたちはエンパシーを挫く文化のなかで生きています。」人びとに「利己的衝動」に従うことを促すこの社会は、他者への配慮が尊重される余地に乏しいというわけだ。なおデヴィッド・グレーバーは、二〇一八年の『ブルシット・ジョブ』で初めてエンパシー概念を取り上げ、「人間は元来、共感する存在(humans are naturally empathetic creatures)」だとして人間本性そのものの主たる構成要素とみなしつつも、この能力の配分が権力関係や階級関係に応じ偏りのあるものとなっていることを指摘している。一社会の内部において、エンパシーは権力を持っている側、富裕層や中産階級出身者では乏しく、権力を持たない側、労働者階級出身者では豊かだというのだ(第六章)。

ところが、全体としてエンパシー的であるような社会が存在するという仮説がある。それはわたしたちの列島社会であり、その文化的象徴がマンガとアニメだという説がある。フランスの日本史研究者トリスタン・ブルネの『水曜日のアニメが待ち遠しい――フランス人から見た日本サブカルチャーの魅力を解き明かす』(誠文堂新光社、二〇一五年)を見てみよう。著者はそこで、少年時代に衝撃を受けた『UFOロボ　グレンダイザー』――永井豪原作のこの東映アニメは、ヨーロッパと中東で驚くべき成功を収めたことで知られる――との出会いを振り返る。欧米の子ども向けフィクションの単純な勧善懲悪とは一線を画し、敵と味方の境界線をまたいだリアルな人間理解を基盤とする日本産のマンガ・アニメを前にして感じた驚きと喜びは、これまで多くの声によって証言されてきた。ブルネの著書の重要性は、『グレンダイザー』に典型的な日本アニメの特徴を「共感」の一語で説明するとともに、現代日本史研究者としての眼差しのもと、それを日本的な世界観や歴史観への一般的な考察に結びつけている点にある。

両親の代わりに善悪の区別を教えるといった趣の欧米の子ども向けフィクションと異なり、『グレンダイザー』は人物間の矛盾的な関係に焦点を当て、さらには敵にさえエンパシーの余地を残す。しかもそこでは視聴者である子どもたちは、登場人物の死を直視するよう促されることになる。「死んだのは敵だが、その死によって失われる何かがある。敵の人生にさえも価値がある」。こうしたすべてを振り返って、ブルネは言う。「彼らが与える深いメロウ。感情的な深さ。それはフランスの子どもたちに、子どもとして扱われている感覚の希薄さをもたらしました。」それでは日本のアニメは、フランスにおいても大人になれば与えられるような世界観を、幾分か早めに与えてくれるものだったにとどまるのか。「物事の複雑性や矛盾をそのまま写し取り、視聴者の前に投げかける日本アニメの特性」について語り、それと一九六〇~七〇年代に高揚した学生運動との連動性を指摘するくだりなどを読むとそのようにも思える。しかし別の箇所を読んでみよう。「フランスという契約に基づく社会、個人同士も契約関係においてコミュニケーションするような社会にあって、日本アニメが持っている共感ベースの物語世界は、圧倒的な異物としてあった」。要するに、社会を構成する諸個人の自律性――言い換えるならバラバラであること――を前提とするフランスに対して、日本では、人びとはもう少し緩やかな相互依存のもとで関わり合っている。そうした異質な社会の文化的産物として、日本のアニメはフランス社会を大いに揺さぶることになった、というわけだ。

日本独自のものと思えるこうした世界観の介入を、ブルネは「フランスという社会の提示する世界観の欠陥を埋め合わせるようなもの」としてまずは歓迎してみせる。けれども、それを一面的に理想視しているのではない。彼は一九五〇年代の「昭和史論争」から『戦国BASARA』を経て『艦隊これくしょん』に至るまでの歴史へのアプローチのうちに、過去の歴史的人物(や戦艦!)に対するエンパシーの強力さを認め、それを特徴づけるために「移体性(trajectivité)」という概念を提起する。これはフランスの地理学者オギュスタン・ベルクから借用された概念で(定訳は「通態性」)、主体と客体が明確に区分されず、両者が相互浸透するありさまを指し示す。ベルク自身は和辻哲郎の『風土』等から導き出したこの概念を西洋的二元論の乗り越えという企図のもとに用いているけれど、ブルネは『水曜日が待ち遠しい』を読む限り、問題含みの現実を論じるために活用している側面がある。移体性、すなわち強度のエンパシーにより生じる主客の相互浸透は、実のところ、相互浸透が容易になされるような「普通」さの共有を前提としており、その「普通」の枠に収まらない存在の排除につながるのではないか、というのが、彼が指摘する主要な問題点だ。

したがって、わたしたちは結局のところ、日本マンガを古い伝統と結びつける観点について指摘したのと同じ両義性へと立ち返ることになる。エンパシー志向の日本のマンガとアニメの惑星的成功は、世界の日本化の徴候なのか、それとも、人類史の深く一般的な特徴に関わる表現が、たまたま極東の列島で生まれたというだけのことなのか。この列島を領土とするエンパシーの帝国が領土拡張を進めているのか、それともこの帝国は元来あらゆる国境線をまたいで、この惑星全体を覆い尽くしていたのか。

3 敵に対するエンパシー

こうしてわたしたちはようやく、『鬼滅の刃』の読解に入ることができる。

先ほど引いた『タイム』誌の評が典型的に示しているように、『鬼滅の刃』におけるエンパシーの感覚は、まずは敵――すなわち鬼に向けられるものとして注目を集めた。竈門炭治郎は鬼殺隊に入るための「最終選別」で戦い打ち負かした「手鬼」の手を握り(8/2――以下、話数/巻数をこのように記す)、冨岡義勇に敗れた「下弦の伍」・累の背中に優しく手を置く(43/5)。ただし彼自身は、「匂い」による他者理解という特異な能力によって相手の感情を捉え、それに対して反応しているにすぎない。鬼たちの人間時代の物語に触れ、彼らの残酷の背後にあったものに思いを馳せるのは読者の側の作業だ。といっても実のところ、本稿執筆時点までのアニメ版（テレビ版第一期「竈門炭治郎 立志編」と劇場版「無限列車編」）である程度具体的に描かれたのは累と元「下弦の陸」・響凱の過去でしかない。それでも、原作未読の視聴者の多くまでが——テレビアニメ版第二期で描かれることになる、梅毒持ちの遊女から生まれた兄妹の悲話も知らず、劇場版で煉獄杏寿郎を前に圧倒的な力を見せつけた「上弦の参」が、あれほどまでに強さに固執する理由が明かされる「無限城編」のエピソードも知らずにいるというのに——敵へのエンパシーをこの作品の特徴とみなしているのは、すべての鬼が鬼舞辻無惨によって鬼化させられた人間たちだという設定自体が醸し出す悲しみに加え、過去の多くのマンガやアニメが、共感可能な敵との戦いを作品化してきたからでもある。じっさい、トリスタン・ブルネが『グレンダイザー』について述べていたことはほとんどそのまま『鬼滅の刃』にも当てはまる。言うまでもなく、この一九七〇年代のテレビアニメが今日の日本でほとんど忘れ去られているという事実はまったく問題ではない。列島の人びとは、同じような印象を与える数々の作品を享受し記憶してきた。要するに読者たち、視聴者たちは『鬼滅の刃』を受け入れる準備ができていたのであって、その意味で、『鬼滅の刃』はまずは、日本的なエンパシー志向の大衆的フィクションの精華とみなすことができる。

とはいえ、この作品は実際には、敵へのエンパシーの道を十分に推し進めていないと考えることもできる。けれどもその点については後ほど検討することとして、ここでは、『鬼滅の刃』

におけるエンパシーの重要性が敵に向けられるものにはとどまらないことを指摘しておきたい。

4　エンパシーとケア

自分たちの陣営、自分たちの共同体を構成するあらゆる人びとの存在を尊重する姿勢が、この作品では顕著に認められる。一人ひとりが共同体に貢献している度合いは様々だろう。それでも、それぞれの立場から、各自が果たしている役割を見損なうことがあってはならない。炭治郎はやはり――当主就任以来の全鬼殺隊士の名前と生い立ちを記憶しているという産屋敷耀哉（168/19）と並び――、作品全体を貫くこのメッセージを最も明確に自覚しているひとりだ。例えば、鬼との戦闘で傷つき、藤の花の家紋のある家――鬼殺隊に救われた一族の家であり、無償で世話をしてくれる――で休息したあとの嘴平伊之助とのやり取りを見てみよう。この家の老女は別れ際、炭治郎・善逸・伊之助に向かい、「どのような時でも誇り高く生きて下さいませ／ご武運を…」と語りかける。言葉の意味がわからない伊之助に、炭治郎は説明する。「誇り高く」とは、「自分の立場をきちんと理解して／その立場であることが恥ずかしくないように正しく振る舞うこと／かな」。「それからお婆さんは俺たちの無事を祈ってくれてるんだよ」。伊之助は、「なんでババアが俺たちの無事祈るんだよ／何も関係ないババアなのに何でだよ／ババアは立場を理解してねぇだろ」と応じる。憮然とした様子の炭治郎は、会話をやめて無言で先を急ぐ（28/4）。そもそも伊之助は、この老女に迎えられた時、お辞儀する彼女の頭を指でつんと触りながら、「弱っちそうだな…」とつぶやいていた（27/4）。ここからまずわかるのは、炭治郎が「立場」というものを水平的に、序列にとらわれることなく理解し、鬼に直接立ち向かう自分たちをケアする人びとへの恩義を感じているのに対して、伊之助はあらゆる人間関係を「強さ」という基準で判断し、食事や寝床や治療の提供を「強い」自分たちが受けるのは当然だとみなしていることだ。そんな伊之助がやがて、蝶屋敷のケア統括者というべきアオイと結ばれるのがおもしろい。ただし彼は恋のはじまりの時点でも相変わらず、強さの基準をはっきりとは相対化できずにいるけれども――「何でコイツすぐ俺に気づくんだ／もしかして強えのか」（204/23）。

当のアオイ自身は、伊之助や炭治郎に出会った当初、まさにこの「強さ」の欠落を引け目として感じていた。蝶屋敷での世話に例を言う炭治郎に向かい、彼女はこのように応える。「あなたたちに比べたら私なんて大したことはないのでお礼など結構です／選別でも運良く生き残っただけ／その後は恐ろしくて戦いに行けなくなった腰抜けなので」。炭治郎の返答は、相変わらず模範的というほかない。「そんなの関係ないよ／俺を手助けしてくれたアオイさんはもう俺の一部だから／アオイさんの思いは俺が戦いの場に持っていくし」（53/7）。

ともあれ、『鬼滅の刃』のエンパシーとは、単に敵に向けられるものにとどまらず、自分たちの共同体を支える多様な人びとへの配慮でもある。それは戦うこととケアすることとの対等性の意識に、またそのことの帰結でもあるけれど、「弱さ」の捉えなおしにつながっている。

まずはケアすることの重視について。ケアは伝統的に、女性によって担われるものとされてきた。だからこそ、男性中心の社会でもそれは副次的に位置づけられつつも一定程度評価される一方、「女性解放」を目指す女性たちによって退けられる傾向にあった。フェミニストたちがケアの重要性に向き合うようになったのは、比較的最近になってからのことにすぎない。『鬼滅の刃』が興味深いのは、鬼殺隊の戦いを主軸とした物語の枠内でケアの重要性を強調するとともに、大正時代という設定に見合ったジェンダー秩序を前提としながらも、伝統的に女性に属するものとされてきたこのケアをより一般的なかたちで捉えなおしているところだ。そのことは、第一に、母親の役割の重視と相対化を可能にしている。そして第二に、技術の問題をケアの主題に包摂することを可能にしている。

5 マザリングと技術

中村佑子『マザリング——現代の母なる場所』(集英社、二〇二〇年)は、「「母」をすることは女性のなかだけに眠るものではない」(第八章)という確信のもと、伝統的に母親が担ってきた役割を再評価しつつもそれをより一般的な人間の営みとして捉えなおそうとする印象深い書物だ。けれども、「母を行うこと(マザリング)」は母だけの仕事ではないというのは未来社会へ向けての提言となりうるのと同時に、人類史全体、さらには多くの動物に見られる進化生物学上の事実でもある。一九四六年生まれの霊長類学者サラ・ブラファー・ハーディは、この世代の例外的な女性科学者として結婚・子育てと研究を両立させようと苦労する過程で、フェミニズムの女性解放の主張に共感しつつも、十分に子どもに関わることのできない自分は悪い母親なのではないかという葛藤を抱えてきた。そんな彼女が自らの個人史を背景に著した『マザー・ネイチャー』（塩原通緒訳、早川書房、二〇〇五年）は、子どもの成長には無償の愛情を注いでくれる柔らかな存在が必要であるという進化生物学上の知見を前提としながらも、遺伝上の母親の役割を相対化するバランスの取れた議論を展開している。子どもに選ばれるのは一般的には母親であってもつねにそうである必要はないし、男性（子の父親であろうとそうでなかろうと）であることもできる。そもそも人類史的に見ても、動物たちの世界を広く見渡しても、子育てにひとりの母親だけではなく多くの母的な存在が関わるのは珍しくない。それでもやはり、そうした役割は「親代わり（アロペアレント）」というよりは「母代わり（アロマザー）」として捉えるべきなのだという。未訳の近作『母たちと他者たち』（*Mothers and Others*, 2009）ではこの観点を発展させ、母と他者による共同保育のうちに人間の協調的本性とエンパシーの起源を見ている。

　母親の役割を重視しつつも相対化するこうした観点は、ほとんどそのまま『鬼滅の刃』のものであると言える。たしかにこの作品には、実の子を育み、守り、励ましを与える母親が何人も登場する。けれどもまた、イノシシに育てられた伊之助は、赤ん坊の頃の母との触れ合いの記憶を蟲柱・胡蝶しのぶとのものだったと強く思い込むのだし（160/18）、炭治郎は「柱稽古」と称する強化訓練の合間に炊事の才能を発揮して、隊士たちに「お袋」とあだ名される（134/16の後のおまけマンガ）。のちに見るように、二人は決定的な点で対比的に描かれている登場人物だと言えるけれど、彼らはこの点では同じように、ケア（ケアリング）を行い、母（マザリング）を行う戦士という両義的な存在であるわけだ。

母について言えることは、家族についても言える。『鬼滅の刃』にあって家族や血縁は、軽視されるわけではないけれど、より一般的な人間関係へと解（ほど）かれていく傾向にある。この主題が集中的に表れているのは、もちろん那田蜘蛛山のエピソードだ。ここでは一見すると、累が捏造した疑似家族に対して、実の兄妹関係（そして禰豆子の想像力の世界で語りかける母を含めた実の家族関係）の優位が演出されているようにも思える（40/5：「俺と禰豆子の絆は誰にも引き裂けない!!」）。けれども炭治郎はそもそも累に向かい、「家族も仲間も強い絆で結ばれていれば　どちらも同じように尊い／血の繋がりが無ければ薄っぺらだなんて／そんなことはない!!」（36/5）と言い切っていた。そしてそのことの例証であるかのように、この那田蜘蛛山のエピソードでは、期待をかけてくれる親のいない善逸が、彼を引き取って鍛え上げた「じいちゃん」（元鳴柱・桑島慈悟郎）との思い出に支えられて「兄蜘蛛」を破るさまが描かれる（34/4）。この山を離れて言うなら、「日の呼吸」の創始者・継国縁壱は、それを継承する炭治郎と血縁にはない。縁壱の血縁に当たるのは、霧柱・時透無一郎だ。けれども彼は、「上弦の壱」黒死牟――縁壱の双子の兄・継国巌勝の鬼化した姿――と対面し、「流石は我が末裔」と戦い振りを称賛されて、このように応える。「おちょくってるのかな？　もし仮に末裔だったとしても／何百年も経ってたら／お前の血も細胞も／俺の中にはひとかけらも残ってないよ」(165/19)。その一方、胡蝶姉妹に引き取られて育った栗花落カナヲは、血の繋がりのない師範の体を抱き砕いた「上弦の弐」童磨に向かい、「よくも殺したな私の肉親を!!」(158/18) と心のなかで叫ぶ。

もちろん、この作品において血縁が何の意味も持っていないわけではない。炭治郎は縁壱の末裔ではないけれど、縁壱と出会い「呼吸」を引き継いだ戦国時代の炭売り・炭吉の子孫だ。また、瀕死の産屋敷耀哉は鬼舞辻無惨に向かい、彼らが「同じ血筋」に属することを告げ、千年にわたり鬼殺隊を率いてきた産屋敷家と無惨の戦いが、怪物を生んだ一族にかけられた呪いを解くためのものだったのだと明かす。けれども無惨は「そんな事柄には何の因果関係もなし」と一蹴するのだし、それに耀哉にとっても、それが戦いの動機のごく一部にしかすぎないことは言うまでもない。無惨が望む永遠――自分自身の生命の不滅――に対し、彼は「人の想いこそが永遠であり／不滅なんだよ」と打ち明ける (137/16)。先ほど引いた表現中では絶対的な復讐心に縮減されている憾みがあるとはいえ、「人の想いと繋がり」(同) が血縁や家族関係を超えて重要性を持つというのは作品全体を貫くメッセージだと言えるだろう。

『鬼滅の刃』がケアの主題との関係で興味深い第二の点は、技術の問題を包括していることだ。デヴィッド・グレーバーはフェミニスト経済学の知見を踏まえ、あらゆる労働をケアの営みとして捉えなおすことを提案している。乗客をケアする地下鉄職員の仕事は看護師の仕事に近いとも言えるし、橋の建設でさえも、川を渡りたい人びとへのケアとして考えることができるというわけだ（『ブルシット・ジョブ』第六章）。『鬼滅の刃』においては、鋼鐵塚蛍に代表される刀鍛冶たちの頻繁な登場が印象的だ。炭治郎の言葉を引こう。「刀鍛冶は重要で大事な仕事です／剣士とは別の凄い技術を持った人たちだ／だって実際刀を打ってもらえなかったら俺たち何もできないですよね？／剣士と刀鍛冶はお互いがお互いを必要としています」（102/12）。畑中章宏が指摘するように、「彼〔鋼鐵塚〕の存在はこの世界において技術が重要視されていることとの象徴」だと言える。そして畑中の発言を引き継いではらだ有彩が指摘するように、刀鍛冶の仕事は「隠」の仕事と比較可能だ。「刀鍛冶や「隠」（鬼殺隊の事後処理部隊）の人たちがいることで、最前線で鬼と戦う筋力がなくても、「鬼滅」という行為に関わることができると証明しています」（「『鬼滅の刃』とエンパシー」、『SPUR』二〇二〇年十二月号）。

6　バトルものの臨界？

剣士たちの活動を支えるこうした裏方に脚光を当てることで、この作品は「筋力」に象徴される身体能力上の「強さ」の意義を相対化する。もちろん、物語において主として描かれるのが鬼殺隊士たちの活躍であるのはたしかだ。炎柱・煉獄杏寿郎の母が少年時代の息子に告げたように、強き者は「弱き人を助ける」という責任を負うのだとされるが（64/8）、この責任がまさに、強き者の優越の証になっているとも言える。それにまた、責任を引き受けない選択をするなら、炎柱を倒した「上弦の参」猗窩座が「無限城編」で再開した炭治郎に語るように（148/17）、強者による弱者の淘汰を「自然の摂理」として正当化することもできてしまうだろう。けれども、炭治郎はこの「自然の摂理」を否定する。それは責任倫理によって摂理を乗り越えるべきだからではなく、猗窩座が提示する摂理が真の摂理ではないからだという。猗窩座を含め、「生まれた時は誰もが弱い赤子だ／誰かに助けてもらわなきゃ生きられない」。「強い者は弱い者を助け守る／そして弱い者は強くなり また自分より弱い者を助け守る／これが自然の摂理だ」（同）。先ほど炭治郎自身の別の場所での発言を通して見たように、「強い者」となってからも、人は様々な支えなしには存続することができない。その点を補足するなら、ここにはいわば、弱肉強食を説くスペンサー流の「社会ダーウィニズム」に反対したクロポトキン流の相互扶助の世界観、あるいはクロポトキン的な発想を多少とも取り込んだ現代の進化論に通じる「自然の摂理」観が見られると言ってもよい。[*3] あるいはまた、ケアの主題をめぐる最新の概説書にも、ほとんど同じ主張を読むことができる。「弱い存在であること、誰かに依存しなくては生きられないということ、支援を必要とするということは人間の出発点であり、すべての人に共通する基本的な性質である。誰の助けも必要とせずに生きることができる人は存在しない。〔…〕弱さを他の人が支えること。これが人間の条件であり、可能性でもあるといえないだろうか」（村上靖彦

『ケアとは何か』中公新書、二〇二一年、まえがき)。

強さと弱さは、もちろん剣士たちの内部でも問題になる。そこでもやはりこの作品は、相対的な弱者の果たしうる役割に光を当てている。「上弦の陸」との戦いに身を置いた炭治郎は、鳴柱・宇髄天元の苦戦を前にして、自分の弱さにこそ大勢挽回の秘訣を見出す。「俺は警戒されていない/弱いからだ/俺が予想外の動きをすれば助けられる」(90/11)。この時の経験を振り返り「一番弱い人が一番可能性を持っている」と説いた炭治郎の言葉は、やがて「上弦の壱」の圧倒的な力に怯える不死川玄弥に気力を取り戻させるだろう(172/20)。また水柱・冨岡義勇の同期の鬼殺隊士・村田は、那田蜘蛛山では何の役にも立たなかったし(28/4, 42/5)、無限城編に入った単行本十七巻の本体表紙では「えらいことになってきている…俺がいていいのかという疑問が脳裏をよぎる…」と自問しているけれど、対無惨戦の現場に居合わせたために、瀕死の重症を負った炭治郎を救い出すという決定的な役割を果たすことができた(185/21)。

最後に指摘しておくなら、「強さ」の意義を相対化するこのような姿勢のために、まさにこの無惨との最終決戦は少年マンガのバトルものとしては例外的なかたちで展開されることになったと言えるだろう。足立加勇『日本のマンガ・アニメにおける「戦い」の表象』(現代書館、

＊3　クロポトキンと今日の進化論の関係については以下を参照。フランス・ドゥ・ヴァール『共感の時代へ』前掲、第二章。片岡大右「デヴィッド・グレーバーの人類学と進化論」『現代思想』二〇二一年十月号【本書所収】。

二〇一九年）が論じているように、「少年マンガには、格闘技化せよ、という圧力が常にかかり続けている」（第三章）。強大な敵との一対一の決闘のかたちで戦いがなされることで、勝利が誰の手によるものなのか、誰が「強い」のかが明らかになることが、読者に期待されているからだ。そうしたわけで、「様々な個性をもった仲間たちが、強大な敵に対し、互いの長所や短所を補いながらチームワークで戦うという話は、物語の類型としては認知されているが、少年マンガにおいては例外的な事象である。仮に、そのような「戦い」が行われたとしても、その多くがクライマックスに至るまでの前座としての役割を果たすものに過ぎない」（同）。ところが『鬼滅の刃』は、まさにクライマックスでこの形式を採用する。いや、そのように述べてしまうと不正確になるだろう。対無惨戦は、現場で無惨の前に自らの身体を晒して立ち向かう剣士たちは最重要のアクターではなく、戦いの行方は現場にいない、さらに言えばすでにこの世に存在してすらいない、二人の女性の事前の準備によって決せられている。無惨打倒の決め手は珠世——無惨の支配から離れてからは人を喰らわずに生きてきた鬼であり医者——が胡蝶しのぶと共同開発した毒による弱体化であって、現場での剣士たちの役割は、無惨が解毒に集中できない状況をつくりながら日の出の瞬間まで彼をその場に食い止めることでしかない。足止めされ、両腕と触手を振り回すだけの無惨の周囲で、村田は同期でありながら大きく差をつけられてしまった水柱に名前を覚えられていたことを喜び、恋柱と蛇柱の心の触れ合いが描かれ、その他様々な小ドラマが点描されていく。けれどもこの対無惨戦を構成するページ中で最も鮮やかな印象を残すのは、まずは珠世と使用する薬について相談する在りし日の胡蝶しのぶの姿であり（193/22）、四種の薬を自ら無惨に注入したのち彼に頭を砕かれ体内に取り込まれた珠世が、薬の効果に怯える無惨を抱きすくめるようにして語る想像上の場面だ。「お前を殺す為にお前より強くなる必要はない／お前を弱くすればいいだけの話」（197/23）。『鬼滅の刃』はこうして、相互につながり助け合うという人間観を追求した果てに、強さの表現という少年マンガの要請をなし崩し的に無効にしながら終わった。クライマックスにふさわしい盛り上がりへの期待に必ずしも応えていない点で、この展開が満場一致の称賛を得ることがなかったのは十分に理解できる。けれどもそれが、単なる演出上の失敗というよりも、身体能力の高い自律的個人間の対決に過剰な意味を与えることで成り立つバトルものマンガの臨界に触れていることはたしかだろう。

7 ボーヴォワールの問いへの回帰

バトルものマンガの臨界に触れるというこのことは、女性の肉体的条件をごまかさないという姿勢としても表れている。吾峠呼世晴がこの点を強く意識して物語をつくってきたことは、決して「強い」鬼ではない珠世に無惨を滅ぼさせたという事実からもわかるけれど、ここではさらに、二人の女性の「柱」の描き方に注目してみよう。恋柱・甘露寺蜜璃と蟲柱・胡蝶しのぶは、肉体的な力の点での男女間の不均衡という現実を踏まえつつ、女性登場人物をバトルもので活躍させるための、二つの異なった解決を表現していると言える。甘露寺蜜璃は、特異体質ゆえに並の男性にはるかに勝る筋力を持っているという設定だ。「筋肉の密度が常人の八倍ある」(123/14)などというのは、それ自体としては非現実的な設定にすぎないけれど、こうした理由でもつけないと女性が最強の男性陣に匹敵する驚異的な腕力を発揮することなどできないだろうという意味では、ここに吾峠呼の現実感覚を見て取ることができる。対照的なのが胡蝶しのぶで、彼女は筋力の不足を身体的力とは別の手段、毒の開発によって補い、それにより他の柱たちに引けを取らない活躍を可能としている。「私は柱の中で唯一鬼の頸が斬れない剣士ですが/鬼を殺せる毒を作ったちょっと凄い人なんですよ」(41/5)。けれどもこうした自負の背後で――やがて姉の仇でもある「上弦の弐」童磨との対決の場面で明らかになるように(142/16)――、胡蝶しのぶはつねに深い劣等意識を感じ続けてきた。この劣等感とそれを根拠付ける不利な肉体的条件を乗り越えるために、彼女がどれほどの凄絶さを引き受けなければならなかったかは、童磨との戦いを引き継いだカナヲと伊之助の奮闘のなかで明らかになるだろう(162/19)。

こうして、『鬼滅の刃』は身体能力上の強さと弱さを単に個人差としてではなく、男女の生物学上の条件に結びついたものとして描き出し、その点を折に触れて強調する。とりわけ「遊郭編」では、この主題が様々なかたちで表現されている。兄妹一組の「上弦の陸」のうち、力で劣る妹・堕姫のほうが執拗に剣士たちに狙われるのを見ると不憫になってくるし――「悔しい／悔しい／なんでアタシばっかり斬られるの!!」（87/10）――、元忍の宇髄天元の三人の妻のひとり、まきをの心の声を通して、「どうしたって男の忍に力が劣る」というくのいちの条件が強調されてもいる（80/10）。またこの編を収めた単行本掲載のおまけマンガで柱たちの腕相撲ランキングが掲載され（95/11の後）、当然ながら最下位となった胡蝶しのぶが「いや別に実践は腕力じゃないですから」（96/11の後）と笑顔で語っているのも、対童磨戦に向けての伏線として、見過ごすことのできない重要性を持っていると言うべきだろう。こうした主題の強調は、女性登場人物を男性と対等に戦わせ、しばしば作中最強またはそれに近い位置づけを与えることすら躊躇しない近年の内外のアクション映画やバトルものマンガのなかでは、むしろ例外的なものに思われなくもない。それでも例えば、エメラルド・フェネル監督の長編デビュー作で、この英国人女性の手になる脚本により二〇二一年のアカデミー賞脚本賞を獲得した米国映画『プロミシング・ヤング・ウーマン』（二〇二〇年）を見るなら、学生時代に親友をレイプした男性医師に復讐する主人公（演：キャリー・マリガン）の戦いとその結末は、薬物および技術の使用により肉体的劣勢を補い、彼女が不在の場所で時間差を伴って思いを遂げるという意味で、胡蝶しのぶの対童磨戦とほぼ同型の展開をたどっていることに気づかされる。超常能力の介在しない現実世界においては、肉体的条件における男女差は依然として、少なからずの女性の日々に不安な影を投げかける問題であり続けていると言えるのかもしれない。

かつてシモーヌ・ド・ボーヴォワールは『第二の性』（原著一九四九年）において、「生物学的条件（筋力の劣等性）」が持つ重要性を強調した（『決定版　第二の性Ⅰ　事実と神話』『第二の性』を原文で読み直す会訳、新潮文庫、二〇〇一年、第一部第一章）。米国の文芸批評家エリザベス・ハードウィックは同書の書評（一九五三年）で、次のように書いている。

女性は男性と「平等」なのだろうか？　これは悩ましい主題だ。
女性はじっさい、男性よりも肉体的に劣る。もしそうでなかったら、世界の歴史はすっかり変わってしまうところだ。同志愛に満ちたどんな社会主義的立法が女性のためになされようとも、自然がもう少しだけ筋肉組織を気前よく恵んだ場合にこの「第二の」存在が得られるはずのものの千分の一の事柄も達成できないだろう。[*4]

二十世紀半ばに知的職業に就いていた――鬼や悪党と戦っていたわけではない――二人の女性が、それでも強く訴えたいと望んでいたこの肉体的格差をめぐる認識は、二十一世紀の男女平等を考えるのにはまったく無縁のものだろうか。先ほど言及した『マザリング』のなかで、中村佑子は年長の男性との恋愛とセクハラの境界線を問い、そこには「相手のパワー〔…〕に屈した瞬間」があったと振り返りながら、その「パワー」のうちに社会的立場や金銭の力と並べて、「女性が男性に絶対に勝てない、肉体的パワー」を含めている（第七章）。ボーヴォワールはエンゲルスを参照しながら、「女の歴史は何よりも技術の歴史に左右されるという観点」を強調している。ここで技術的解決を想定されている条件には、リプロダクティブ・ヘルスに関わる問題もあるけれど、もちろん筋力の問題も重要だ。「女が完全に無能に見えるには、女の出せる力が道具を扱うのに必要な力にほんの少し足りないだけで十分なのだ。〔…〕最小限必要な力が女の能力を越えていなければ、女は仕事において男と対等になる。実際、現在では、ボタンを押すだけで巨大なエネルギーの使用をコントロールできる」。『第二の性』刊行から七十年以上がたち、技術はますます発展したはずだ。それでも――再びハードウィックの書評を引くなら――「男性に手首をひねられたことのある女性なら誰でも、か細い木の枝に襲いかかる竜巻のような屈辱をもたらす自然の事実をわかっている」という現実はおそらく変わっていない。けれどもその一方、肉体的条件と関わるこの問題がなかったとしても、女性たちに固有の困難のすべてが消えてなくなるわけではないということは大いに考えられる。ひとりの女性によって少年マンガ誌に連載された大ヒット作の主要な女性登場人物たち、胡蝶しのぶと甘露寺蜜璃の二人が、この問題に対する二つの別様の対応（技術による補完あるいは肉体そのものの強化）

＊4　*The Collected Essays of Elizabeth Hardwick*, New York Review Books, 2017, p. 31. なおこの引用箇所の一部を、サラ・ブラファー・ハーディは『女性の進化論』第二章「不平等のはじまり」のエピグラフに用いている（加藤泰建・松本亮三訳、思索社、一九八九年）。

を体現しつつ、社会を生きる女性が直面する困難の諸相をそれぞれ異なった角度から表現しているのは意義深いことだと言えるだろう。[*5]

8 エンパシーの臨界に触れる

ところで、ボーヴォワールは『第二の性』で男性と女性をそれぞれ「殺す性」と「産む性」として規定し、前者による後者の歴史的な支配を説明している。「殺す性」たる男性たちは、自分の命を危険に晒すことで、生命よりも貴重な何かの存在を証明する。そのため、新たな命をもたらしそれを育む女性よりも、男性に優位が与えられてきたのだという。この観点からすると、『鬼滅の刃』においては命を生み育むことに関わるケアの重要性が繰り返し強調されつつも、結局のところ主人公たちは剣士なのであって、命を賭けて敵に立ち向かうことの尊さが前景化されつづけるという事実に注目しなければならない。胡蝶しのぶは――自ら産むことはなかったにしても――育みケアすると同時に、殺す存在でもあろうと努めた。炭治郎にしても同様だ。こうしてこの二人は、最も深くエンパシー的でありながらも、あるいはまさにそれゆえに、エンパシーの臨界にそれぞれの仕方で触れる両義性によって特徴づけられることになる。

最後にこの点を見ることで、本稿を終えることにしたい。

『鬼滅の刃』の作中でエンパシー的次元がどれほど強調されようとも、結局のところ鬼殺隊は鬼殺隊であって、どれほど共感しようとも鬼を殺すことには変わりがない。そして物語全体は、単に「悪い鬼」(45/6)のいない、その他の点ではこれまでと何も変わらない世界を残して終わる。他なる者に対するエンパシーを志向する日本のフィクションがこうしたいわば保守的性格にとどまるものばかりではないことは、例えば石田スイ『東京喰種(トーキョーグール)』のような作品が人間を喰う側から物語を進め、彼らと通常の人類との共存に基づく新たな世界の始まりにたどり着いたところで終わったことを思い出すだけでも明らかだろう。『鬼滅の刃』の保守的枠組みは、むしろ古典的な米国のヒーローものに通じるところがあるとさえ言える。禰豆子の当初の設定を活かすなら、人間と鬼の境界を問い直して新たな社会をつくるという方向に進むこともできたかもしれない。けれどもそうはならず、物語が後半に向かうほど、彼女は存在感をなくしていく。その結果、第二回目の読者の人気投票で禰豆子は十一位にまで転落してしまったので、これはある観点からすると作劇上の失敗とも言えるけれど、作者の深い関心がこの方向にはな

＊5　すでに見たように、吾峠呼世晴は周到に、甘露寺蜜璃の抱える問題を胡蝶しのぶとまったく対照的なものとして提示している。近年、スポーツの世界では、「砲丸投げや槍投げのような力技の種目」を含め全般的に、男女差がなくなる未来が展望されているようだ(ラファエル・リオジエ『男性性の探究』伊達聖伸訳、講談社、二〇二一年、「ジェンダーの和平に向かって」)。そうなると、怪力の事実と自分らしさの統合という甘露寺蜜璃の問題が、いっそう重視されていくということになるのかもしれないけれど……。

かった、ということの証として受け止めることもできるかもしれない。

「鬼を前にしても優しさの匂いが消えない／鬼にすら同情心を持っている／義勇／この子には無理だ」（3/1）——結局は「育手」となることを引き受ける鱗滝左近次の最初の観察にもかかわらず、炭治郎は最終選別における手鬼との戦い以後、鬼を殺すのに躊躇を見せることはない。優しさと断固たる処置のこの二重性の最も美しい表現は、言うまでもなく、那田蜘蛛山の母蜘蛛に与えられた水の呼吸伍ノ型、「干天の慈雨」の場面だろう（31/4）。累の恐怖に怯えながら母役を演じるのに疲れ果て、「恐怖と苦痛の匂い」（32/4）を発散させていたこの鬼は、それでもつい先ほどまで残酷に隊士たちを殺していたのだから、死を免れる理由はないというわけだ。同じ基準は、すでに響凱に対しても示されていた。「凄かった／でも／人を殺したことは許さない」（25/3）。そして敗れた累の背中にそっと置いた手を冨岡義勇に咎められた炭治郎は、「鬼は虚しい生き物だ／悲しい生き物だ」というあの有名な言葉に先立って、それでも鬼を殺す理由として、やはり同じ基準を繰り返す。「殺された人たちの無念を晴らすため／これ以上被害者を出さないため／勿論俺は容赦なく鬼の頸に刃を振るいます」（43/5）。

炭治郎がこうして二つの態度をまったく揺るぎなく併存させているさまは、胡蝶しのぶと対照的だ。彼女は機能回復訓練のさなかの炭治郎に声をかけ、「君には私の夢を託そうと思って」と告げる。「鬼と仲良くする」というその夢を、彼女自身は姉のカナエから受け継いだ。「哀れな鬼を斬らなくて済む方法があるなら考え続けなければ」。それでもしのぶは、姉や他の人びとを殺した鬼たちへの怒りと深い不信をどうすることもできず、二つの相容れない思いのあいだの緊張を抱えざるをえない。他人の心を「音」として聞き取る能力を持つ善逸は、胡蝶しのぶの「音」を「独特」だと感じる。「今まで聞いたことない感じだ／規則性がなくてちょっと怖い」(49/6)。この不規則さと緊張は、胡蝶しのぶが治療者にして滅殺者、薬と毒両方のエキスパートだという両極性に対応していると言える。

けれども、同じケアと殺しの担い手であるにもかかわらず、善逸の耳に響く炭治郎の「音」は、まったく異なったものだ。「炭治郎からは泣きたくなるような優しい音がする／今まで聞いたこともないくらい優しい音だ」(26/4)。そしておそらくこの極度に安定した優しさが、炭治郎が時に示すある種の酷薄さを可能にしている。例えば彼が、結局のところ、胡蝶しのぶに託された鬼との共生の夢をほとんど一顧だにしないで済ませることができたのは、まさにそのためなのだと言えるかもしれない。彼自身の夢はと言えば、それは無惨が――その支配下のすべての鬼とともに――滅んだあとの世界とそのまま重なり合うものであるようだ。「繋いだ命が紡ぐ世界。それは炭治郎が夢見た、輝かしき未来の姿であった」(「鬼滅奇譚百景」、『鬼滅の刃公式ファンブック　鬼殺隊見聞録・弐』二〇二一年)。ここには、様々な事情を抱えていたはずの鬼たちが、人間たちとつながりなおすきっかけを永遠に絶たれてしまったことへの想いはなんら窺えない。彼自身のナレーションでつづられる後日譚にはこうある。「何の変哲もない穏やかな日々が愛おしいです／俺がいなくなってもずっと／どうかみんなの平穏な日々が続きますように」(「炭治郎の近況報告書」、同)。炭治郎の深いエンパシーは時として、「普通」の輪郭の維持に支えられているように見える。一方、胡蝶しのぶは、「普通」ならざるものの拒絶の意志と、それをあえて受け入れなければならないという要請のあいだで引き裂かれていた。

「音」をめぐる善逸の二つの証言は、エンパシーとケアの主題を殺しの主題とともに奏でるこの作品が、相互に近づきながらも本質的に異なる二つの感受性のあいだで宙吊りになっていること、「今まで聞いたことがない」ほどの不安定と安定のあいだで緊張を続けていることを明かしているように思う。そして言うまでもなく、この作品とエンパシーをめぐる論点は二人の対比に尽きるものではない。『鬼滅の刃』の偉大さは、エンパシーの帝国の全域に光を当てることで、人間という存在の輝かしさとおぞましさを、共通の根に基づくものとして鮮やかに描き出しているところにある。

初出 『群像』(講談社)二〇二一年一一月号。

マキァヴェッリの精神とフェミニズム的モチーフ

——奇妙な国際ベストセラー／ジョージ・R・R・マーティン『炎と血　Ⅰ・Ⅱ』

ジョージ・R・R・マーティンの『炎と血』が、わたしたちの列島に遅ればせに届けられた（酒井昭伸ほか訳、早川書房、二分冊、二〇二〇年一二月・二〇二一年一月）。二〇一八年一一月の発売直後にニューヨーク・タイムズのベストセラーリストで一位を獲得し一六週にわたりリストにとどまった一方、欧州主要言語では英語原典と同時刊行され、韓国語訳が二〇一九年四月、中国語訳が二〇二〇年一月に出たこの惑星規模の話題作を、ようやく日本語で読めるようになったのだ。とはいえ奇妙な国際ベストセラーではある——ほとんど誰もが、本当は別のものを読みたいと願いながら買い求めたらしいのだから。

『氷と炎の歌』連作は、HBOによるドラマ版『ゲーム・オブ・スローンズ』の第一シーズン放送終了直後の二〇一一年七月に第五部『竜との舞踏』が刊行されたのち、続刊は出ていない。その間にも、ドラマは世界中に熱狂を伝播させながら完結に近づいていく。二〇一九年春の最終シーズン放送は「惑星的ミサ」を現出したとさえ評されたけれど、それに先立つ冬、「GRRM」はようやく、ウェスタロス大陸を舞台とする大部の物語を読者に供したのだった。ただしこの書物は、誰もが待望する続編ではなく、デナーリスの祖先のターガリエン家による大陸征服と以後の王朝の歴史をつづった記録、著者がトールキンの*Silmarillion*（『シルマリルの物語』）になぞらえて*GRRMarillion*（『グリマリリオン』と読むらしい）と称する一種の前日譚である。読書家たちの集うGoodreadsで最も反響を得た質問が、「誰が読みたいと思うんだろう？」だったのも無理はない。

どうしてこんなことになったのか。刊行時のガーディアン紙のインタヴューで、マーティンは事情を率直に語っている。「ドラマが世界中で大評判となり原作も大変な人気を得て好意的に評されたので、私は机に向かうといつも何か偉大なことをしなければと意識せずにはいられず、そして何か偉大なことをしようと企てるのは耐え難いほどつらいものなのです。その一方、私は一度何かに身を入れるとその世界の中に入り込んでしまう。最近では『炎と血』の時がそうでした。エイゴンとジェヘアリーズのことを考えながら眠り、彼らのことを考えながら目覚めて、待ちきれない思いでタイプライターに向かったものです。世界の残りの部分は消え失せ、夕食は何かとかどんな映画をやっているかとかどんなメールが来ているかとか今週も誰かが『冬の狂風』が発売されていないことで私に対して怒り狂っているとかそういったすべてはどこかに行ってしまい、私はただただ私が本に書いている世界の中に生きているのです」。

同紙の書評は、『指輪物語』の作者が『二つの塔』の続きを十年近く書かずに『シルマリルの物語』を刊行したと想像すれば、ファンの失望を理解できるだろうと記している。あるいはわたしたちは、『鬼滅の刃』を「刀鍛冶の里」編で中断した吾峠呼世晴が「無限城」での最終決戦に取り組む代わりに「大正コソコソ噂話」や「戦国コソコソ話」を複数巻にわたり刊行し始めたら、と想像することもできるだろう。漫画家による文章主体の作品とのこの比較が適切だと思われるのは、『炎と血』は小説でさえなく、『氷と炎の歌』本編との印象の落差を強調しておきたいからだ。

本書は「大学匠（アーチメイスター）ギルデイン」なる者の記した歴史書のマーティンによる英訳の体裁を取っている。ウェスタロス大陸のこの学識者は、ターガリエン王朝の三百年の歴史（ただしマーティンが今回翻訳刊行したのはその前半部分に過ぎない）を、過去の歴史書や宮廷道化師の証言録、さらには吟遊詩人の歌といった素材を対照させつつ再構成する。こうした記述にはそれなりのおもしろさがあるけれど、『氷と炎の歌』という傑作小説の魅力の大部分が欠けているのも事実だ。この「歴史書」には人物の直接の発言は控えめにしか記されないので、『ゲーム・オブ・スローンズ』の脚本にそのまま採用されこのテレビドラマの思想的深みを決定づけることとなった、含蓄に満ちた台詞の力を十分に味わうことはできない。そして何より、語りの全体において発揮されるマーティンの小説家としての力量をギルデインはまったく共有していないか、そのような才能の発揮を歴史家として禁欲しているように思われるのだ。主要登場人物はもちろん、時にささいな副次的登場人物についてさえ内心の不安や葛藤や決断を繊細に描き出すあの筆致こそが、ドラマ版の目覚ましい達成によってもいささかも上書きされることのない、マーティン作品の魅力の核心をなしている。

だから『ゲーム・オブ・スローンズ』を経験したあとで原作に進もうとする読者に、『炎と血』を最初に手に取ることは薦められない。しかしそのうえで言うなら、このターガリエン王朝史が、幾多の逸話や興味深い細部が詰め込まれた非常に読み応えのある書物であることは間違いない。冒頭のエイゴン征服王のエピソードは、暴力と恐怖のあとの良き統治というマキァヴェッリ的主題の展開として鮮やかな印象を残す。マキァヴェッリの精神と並び本書に浸透しているのは、フェミニズム的モチーフだ。エイゴンとその姉妹ヴィセーニアとレイニスによる共同統治からジェヘアリーズ王の妃アリサンの〈女だけの王妃懇談会〉を経て、王位継承権を掲げ異母弟と戦ったレイニラの栄光と失墜に至るまで、「陰茎などは持ち合わせていなくともけっこう」（アリサン）と心得た女性たちの時に不穏な活力が、いささか無味乾燥なこの書物において生彩を放っている。

日本語訳の刊行の遅れは、原書刊行時にはなかった利点を本書に付け加えた。HBOが、本書に基づく新TVシリーズ製作を決定したのだ。発表済みのキャストからすると、レイニラとエイゴン（二世）の内戦を描いた「竜たちの滅び」（訳書では、別作品の訳題に合わせ「竜の絆、いまは遠く」となっている）を中核とする物語となるように思われる。マーティン作品の充実した記述に大いに頼ることができた『GOT』本編と異なり、ギルデインの歴史書の映像化には独特の困難が予想される。どのような出来のドラマとなるのかを想像しながら読むというのがこの訳書の楽しみ方のひとつだけれども……本稿の評者としてはやはり、未読の向きにはまずは『氷と炎の歌』本編に取り組み、続刊を切望し憤る思いをわたしたちと共有してほしいと願っている。

初出　『週刊読書人』二〇二一年五月七日号〔四月三〇日合併〕・三三八八号。

「世界を革命する力」はどこにあるのか／松田青子『持続可能な魂の利用』

十代でデビューし「天才美少女作家」としてメディアの好奇の目にさらされた金井美恵子は、少女による父親殺しを作品化した「兎」を発表するが、年長の男性作家・詩人・評論家・編集者らはこの挑発的な作品をこそ熱狂的に支持した。三十年ほどのちの今世紀初頭、女優としての成功に先立つ時期の満島ひかりは嫌な水着グラビアの撮影現場でほとんど笑わず、写真は睨みつけるようなものばかりになったが、まさにそれが評判を呼んで男性誌からのオファーが増えたのだという。その十数年前、森高千里は「はだかにはならない」と題した曲までつくってこのグラビアの仕事から身を守り、やはり自作詞による一連の「怒りソング」によって業界の「おじさん」たちに戦いを挑んでいた。けれども、「桃太郎」もいなければ「打ち出の小槌」もない世界で、「人類」を救うため自ら「鬼ヶ島」に向かった彼女の冒険（「鬼たいじ」）は、世の大勢を変えることはなかったように見える。スタッフの制止を振り払い、自らの意思でまとったミニスカートが、「はだか」になることを受け入れた同時代のどんな若い女性にもまして男性たちの熱狂を煽り立てたことは――というかとりわけこのことが――今日なお記憶されている。主体的なイメージ構築を模索し始めた最初の時期、森高千里は「見て」を歌い、「思いこみ」と「誤解」と「余計なお世話」をやめてしっかりと自分を見るようにと求めた。けれども結局のところ、ひとは――とりわけ「おじさん」は――見たいように見るのだ。

こうしたすべてが示唆するのは、「おじさん」たちはそれなりに柔軟で――あるいは深く鈍感で――、女性たちの挑発や挑戦や拒絶を時に小気味よいものとして受け入れながら、自分たち中心の社会を維持してきたという事実だ。まったく主体的に企てられた森高千里の「鬼たいじ」が事態を大きく変えることなしに終わってから三十年、「おじさん」たちの気まぐれで怒りと戦いと革命を歌う集団としてデビューさせられた少女たちが人気を博したからといって、何か期待できることがあるのか？　ある、と松田青子は力強く答える。それでは一体何を期待できるのか？　「世界を革命する力」を。

『持続可能な魂の利用』（中央公論新社、二〇二〇年）における「おじさん」社会の構造は、何より「長きにわたり日本のエンターテインメントの世界に君臨し、権力を持つ男」によって体現されている。一九九〇年代における彼の失墜を記憶にとどめ――例えば映画『ご存知！ふんどし頭巾』（一九九七年）を世に問うた事実は、当時の情報誌上で「誰もご存じなかった」と揶揄されていた――、その復活を新世紀日本の最大の不幸として耐え忍んできた者からすると、一九八〇年代以降の権勢の切れ目のなさを想像させるこのような記述は、この国の芸能史における彼の立場を過度に重く見ることにつながりはしないかと懸念されなくもない――が、今はそのことは措こう。ともあれ、笑顔の少女たちを絶え間なくテレビに送り込み、わたしたちの列島の規範的女性像を画一的なものにとどめ置くことに貢献してきたこの「おじさん」たちの王は、いかなる思いつきによるのか、笑わない少女たちのプロデュースを企てる。三十代の敬子――祖父に与えられたこの名に居心地の悪さを感じつつもそれを体現するかのようにして、「おじさん」社会の諸規範をおおむね尊重しながら生きてきた――は、非正規で勤めていた職場を狡猾なセクハラにより追われたのち、このグループとりわけ「センター」を務める黒髪ショートの「XX」に心惹かれ、彼女を「推し」とすることに生きがいを見出す。そんな敬子はやがて、ある思いがけないやり方でXXと出会い、この「オタクの妄想みたいな話」に耳を傾ける元同僚の香川歩ともども、日本の未来を大きく変えることになる動きに関わっていく。その結果、この国から、「おじさん」はいなくなるだろう。

荒唐無稽でありながら奇妙に説得的な展開を通して、松田青子はわたしたちに、構造が堅固なものに見えることは絶望の理由にはならないと教える。チョ・ナムジュ『82年生まれ、キム・ジヨン』(筑摩書房、二〇一八年)に帯文を寄せた松田は、「女性たちの絶望が詰まったこの本は、未来に向かうための希望の書」と記した。そんな彼女が著した最初の長編小説は、この韓国のベストセラーに劣らず胸に迫る「女性たちの絶望」を描き出しつつも、この絶望を逃れがたいものとしているはずの装置そのもののただなかから、希望を引き出そうとする。「おじさん」

たちが「おじさん」たちの都合で革命を歌わせることは、それを当初は「自発的な声」に乗せて歌ったのではない少女たちに、やがて自らの意思によって革命を準備していくための力を与えることができる——「わたしたちは革命について歌ったのだから、革命を歌ったのだから、革命をしなければならない」。じっさい、歴史上のどんな革命も、それが覆す当の社会に内在する資源に多少なりとも依拠せずには、決して成就することはなかった。「おじさん」たちの用意した舞台では誰も「おじさん」たちの意思から逃れられないなどと絶望することはない。時に外国の現実が幾分理想化されつつ引き合いに出されるとは言え、『持続可能な魂の利用』が力強く伝えようとしているのは、「世界を革命する力」は、「おじさん」たちが取り仕切るこの列島の現実のなかで生きる人びとにも備わっているという確信だ。

けれども松田青子は同時に、このことの裏面にも向き合っている。「おじさん」たちと文化的資源を共有しながら、「おじさん」たちと異なった眼差しを持つことができるのかという問い。「おっさん地獄」を生き抜くための武器を求める香川歩は、戦う少女たちの姿を「アニメのイラスト」で思い浮かべながら、自分もまた「この日本社会の立派な一員」なのかもしれないと自問する。元アイドルの宇波真奈は、年長の男性ファンに性的妄想の対象とされた事実を受け止められず「卒業」を余儀なくされたのち、「アニメの魔法少女」の「エロい」身体を一方的に眼差しうることに救いを感じながら、かつてのファンのことを「少しだけ理解できるような気」になる。「フィメール・ゲイズ」(『i-D Japan』六号)は可能かということの問い——冒頭に挙げた例に戻れば、もし答えが否定的なものでしかありえないのなら、「見て」と求めた時点で森高千里は失敗を運命づけられていたことになる――が、『持続可能な魂の利用』の著者を、身体なき人類という展望へと向かわせる。しかし身体を失ったのちに獲得されるという「見られない、利用されない、搾取されない、監視されない体」、「既存のいかなる文化体系にも属さない体」とは、一体どのようなものなのか？　かろうじて示唆されるだけのこの逆説的な理想が、問題の難しさを物語っていることは間違いない。

初出　『週刊読書人』二〇二〇年六月二六日・三三四四号。

『源氏物語』、女性性、近代――創見に満ちた講義／小原眞紀子『文学とセクシュアリティ――現代に読む『源氏物語』』

『源氏物語』とフェミニズム。平安中期の歴史的傑作をこの観点から読むというのは、一九九〇年代においては、主人公と女性たちの関係をもっぱら前者の後者に対する抑圧の相のもとに、さらにいえば「レイプ」の実践として理解し、その告発こそを「紫式部のメッセージ」（駒沢喜美）とみなすことに帰結する傾向があった。しかし木村朗子『女子大で『源氏物語』を読む』（青土社、二〇一六年）は、フェミニストの立場から、「『源氏物語』はレイプ小説ではない」と断定する。そして、こうした理解がなされたのは、当時の日本のフェミニズムがドウォーキン、マッキノンらのアンチ・ポルノ論から時季外れの影響を被っていたためにすぎないとして、バトラー『ジェンダー・トラブル』（原著一九九〇年）以後の理論的展開を経た今日での無効性を宣言するのである。けれども、少なくとも、著者が同時に採用するいわば多文化主義的な正当化の論理は――「今の価値観をあてはめて批判してもはじまらない、というのは国際関係学科でさまざまに価値観の異なる国々について勉強している皆さんには直感的にわかりますよね」――、同書所収の学生たちのコメントを見る限り（「レイプとしての一面もあるのではないか」、「源氏は刺されてもおかしくない」）、その説得力に一定の限界があるということになりそうだ。フェミニストによる近代以前の研究ということで比較するなら、アーサー王伝説を取り巻くモルガン・ル・フェーら「危険な女たち」の研究で知られるキャロライン・ラリントンは、二〇一〇年代を代表する文化現象に取り組んで国際的反響を得た著作『ゲーム・オブ・スローンズ』の中世世界』（二〇一五年）において、「世界のどこでも少女は傷つけられるもの」というあのサーセイの言葉（S4E5）を引きつつ、ヨーロッパ中世（と『GOT』の世界）の貴人女性の婚姻に際しての「行為者性（エイジェンシー）の欠如」を指摘し、「婚姻の夜にサンサに加えられたレイプは、中世の花嫁たち多くの運命だったに違いない」とすら認めて、女性たちの過酷な現実と不安定な立場を前提に議論を展開している。

さて、こうした文脈との関係でいうなら、やはり大学での講義に基づく小原眞紀子『文学とセクシュアリティ』（金魚屋プレス日本版、二〇一八年）は、至るところに散りばめられたフェミニズムへの「偏見」（10回）にもかかわらず、むしろ前世紀末以来のフェミニズムにおいて主題化された女性たちの「エイジェンシー」の探究に多少とも呼応する、創見に満ちた『源氏物語』読解の試みとして読むことができる。「須磨」・「明石」という「海の巻」に描かれる籠居の日々の経験を論じる詩人は、何よりマルグリット・デュラスの海のイメージを、しかしまたシェイクスピアの『テンペスト』をも参照しつつ、そこに既成の身分秩序を宙づりにし構造の再編を促す一契機を認める（10・11回）。そして「宇治十帖」に至るまでの全巻をたどりながら、男性支配的な社会構造の内部に身を置きつつもそれを相対化し、撹乱し、たとえ一時的にであっても転覆させる女性たちの生を照らし出していく。

髭黒の「横暴」が玉鬘のうちに目覚めさせる「理不尽」の感覚が「現代の私たちと変わらない」ものであることを確認し（22回）、夕霧の愛人関係の記述のうちに「女性としての時代を超えた批判意識、作者による冷徹な相対化」（24回）を見定める著者は、「源氏も男であり、それゆえの愚かしさをさんざん露呈する」として、同じ批判意識が主人公自身にも向けられていることを強調する（同）。それでも光源氏が例外的な形象たりえているのは、階級横断的な「感受性の柔らかさ、幅の広さ」（4回）を、また「本源的」というべき「女性性への感受性」（24回）を備えているからであって、こうして彼は「男性性に象徴される制度構造の頂点」を体現しながらも、当の「制度構造を揺さぶる女たちの女性性＝私性」へと身を開いていく（2回）。この作品は何より、女性作者によるひとつの「女性総論」（5回）にほかならず、主人公は実のところ、彼女たちの魅力を読者に伝えるための媒介にすぎない。その意味で、『源氏物語』は文学構造的に極めて「フェミニズム的」なもの」なのだと小原眞紀子はいう（12回）。

とはいえ源氏は、単なる媒介には還元しえない存在であった。また紫の上も、「現世における最も美しい観念の象徴」（30回）たりうる例外的な存在であった。そんな二人の亡き後、次世代の凡庸な男女は、相手が置き換え可能な存在にすぎないという「絶対的な絶望感を共有」しながらもなお、互いを求め続けるだろう。「単なるくだらない浮気男」にすぎない男性を観念化することで、江國香織のヒロインは、自分が世界を把握するための抽象的な核のような何かを手に入れる。金井美恵子の初期作品にも見出されるこうした操作と類比的なやり方で、大姫は「ただの男」にすぎない薫を肉体的に受け入れないことで幻滅を遠ざけ、「永遠の関係」を成就しえた（35回）。しかし薫の側から見るならこの大姫は、当初求めていた仏を「形而下的に」格下げした存在であるにすぎない。彼女の死後、彼は「さらに現世的な中姫」に関心を移し（36回）、やがては浮舟という「人型」へと向かう（38回）。詩人は、この凡庸な少女こそは「源氏物語で唯一の近代的な女主人公」（39回）であるとして、死の境から帰還して手習をする彼女のうちに、「現世に留まりながら、しかし彼岸を射程に入れようとする」、そんな「文学者の姿」を認めさえする（41回）。際立って充実したこれら「宇治十帖」をめぐる記述を始め、世界の文学（や映画）を自由自在に参照しつつ展開される本書は、前近代にあってすでに近代的であり、さらには近代の枠組みを懐疑しているようにすら見える『源氏物語』という謎を再発見するようにと、読む者みなを促さずにはいない。

初出　『週刊読書人』二〇一九年八月三〇日・三三〇四号。

金井姉妹の新しい桃色の本——危うさをはらんだ美しいかけら／

金井美恵子・金井久美子『たのしい暮しの断片』

去年の今頃に刊行されたある文芸誌の金井美恵子特集に書評子は寄稿し、それを読んだ編集者からこの原稿の依頼が来たというわけだけれど、「「薔薇色をどうするか」への序説」と題するその論考は、主として「薔薇（バラ）色」、「桃色」、「ピンク」として名指される赤系統の中間色への好みが、わたしたちの作家の作品世界全体を意義深く構造化している次第を分析するために書き起こされつつ、まったく本題に入ることなしに終わってしまったものだ。その一年後に届けられた『たのしい暮しの断片』（平凡社、二〇一九年）は、まずは金井久美子の手になる見事な造本——この姉妹の共同作業のなかでも、たぶん最良のもののひとつ——のたたずまいを通して、そんな書評子のみならず金井美恵子の全読者に、作家の色彩的想像力の本質をなす何かを改めて告知する書物だといえる。

桃色を基調とするカバーないし函に包まれたおそらく十一冊目の本である本書は、穏やかさと不穏さの印象を同時に与える薔薇色の空の下、深く暗い緑の草の上に座った白うさぎの映像とともにわたしたちに差し出される。しかしこのうさぎは単に白いのではない。画家が描き出す小動物は、いわば、ぬいぐるみで再現しようとするなら「桃色のサテン」が必要になるだろう「耳の内側」を強調され、白い毛皮の下に広がる「薔薇色の肉」をそこここに予感させながら、「赤い透きとおる薔薇ガラスみたいな」眼でこちらを見つめている（引用はすべて一九七二年の作家の短篇「兎」より）。「桃色」と「薔薇色」は、何より、血と肉と内臓の塊としてのわたしたちを覆う表皮が帯びる色彩なのだ。

すぐれて「生命の色彩」というべき赤の鮮やかさは、例えば「クリスマス・カラー」の一部として街を賑わせるときにわたしたちを喜ばせもするが、しかしいうまでもなく、それが血液そのものとして露呈することは、日常の平穏さを脅かすものとして、不安をかき立てずにはいない。「純白の下着」に「経血」をにじませる女性たちの心の痛み……。生命が生命としてのみずみずしさを認められるのは、この赤を内部に保ち、外部に向けて迸らせることがない限りでのことだ。そのとき赤は、わたしたちを包む表面において、桃色や薔薇色として現れることができるのだし、だからこそ、マニキュアや口紅の「濃い」赤は、表面とのこの宥和を突き破る不遜さの表明であるかのように、「上品な感じ」の欠如として受け止められもする。ただし、みずみずしさの穏やかな表明は、つねに自ずから実現されるのではない。爪を「マニキュア用の爪みがきでこすると、ある程度ピンク色の艶が出て」くるのは若々しい肉体にあってのみなのだし、内側からの発露であるべきものを外から人為的に補う「白粉や頬紅」は、「つけ方が下手」であれば、「地の黒いというか紫色の肌の上でまだらになっている顔」を結果させもするのだから。桃色と薔薇色は——本書でそのようにいわれている白にまったく劣らず——「複雑な色なのである」。

目を奪う鮮烈な赤を基調とする作品を多く含む挿画を落ち着いた桃色でくるんだ本書、「破滅的衝動」を内に秘めた小説家と画家による「気持ちの良いこと」探求の成果である本書は、日々の暮らしのなかから諸々の穏やかなもの、優しいもの、楽しいもののかけらを拾い上げるのだけれど、そうしたすべての下にほとんど隠されてもいない不穏さと残酷さと苦しみに立ち止まりながらそうする。猫という「しなやかな生き物」に「触りたい」という、「欲望というと大仰」になってしまうけれどまぎれもなく切実な思いが、そんな思いゆえに著者とは別の作家が見舞われることになった「ちょっとした悲劇」を通して確認される印象深い一節を読むだけでも、本書が提示する幾つもの美しいかけらが、取扱注意の危うさをはらんだものであることが実感されるだろう。

初出『週刊読書人』二〇一九年四月五日・三二八四号。

第三部

批評／批判と社会的なもの

第三部は、第二部のフェミニズム的問題系とのつながりを意識して『胎児の条件』――妊娠中絶合法化が抱え込んでいる解消不能の困難に注目する論争的な書物――の書評から始まり、その著者である現代フランスを代表する社会学者のひとり、リュック・ボルタンスキーの批判または批評をめぐる理論的歩みを軸に構成されています。「上から見下ろす」姿勢によって特徴づけられるピエール・ブルデューの「批判社会学」は、社会を生きる人びとが何らかの構造のなかに囚われていることを強調するあまり、一人ひとりの自発的な行為可能性をほとんど認めることができない。そのようにみなしたボルタンスキーは、高みからの構造把握ではなく、社会を生きる一人ひとりが自らの目線で問題解決のために行う努力を批判として捉え直す「批判のプラグマティック社会学」を構築する。しかし彼は冷戦終焉後、現代資本主義の再活性化を前に、大きな構造の把握という旧来の批判の意義を再確認して、師の社会学と自らの社会学の調停を模索し始めます。『批判について』(二〇〇九年)に結実するその歩みは、今日批判または批評を考えるには不可欠の、際立って啓発的な議論を提供しています。

続いて、現代ドイツの社会哲学者、アクセル・ホネットの理論的展開を概観し、フランスのマルクス主義哲学者ルイ・アルチュセールの仕事の今日的再評価の問題を論じたのち、フランスの歴史家ジェラール・ノワリエルの仕事をめぐる二編で第三部は締めくくられます。

フランスで九〇年代半ばに取り沙汰された「社会問題の回帰」とは、一九世紀半ばに社会主義の諸運動とそれへの体制的反応としての社会政策を生み出した、階級の問いの再来を意味しています。しかしだからといって、今日「多様性」の問いとして語られているジェンダーや人種等の問題を周縁化させることはできないでしょう。社会的生を構成する諸々の非対称性相互の関係を、どのように考えればよいのか。アフリカ体験と移民労働者との親交を経て階級一元論の無理を悟ったというノワリエルの『フランスという坩堝』（一九八八年）以来の仕事は、この問いへのひとつの解答であるとともに、激しい論争の火種ともなりました。

彼は今日の北アフリカ出自の移民はかつての欧州出自の移民と同様、やがてフランス社会に――痛みを伴いながらも――溶け込んでいくと説き、移民の運命を注視しながらもそれを階級の問いへと引き寄せる議論を展開してきた。しかしこの議論が近年、「カラー・ブラインド」な統合モデルによって問題の深刻さを隠蔽するものとして告発を受けているのです。ノワリエルのほうでは、「共和国」モデルの破綻を宣告するそうした批判者（ファサン兄弟ら）が、排外主義者と同じ前提を共有し、事態をいたずらに劇的なものに仕立て上げていると反論しています（『人種と社会科学』、S・ボーとの共著、二〇二一年）。厄介な論争ですが、その背景には彼自身が認める難問、すなわち抵抗する諸個人を結びつける「中間集団」の形成困難という問いが横たわっている。この難問を、〈黄色いベスト〉を論じるグレーバーの楽観的な調子で乗り越えられるものかどうかは、決して自明ではないのです。

中絶合法化と新しい優生学
——取り替え可能性と単独性のあいだの胎児と人間／リュック・ボルタンスキー『胎児の条件』

第二次大戦後間もない一九五〇年前後の日本における中絶の実質的合法化は、旧体制の出産奨励策から産児制限に転じた国策のもと、優生思想を背景としつつ、指定医師たちの利益のために実現されたものだ。こうした経緯をGHQ主導の上からの民主化になぞらえるティアナ・ノーグレンは、「産児制限と中絶に関わる事項について、日本女性が受け身で意識が低い原因の一つ」をそこに見ている（『中絶と避妊の政治学』青木書店、二〇〇八年）。一方、当初は極東の敗戦国に後れを取った西側先進諸国では、やがて七〇年代を通して堕胎の合法化ないし非処罰化が、女性解放運動の高揚のなかで獲得されていく。たしかに日本においても、再び人口増を望むようになった保守政権が経済条項抹消を企てた七〇年代前半と八〇年代前半に、女性たちの運動が改正を阻止したという事実はある。しかしそれは、国民的記憶に深く刻み込まれた出来事にはなっていない。おそらくはこうしたところに、日本の女性たちにとっていまだ、今日「中絶」――胎児の運命に言及することのないこの「人工妊娠中絶」の略語は、実質的合法化と前後して定着していった――と呼ばれるようになった実践が、結局は「堕ろす」こととして、すなわち「堕胎」の禍々しさのなかで経験されている一因を認めることができよう。それでは、欧米諸国では、事情はまったく異なったものであるのか。例えば、七五年のヴェイユ法とともにこの実践を「妊娠の意志的中断」（ＩＶＧ）として再定義したフランスの女性たちは、「意志」という決定的要因を強調したこの語にふさわしく、それをもっぱら自らの権利行使の次元で理解して、胎内の生命の抹殺という忌まわしさの意識から解放された平静さのなかでこの経験を生きているのだろうか。そうではないとリュック・ボルタンスキーはいう。

『胎児の条件』（小田切祐詞訳、法政大学出版局、二〇一八年）の著者によると、フランスにあっても、堕胎はそれを経験した女性たちによって、「同意はしたものの、自分の意志からほとんど独立したやむをえない過程の結果として記述される方がずっと多い」（四章）。産む産まないの決定は、これまでは「創造主」（胎内の存在を無差別に認証）、「親族」（嫡出児のみを認証）、「産業国家」（社会的有用性により判断）との関わりのもとでなされてきたが（三章）、中絶合法化のなされた今日、この決定は当事者となる女性個人に委ねられたのではなく、「親となるプロジェクト」の成立の是非という新たな審級のもとに置かれているのだと社会学者は説く。例えば女性たちは、パートナーを父親にふさわしいと認めえない時に、仕方なく出産を断念する。だから彼女たちは、中絶を「自律」した「個人の選択」として表明することがほとんどないのだ（四章）。

女性たちが自律的な主体たりえないのは、ただ「プロジェクト」の審級のためばかりではない。それはまた、いやむしろとりわけ、胎内の存在との関係のためでもある。著者によれば、堕胎をめぐる困難は「人間学的」次元（一章・結論）に属し、堕ろすことは合法化以後も、正当性を欠いた「よりまし」な選択でしかない。「プロジェクト」の不成立を見定めた女性たちは、胎内の存在を切り離されるべき腫瘍のような何かとして捉え（五章）、やがて生まれるはずの別の子どもと取り替え可能なものと考えて納得しようとするけれど、この「制御の意志」は結局のところ、脆弱なものにとどまる――「私の中に人、存在がいて、それが成長するのを見届けたあと、それを切り取ってしまうわけです。なので、これは私にとって本当にショックな出来事でした」（七章）。一九七〇年代の活動家たちによる解放の約束にもかかわらず、中絶はいまなお、「陰鬱な選択」（六章）であり続けている。

周縁化されてきた諸事実にこうして立ち止まり、自律的主体による決定の論理には還元しえない中絶の経験を記述するための新たな理論的枠組みを提案したのちに（七章）、著者は結論において、取り替え可能性とかけがえのない単独性のあいだに置かれた胎児の不安定な身分規定を本書で検討してきたのは、「我々の人間性それ自体の逆説的な性格、それゆえその際立って脆弱な性格」の探究の一環だったのだと打ち明ける――「なぜなら、胎児の条件とは、人間の条件だからである」。つまり我々もまた、比較不能の生を生きる存在としての単独性と、社会の一構成員としての取り替え可能性のあいだの緊張を、不可避の条件としているということだ。

こうしたアプローチの論争的性格が直観的には理解されえないとしたら、それは日本の知的環境の特殊性のためだろう。象徴的なことだが、胎児と人間を等置する、今しがた引いた本書の最後の一文は、日本語訳では帯においても大きく掲げられている一方で、英語訳ではそもそも訳出すらされていない（!）。このような定式は、「プロライフ」派を利するものとして深刻な懸念の対象となるのである。例えばフランスのある書評は、妊娠の時期を問わず「胎児」を語ることで、本書は胎内の存在すべてをただちに「個人として想像しうる存在」に変えてしまうとして、この一文を問題視している（N・バジョ&M・フェラン）。フェミニストたちはおおむね、困惑さらには怒りをもって本書を迎えた。とりわけクリスティーヌ・デルフィ——合法化の運動を組織し「三四三人のマニフェスト」を企画した、ボーヴォワールと並ぶフランス・フェミニズムの歴史的形象——の評価は手厳しい。中絶を「不可避の罪責感」と結びつけるなど、もってのほかだというのだ。この実践が引き起こしてきた苦悩は「人間学的」宿命ではなく社会的構築の所産であり、決して永遠のものではないというのに——「彼の本の目的は、時間を止めることなのだといえるだろう」。

この著作が、問題の人間学的・普遍的次元を強調しているのはたしかだ。しかしその主たる意図は、女性解放運動の歴史的意義の相対化にあるのではない。著者が「共通の人間性」の枠組みを改めて確認する必要を感じたのは、北米で発展を見た生命倫理学における中絶正当化の諸議論が、まさにこの「共通の人間性という概念を降格」させる傾向を持っている事実に直面してのことだ。難病に見舞われた「有名ヴァイオリニスト」を唯一救いうる存在として突然拉致され輸血管でつながれた女性は、九か月間このままでいてほしいという誘拐者たちの求めに応じる道徳的義務を負ってなどいない（J・J・トムソン）。仔猫に人間と同じ感覚と意識を与えることができる「奇跡の薬」を手にした者は、それを注射することなく猫を溺死させたからといって、人間を殺したことにはならない（M・トゥーリー）。中絶正当化のこうした議論は、「他の道徳的信念の見直し」を導く。本書（原著二〇〇四年）執筆の背景のひとつとして、ピーター・シンガーのプリンストン大学移籍（一九九九年）とナッソー・ホールの喧騒――最初の出講日、建物は障害者団体の車椅子で包囲された――を挙げておくのは無駄ではあるまい（『エスプリ』二〇〇五年一月号）。じっさい、生物学上の「ヒト」のすべてが「パーソン」なのではないというトゥーリーの主張は、シンガー流の「反種差別」の理論と響きあいながら、胎児のみならず新生児や重度の障害者の殺害可能性に道を開く（六章）。フランスの文脈においても、非主流派のフェミニスト、マルセラ・イアクブは、二〇〇〇年のペリュシュ判決――出生前診断の誤診で生まれた障害者の「間違った生」に対する損害賠償請求を認め、左右を問わぬ反発を招いた――を敢然と支持し、それを「人間の亜種化」を許容する論理を定めたヴェイユ法の帰結として評価しつつ、「命を判断する」権利を説いている（五章、結論）。アウシュヴィッツの生還者として知られる保健相が起草した法律は、こうして、「第二次世界大戦の惨禍のあとに生じた人の名の権利の女性の、を（結論）「もの」いたしてを目指すことに封印する永遠が、性化活再の題問権もとに呼び覚ますこととなった。自律的主体の権利を掲げる自由主義的アプローチを退け、胎児を「私であり、かつ私ではないもの」（キャサリン・マッキノン）として捉える一部のフェミニストの議論を発展させようとする著者の企ては、この新たな優生学的現実への対応にほかならない。ブルデュー以後のフランスを代表する社会学者によるこの真摯な知的取り組みを、日本――中絶という実践の生命抹殺の側面がウーマン・リブの一部により先鋭に問われ、女性の権利と障害者の権利の緊張が早くから自覚されてきた一方で、出生前診断による選択的中絶がなし崩し的に許容されている――の読書人はどのように受け止めるだろうか。

初出　『週刊読書人』二〇一九年三月一五日・三二八一号。

批判の運命と新たな労働編成
――ボルタンスキー&シャペロ『資本主義の新たな精神』とその周辺

1 批判社会学から批判の社会学へ

フランスの社会学者リュック・ボルタンスキー(一九四〇年〜)は、一九六〇年代後半以降、高等研究実習院(EPHE)第六部門――一九七五年に社会科学高等研究院(EHESS)として独立する――内部のヨーロッパ社会学センターにおいて、ピエール・ブルデューとの共同作業を行っていた。七五年には『社会科学研究紀要』の創刊に関わり、翌年の同誌にブルデューとの共著で、「支配的イデオロギーの生産」と題する特異な体裁の長編論考を発表している。[*1]しかしやがてブルデュー周辺とは人間的にも方法的にも距離を取るようになり、八四年には同じEHESS内部に「政治・道徳社会学グループ」(GSPM)を創設し、独自の道を歩み始める。ブルデューらの「批判社会学」(または「支配の批判社会学」)に対抗し、批判的身振りを後景に退けつつ批判について語る——批判の社会的機能の分析に焦点を当てる——「批判の社会学」(またはプラグマティック社会学」ないし「批判のプラグマティック社会学」)を掲げたのである。

何が問題だったのか? 二〇〇九年の『批判について』第二章によれば、こういうことである。批判社会学にあっては、あらゆる社会的事象が支配関係の観点から理解される。ここにはヴェーバーの影響も認められ、ブルデュー的方法の「社会学」としての側面、支配の諸形態の分析と記述は、このドイツの社会学者の流れを汲むものだと言ってよい。しかし、マルクスというもう一人のドイツ人をも主要な発想源とする批判社会学には、「社会批判」[*2]の側面も顕著であって、社会に浸透している支配的諸関係を暴露することで、そこからの解放が力強く展望されもしたのである。これら二つの次元を包括し、支配の記述と支配からの解放という二重の使命を引き受けること。ボルタンスキーによれば、この壮大な野心のためにかえって、批判社会学は深刻な問題を抱え込むことになった。

支配概念の全面的な拡張によって、批判社会学は行為者間のあらゆる関係を垂直的な力関係のもとで捉えることになった。社会関係を把握するためのこのようなアプローチは、「あまり

＊1　二〇〇八年になって書籍化された。かつての師の批判社会学との、和解の徴である。Pierre Bourdieu et Luc Boltanski, *La production de l'idéologie dominante*, Demopolis/Raisons d'agir, 2008.

＊2　原語 critique sociale は、『資本主義の新たな精神』で「芸術家的批判」の対概念として定義される「社会的批判」と同じ語であり、その含意もかなりの程度重なっている。

に強力であると同時にあまりに漠然としている」とボルタンスキーは言う。[*3] しかも、批判社会学が暴露すべき支配関係を見出すところに、当の行為者たちは必ずしもそのような関係を見ない。それどころか、彼ら自身が生きているわけではない関係性を、これこそが真実なのだとして「暴露」された人びとは、しばしば傷つけられたと感じるだろう。こうした無理解——彼らは知らずに支配されている、というわけだ——を説明しようとして、批判社会学は幻想や無意識の役割を強調し、一般の人びとの批判的能力を過小評価するか無視するかして、彼らをハロルド・ガーフィンケルの言うcultural dopes——既存の文化システムの提供する価値観に従って行為せずにはいられない「文化中毒者」——であるかのように扱うのだから、事態はますます悪化する。こうして批判社会学にあっては、「幻想のうちに沈み込んだ一般の人びと」と「科学の光に照らされた社会学者」の間の非対称性が、深められていくのだという(p. 46)。『批判について』ではこうした困難が、次のような一情景によって表現されている——「例えばみなさんが社会学者として、愛の魅惑のうちに沈み込んでいるある男に向かい、あなたが伴侶に対して感じている情熱は、実際には、彼女があなたに行使している社会的支配の帰結にすぎないのですよ、なぜなら彼女はあなたよりも上位階級の出身なのですから、と、このように説いてみるとしましょう。みなさんの観点を彼に受け入れさせるには、若干の問題が生じかねないものと思われます」(強調原文、以下同様。p. 42)。

なるほど、階級的支配関係の再生産という現実を糊塗する優しい、または激しい、ひとつの幻想にそれを還元してしまうとき、批判社会学は愛の秘密を捉え損なっているのかもしれない。この男の愛の言葉を、わたしたちは真に受ける必要があるのだろう。彼は本当に、伴侶を愛しているのだ。おそらくは。そして八〇年代のボルタンスキーの研究を特徴づけるのはまさしく、支配の批判社会学にあっては幻想として退けられる言葉を真に受けて見せるというこの方法の、組織的な採用であった。例えば、わたしたちが生きているこの資本主義社会の中で、資本蓄積に奉仕する諸活動を正当化すべく発せられる言葉。それは現実的な支配関係を隠蔽するための空虚な言葉——マルクス主義的意味でのイデオロギー——にすぎないのではなく、この社会をたしかに律しているように思われる正義について、何ほどかの真実を述べているのではないか？そこには、資本主義社会を正義（justice）に適ったものにするという文字通りの積極的な意味で、正当化（justification）の営為を見て取るべきなのではないか？　このような直観が、彼がGSPMの共同設立者ローラン・テヴノーと共に執筆した『正当化の理論』（一九九一年）の出発点である。そしてこの直観は、資本主義の「規範的次元」[*4]を正面から論じる『資本主義の新たな精神』（エヴ・シャペロとの共著、一九九九年）に引き継がれるとともに、明確な理論化の対象となっている。

＊3　Luc Boltanski, *De la critique. Précis de sociologie de l'émancipation*, Gallimard, 2009, p. 41.
＊4　ボルタンスキー&シャペロ『資本主義の新たな精神』三浦直希ほか訳、ナカニシヤ出版、二〇一三年、上巻六三頁。なお本書および『正当化の理論』の引用に際し、訳文は必要に応じ修正している。

2 認知的次元へと還元される批判――『正当化の理論』

一九九九年の著作と異なり、『正当化の理論』は資本主義論として書かれてはいない。しかし、近年のインタビューによれば、一九八四年のGSPM設立とともに本書の研究を開始した時期のボルタンスキーは、フランスにおける社会党政権成立（八一年）とそれに続く時期の状況を、「社会階級間についても知識人世界についても、比較的穏やかな雰囲気」が支配していたものと感じ、「一九六八年頃に自分たちが掲げていた目標の一定部分が獲得されたように思われて」相対的に満足していたのだという。八四年といえば、「資本主義との決別」を掲げ、共産党とともに政権に就いた社会党が、当時の西側先進諸国において有力な流れとなりつつあった動向――今日しばしば「新自由主義」と称される――の受け入れに転じた「緊縮への転換」（八三年三月二十一日）の直後である。しかし「この転換の重要性は、当時はまだ把握されていなかった」のだと彼は回想している。[*5] 社会秩序全体を貫く支配の構造を暴き立て、既存の体制そのものを大上段に構えて告発する必要はもはやなくなった。「要するに、実にナイーヴなことですが、政治的次元において一定の事柄が達成されてしまったのだと考えられていたのです。そしてそれと同時に、資本家や不平等や支配やその他諸々の存在をひっきりなしにあげつらうという煩わしい務めから、我々は解放されたのだ、と」[*6]――これは別のインタビューで八二年の

『幹部層（カードル）』刊行をめぐってなされた発言であるが、『正当化の理論』の全編に浸透しているのも、同じ感覚である。「最高だね。批判の時代は終わったってこと、ポスト批判時代に入りつつあるってことを、彼らは見事に証明してくれた」――ボルタンスキーはこのインタビューで、八〇年代半ばにGSPMの活動を称賛して口にされたこうした言葉を紹介している。彼はこの意見を的外れなものとして退けているが、一九九一年の著作とそれを準備した八〇年代の研究を取り巻いていた雰囲気の一端が、ここに窺えることはたしかだ。『正当化の理論』は、資本主義を語らないというまさにそのことによって、この体制を自明のものとする時代傾向の一環をなしていたのである。

本書によるなら、人びとが自らの行動を正当化する、すなわち正義あるものとするに際しては、特定の規範的価値をめぐり構築された、何らかの理念的モデルへの準拠が必要となる。このような価値とモデルは、ひとつの社会内部に複数存在している。著者らは諸々の規範的価値

＊5 « Luc Boltanski : 'Critique sociale et émancipation' », entretien réalisé par Laurent Jeanpierre, dans *Penser à gauche*, Éditions Amsterdam, 2011, p. 470. なお、「この転換の重要性」について手っ取り早くは、ドゥノール&シュワルツ『欧州統合と新自由主義』（小澤裕香・片岡大右訳、論創社、二〇一二年）第三章を参照のこと。

＊6 Nicolas Duvoux, « Le pouvoir est de plus en plus savant. Entretien avec Luc Boltanski », *La Vie des idées*, 4 janvier 2011. URL : http://www.laviedesidees.fr/Le-pouvoir-est-de-plus-en-plus.html

を「偉大さ」、理念的な規範秩序を「市民体（シテ）」と名付け、現代フランスの諸議論の中から六つの市民体を抽出した上で、それぞれについての最初の体系的な定式化が見出される古典的著作に依拠しつつ提示している[*7]（第四章）。「インスピレーション的市民体」（アウグスティヌス『神の国（シテ）』）、「家政的市民体」（ボシュエ『聖書の言葉そのものから引き出された政治論』）、「オピニオンの（または名声の）市民体」（ホッブズ『リヴァイアサン』）、「公民的市民体」（ルソー『社会契約論』）、「商業的市民体」（スミス『諸国民の富』、『道徳感情論』）、「産業的市民体」（サン＝シモンの諸著作）の六つである。そしてこれらの市民体はいずれも、以下の六つの公理を満たすことによって、規範的理念型として成立しているのだという（第三章）。市民体の概念とともにシャペロとの共著に受け継がれることになるこの六公理について、ここで説明しておくのが有益だろう。

公理①によるなら、市民体の全成員は、共通の人間性を持つ。この公理のみに依拠するなら、単一の地位しか持たない「エデン」が現出することになるが、このようなユートピアを排除するために、公理②すなわち「不同性の原理」が導入される。市民体の成員は相互に異なった存在であり、そこには少なくとも二つの地位が見出されることになる。しかし公理①との関係上、地位の永続的な固定は許容されないため、次の公理③によって、共通の「尊厳」の原理が定められる。これによるなら、市民体の全成員は、あらゆる地位に到達する潜在的可能性を保証される。しかしそれでも、ある人物への特定地位の割り当てをめぐる不合意は生じるだろう。割り当てをめぐるこの論争を停止させるために要請されるのが公理④、「序列」の原理である。

複数の地位は、特定の規範的価値――「偉大さ」――を基準として秩序付けられる。それにしても、共通の人間性と尊厳がありながら、なぜ全成員が唯一の地位を共有するエデンが形成されず、一部の成員のみが序列の上位に位置づけられるのか？　公理①と④の緊張関係を克服する手段を提供するのが公理⑤、「投資の公式」である。市民体のある成員が上位の地位を享受しているとしたら、それはこの成員がこの地位に到達するに必要なだけの「投資」を行ったため、すなわち要求される「コスト」を負担し、あるいは「犠牲」を払ったためなのだ……。こうして、序列化に伴うジレンマの第一の正当化が行われる。しかしこれだけでは不十分であり、下位の者たちの不満を抑えて市民体の堅固さを維持するために、公理⑥は「共通善」の原理を定める。投資を経て上位の地位に到達した者たちは、そこで得た幸福を利己的に占有するのではなく、彼らが得た幸福は、市民体全体にとって有益なものとなるというのである。「偉大な者の地位が小さな者の地位と異なるのは、単にそれが到達する者たちにより大きな幸福をもたらすという理由のみならず、さらにはまた、この地位が小さな者たちの幸福にまで効力を及ぼすという理由にも拠っている。小さな者たちは自ら得たものを利己主義的に享受するのみであるが、そこにさらに、偉大な者たちの偉大さの恩恵が付け加えられるのだ。」[*8]

＊7　六つの市民体の訳語については、『新たな精神』で採用されているものに合わせた。
＊8　ボルタンスキー&テヴノー『正当化の理論』三浦直希訳、新曜社、二〇〇七年、九四頁。

本書では、他の市民体の提示（第四章）に先駆けて第二章全体を使って説明される商業的市民体が、六つの市民体の中でも範例的な地位を占めていると言ってよいが、社会学者J＝R・トレアントンの書評に従い、上記の一連の公理による正当化の論理をこの商業的市民体に即して要約するなら、このようになるだろう――「私が富裕になるほどに、私は共通善をいっそうよく実現し、貧しい人びとはそこからより多くの利益を得る」。ここに「ラディカルな（ナイーヴな?）までに楽観的な方向性」によって特徴づけられる「新たな『見えざる手』」の定式化を認めるこの書評は、ボルタンスキーとテヴノーのこのモデルを「サッチャー的」であると形容している。[*9] 哲学者ジャック・ビデも同様に、「著者らの貴族主義的楽観主義」を語り、それが「ロールズの格差原理の特異な転覆を帰結している」ことを指摘している。[*10]

このような立場は、著者らが現に存在する力関係と資源分配の不均衡を直視していないことによって可能になっている。「衝突も交渉も強い抵抗もなしに、要するに権力をめぐるプロセスを経ることなしに」不平等が容認されるなどということが、「いかなる聖霊の働きによって」実現しうるのか――社会学者エアハルト・フリードベルクはこのように問いかけている。[*11] Y＝F・リヴィアンとG・エレロスは、マネジメント研究の専門誌に掲載された書評において著者らの「偉大さの経済学」の貢献を評価する一方で、企業内部に紛れもなく存在する力関係の軽視を指摘し、かつて組織分析において影響力を持ったミシェル・クロジエ流の議論が「権力」関係に重点を置きすぎていたとしても、そこから「権力」の存在をまったく度外視した議論へと、「いかなる魔法の杖によって」転換しうるのかと問うている。[*12] こうした評価を踏まえつつ自らも批判的書評を著した経済学者クリストフ・ラモーによれば、力関係と資源分配の不均衡のこのような軽視に根拠を与えているのは、公理③と公理⑤の組み合わせである。前者において「共通の尊厳」が明言されている以上、出発点における資源配分の不均衡は存在しないことになるし、後者は、上位にある者が行ったものとされる投資への言及のみによって、人びとの間の序列を説明し、正当化してしまう。彼もやはりここに、資源配分の不均衡という現実を明確に認めるところから出発するロールズのモデルよりもはるかに劣ったモデルを見ている。[*13]

ラモーはさらに進んで、著者らが六つの理念型を「輝かしい市民体」として提示している点を問題視している。実際本書では、それぞれが固有の「偉大さ」に輝くこれらの理念型はいずれも、六つの公理——それ自体として問題含みの——を満たすことにより、申し分のない正統

＊9 Jean-René Tréanton, « Tribulations de la justice », *Revue française de sociologie*, vol. XXXIV, n° 4, oct.-déc. 1993, p. 644.

＊10 Jacques Bidet, « Institutionnalisme et théorie des conventions dans leurs rapports avec la problématique marxienne », *Actuel Marx*, n° 17, 1995, p. 131.

＊11 Erhard Friedberg, *Le pouvoir et la règle*, Éd. du Seuil, 1993, p. 262.

＊12 Yves-Frédéric Livian et Gilles Herreros, « L'apport des économies de la grandeur : une nouvelle grille d'analyse des organisations ? », *Revue française de gestion*, n° 101, novembre-décembre 1994, p. 56.

＊13 Christophe Ramaux, « Les asymétries et les conflits sont-ils solubles dans la cognition ? », *Économies et Sociétés*, Série D, n° 2, 9/1996, p. 75.

性と正義を担うものとして定められている。しかし、例えば商業的市民体をめぐる著者らの語り口には、「ある種のためらい」が認められはしないか？　公理③について「富裕になる可能性が万人に開かれているという仮定」を語り、公理⑥について「共通善〔…〕の要求は、その確立に最も繊細な注意を要するものであり、その最も完成された定式化はスミスの作品に見出される」として「見えざる手」による調和を引き合いに出すのを読むとき（九七頁）、「著者らが本当に〔…〕商業的市民体のうちにこの二つの公理が具現化されているという主張を自らのものとしているのかどうか、読者には分からなくなる」（p. 75, n. 10）……。しかしそれでも、偉大さの六公理を満たさないモデルは市民体たりえないことを主張し、不可能な市民体として「優生学的市民体」の例を挙げる（九八〜一〇一頁）本書の原理からして、六つの市民体はやはりいずれも、「輝かしい市民体」としての地位を保証されているのである。

もちろん、それぞれの正義を担って輝く六つの市民体とその偉大さは、いかなる批判をも受け付けないのではない。批判の社会学の主要な成果である『正当化の理論』は、異なる偉大さ、異なる規範的価値体系の間の矛盾と緊張から生じるものとして、批判を定義する。例えば、商業的偉大さはとりわけ、公民的世界[*14]からの断固とした挑戦を受ける――「商業的偉大さに対する公民的批判は、今日では資本主義への言及や資産家（資産家の利己主義）と労働者の対立といったような合言葉として簡潔な形で表現しうるようになっている」（三二一頁）。しかし、このように定義されるとき、批判は、異なる正当化原理、異なる「政治的文法」（四八、五六頁）の間の無理解という「認知的次元」に還元されてしまうとラモーは言う（p. 76）。

同じことは、「妥協」の形成をめぐる議論についても言える。本書によれば、異なる規範的価値を担う世界の間には批判が交わされる一方、可能な場合には共通善を目指して妥協が形成される。こうして、著者らは例えば福祉国家を、公民的世界と産業的世界が体現する二つの政治的文法の間の妥協として提示するのである。社会学者ロベール・カステルは、二〇〇九年の論文集のために書かれた序において、同じ福祉国家成立の時期の「社会的妥協」を論じながらも、「妥協」の語を「コンセンサス」――より正確には、「社会的パートナー〔として理解された労使〕が辛辣な言葉を交わしつつも取り結ぶような、生ぬるいコンセンサス」――として理解してはならないとして、表面の穏やかさの背後に「闘いのとどろき」を聞き取っている。改良主義的制度構築は、「マルクス主義が考えたような労働と資本の敵対関係」の激しさがあって初めて実現しえたというのである。[*15] しかしこうした敵対性の現実は、「コンセンサスの社会学」（デュルケーム学派）と「コンフリクトの社会学」（マルクス主義）の対立を乗り越え、「合意と批判

*14　本書では、六つの市民体それぞれに対応し、これらの理念型の現実化として定義される六つの「世界」が、各々の典型的表現として選択された企業人向けのガイドブック類に即して論じられている（第六章）。

*15　Robert Castel, *La montée des incertitudes*, Éd. du Seuil, coll. « Points Essais », 2013, p. 19.〔ロベール・カステル『社会喪失の時代』北垣徹訳、二〇一五年〕。なお「闘いのとどろき」は、フーコー『監獄の誕生』を締めくくる有名な言葉である。

を、行為の同じ流れのなかで緊密に結びつけられた契機として扱う」(三一頁)ことを目指すボルタンスキーとテヴノーの著書にあっては、ほとんど考慮されていない。

ラモーはさらに、本書の議論における「事物の肥大」(p. 80)の問題をも指摘している。異なる市民体間の緊張が生じるとき、この紛争の解決は、それら市民体間の序列を定める上位の原理が存在しない以上、その場の状況に最も適い、「自然」(五〇頁)なものと思われる市民体を見分け、その原理に従うことによってなされるほかはない。批判の社会学が批判社会学に対して指摘していたのは、後者が支配の構造を前にしての人びとの無力を断定し、彼らの批判能力を正当に評価することができないという難点であった。実際には「人びとは日常生活において、自己の不安を完全に鎮めることなく、学者のように絶えず疑い、自問し、世界を試練にかけ続けるのである」(四六頁)。しかし、批判的学問の陥りがちな困難を正当に意識することから出発しつつも、批判の社会学は逆説的なことに、行為者の自由な判断の余地をほとんど残さない。状況による極度に限定的な枠を越えて各人の批判能力が発揮されることは、そこでは想定されていないのである。

3　二つの社会学の「中庸」を求めて[*16]――『資本主義の新たな精神』

九一年のテヴノーとの共著が八三年の重大な転換への無頓着を背景としているとしたら、九九年のシャペロとの共著は、九五年十一〜十二月の社会運動によって象徴される「社会問題の回帰」への明確な自覚を契機として書かれた。[*17] 前節冒頭に引いたインタビューで、ボルタンスキーはかつての自分が八〇年代に現実に進行していたプロセスを理解しないままに『正当化の理論』を執筆していた事実を率直に認めた上で、次のように述べている──「私たちが『新たな精神』執筆に取りかかった一九九五年には、状況は変化し、大きな不安をかき立てるものとなっていました。一九七〇年代が終わってからの時期、西洋において生じた顕著な現象とは、一種の社会民主主義的な社会主義の到来ではなく、資本主義の支配力の増大であったということ。この事実を認めないでいることは、もはやできなくなっていたのです。[*18]」

ボルタンスキーは、ブルデュー派と結びつきながら発展したラディカルな批判的諸運動との間に、九〇年代を通して一定の距離を取り続けたし、かつての師が没した二〇〇二年にも、「晩

＊16 シャペロは彼女の共著者にとっての本書の執筆意義を説明して、一九七〇年代の批判社会学と八〇年代の批判の社会学の間の「中庸を見出そうという企て」によるところが大きかったのだと証言している（Luc Boltanski et Ève Chiapello, « Vers un renouveau de la critique sociale », entretien recueilli par Yann Moulier Boutang, *Multitudes*, n° 3, novembre 2000, p. 129）。

＊17 九五年冬の社会運動とそのコンテクストについては、以下を参照。片岡大右「社会的包摂を通しての亜雇用の創出──ロベール・カステル『社会問題の変容』とその後」、『唯物論研究年誌』第一八号、大月書店、一七三〜一八一頁。

＊18 *Penser à gauche*, op. cit., p. 470.

年のアジプロ類」とそれに群がる「ドグマ化された追従者たち」に対する拒絶の意思を表明している。[*19] しかし、それでも彼が九五年に署名したのは、ゼネストを支持するブルデューらの声明であって、〈六八年五月〉以来最大規模にまでふくれあがったこの運動のうちに「大いなる拒絶」をしか見ないトゥーレーヌやロザンヴァロンらの声明ではなかった。[*20] もはや批判とは、いずれもが固有の正当性を備えた輝かしい市民体の間を行き交いながらなされる一連の調整的過程でしかなくなったはずなのに、なぜ、これほどの人びとが路上に溢れ出て、右派政権と大方の左派知識人、CFDTのような「現代的」労組の一大連合に反対し、声を上げているのか？ 八〇年代以降のフランスでは、マルクス主義の退潮に伴い、社会学を含めた社会科学の語彙から の「資本主義」の追放がなされたし、ボルタンスキー自身、GSPMでの活動を通して、まさにこの流れを推し進めてきた。それは、日常的状況の中で展開される批判と正当化のプロセスを跡づけるプラグマティックな分析作業にとっては、あまりにも大掛かりで意味をなさない何ものかであると思われたのである。しかし実際には、「一九八〇年代における資本主義への言及の放棄は、経済的、社会的領域において進行中の変化を前にした、ある種の茫然自失」（上viii頁）の表現ではなかったか？ 批判のプラグマティック社会学が想定する批判の枠内には収まりきらないラディカルな批判の再来は、社会構造の長期的な変化を把握するという務めを社会学が放棄してきたことこそを、証言しているのではないのか？ こうしてボルタンスキーは、資本主義の問題に立ち戻ること、その歴史的展開をたどり直すことで現在の問題を明らかにすることを企てた。今回の共同研究者となったのはエヴ・シャペロ（一九六五年〜）、一九九四年秋以来、世界有数のビジネス・スクールとして著名なパリ高等商業学校（ＨＥＣ）で教え、二〇〇五年秋には同校の「オルタナティヴ・マネジメント」専攻の立ち上げに関わって二〇一三年まで共同専攻科長を務めた後、現在はＥＨＥＳＳの「資本主義の変容」講座を担う彼女は、ＡＴＴＡＣ（アタック）フランス——新自由主義批判の活性化において重要な役割を果たしてきた運動団体——の学術顧問でもある。『芸術家対マネージャー——芸術家的批判に直面する文化マネジメント』（一九九八年）として出版される研究に従事していたこのマネジメントの専門家からの示

＊19　『正当化の理論』訳者解説（四六〇頁）に引用されている『ル・モンド』紙上での発言。

＊20　なお、冬の運動に先立つ一九九五年二月、ボルタンスキーはピエール・ロザンヴァロンが同年一月に出版した『新しい社会問題』（日本語訳は『連帯の新たなる哲学』北垣徹訳、勁草書房、二〇〇六年）をめぐり、ＥＨＥＳＳの同僚でもあった著者との激しい応酬を『ル・モンド』紙上で交わしている（二月七・十四日付）。「（悪しき）社会哲学の悲惨」と題された書評で、彼はロザンヴァロンの排除論的枠組みと社会階級概念の抹消を批判している。同じ趣旨の批判は、もう少し穏当な表現のもとで『新しい精神』にも見られるが（下四五、五九頁）、この書評ではさらに、ロールズの「無知のヴェール」概念の濫用が指摘され（正義をめぐる議論が各人の利害関係抜きでなされるようにとの「論理的・倫理的要請」によって考案された概念装置である無知のヴェールについて、社会保険を論じるロザンヴァロンは、それは近年の遺伝医学の発展によって「破られてしまった」と断定している）、また「中間的経済空間」の提案が「二級の労働力、下層プロレタリア階級の制度化」にほかならないとして非難される。

唆を受けて、ボルタンスキーは資本主義変容の動的プロセスを分析するためのきっかけを与えられたのだった。

(1) 社会的批判と芸術家的批判、そして資本主義の三つの精神

著者らは資本主義を一般的に定義して、それを「形式上は平和な手段による、資本の無際限な蓄積という要求」(上二九頁)によって特徴づける。このような「不条理なシステム」(上三三頁)は、それ自体としては広範な人びとを動員しうるものではない。そのため資本主義は、自らを正当化するために、「精神」を必要とする。十九世紀前半以降、この制度を弁護するための主要な論拠を提供してきたのは経済学であるが、物質的進歩、その実現に際しての効率性、経済的自由を不可欠の前提とする政治的自由という「講壇資本主義」(上四四頁)——これはもちろん、ヴェーバーが語った「講壇社会主義」のパラフレーズである——の三つの柱だけでは不十分である。日常生活の実感により結びついた、これとは段階を異にする一連の論拠が求められる。こうして、時代時代の要求に呼応しながら、「資本主義の精神」が形成されてきたのだという。

第一の精神は、十九世紀末以降に記述の対象となったもので、商業的市民体と家政的市民体の妥協からなる。前者により、伝統的社会からの解放の契機が強調される一方、後者に基づき、家族・親族関係において、企業内福利において、また貧困問題に取り組む慈善活動において、家父長主義(パターナリスティック)的な形態のもと、生活上の困難への保障がなされた。この第一の精神はブルジョワ

企業家の人物像と結びついており、そこでは経済活動は個人的冒険として想像されていたのに対して、一九三〇年代から一九六〇年代にかけて発展を見た第二の精神においては、巨大化した企業組織の維持・拡大という重責を担う取締役が典型人物となる。産業的市民体とその偉大さ――組織化と効率化による生産性の実現――に加え、公民的市民体とも結びつくことで成立したこの第二の精神は、高度成長期（フランスで言う〈栄光の三十年〉）と福祉国家建設の時代の精神である。

ところで、前述の一般的定義からも了解されるように、資本主義はその本性上、自らの内部に道徳的規範の次元を欠いているため、精神の形成に当たっては外部の価値観を参照するしかない。それはすなわち、資本主義にとっては「批判」の存在が不可欠だということである。本書は批判の機能をとりわけ、「試練」の概念との関係で説明している。むき出しの蓄積過程にあっては、行為者が直面するのは「力の試練」でしかなく、そこでは何らの道徳的な顧慮もなく、ただより多くの利潤を獲得した者が勝者とされる。この力の試練を、何らかの規範的価値――すなわち何らかの「市民体」の「偉大さ」――に依拠することで「偉大さの試練」へと純化していくのが批判の役割である。それにより、例えば商業的成功は、機会の平等や競争の公正性といった一定の条件のもとでのみ承認されることになる（上六二〜六三頁）。このように、批判の挑戦を受け止め、一定の応答を企てることによって、「資本主義へのコミットメントを正当化するイデオロギー」（上三五頁）として定義される「資本主義の精神」が形成されるのだという。

ここでのイデオロギーの語は、「世界の出来事に対する影響力のない幻想という意味」(下二五六頁)に理解されてはならないと著者らは強調する。「資本主義の精神は、ある程度、それが約束するものを与えなければならない」からである(同)。批判による試練の純化を通して、社会は現実に、「幾分かはより公正に、別の言い方をするなら、幾分かはより不平等でなくなる」(下二六七頁)。しかし、資本蓄積に対する実質的な制約となるというまさにこの理由から、資本主義は偉大さの試練を迂回すべく「移動」を企てる。そしてそれにより、批判による統制の行き届いていないところに逃れ、力の試練に立ち戻りつつ蓄積の再強化を図るのである。

資本主義のこの移動は、どのようにして可能になるのか？ その説明の論理を提供しているのが、本書がシャペロの研究から譲り受けた、資本主義批判の二分類である。資本主義は、(a)幻滅と非真正性、(b)抑圧、(c)貧困と不平等、(d)機会主義と利己主義という四つのものの源泉となっており(上七九〜八〇頁)、これらは、明確に形成され言明される批判に先立ち、まずは人びとを憤慨へと駆り立てる。そして、最初の二つに関わるのが「芸術家的批判」、残りの二つに関わるのが「社会的批判」である。前者は、十九世紀中葉の大都市をさまよいながらブルジョワ的価値観を嘲笑したボヘミアン的芸術家——例えばボードレール——の価値観を範例とするもので、真正性の回復と解放の実現を希求する。後者は、社会主義者やマルクス主義者の闘いに端を発し、貧困と搾取の告発によって特徴づけられる。ところで、憤慨の四つの源泉すべてを連関させた統一的な批判の構築はきわめて困難であり、それゆえ資本主義は、芸術家的と社会的の二種の批判のうち、一方の要求をある程度満たすことで、他方の要求を抑えつけることができる。ここに「移動」の余地が生じるのである。本書ではとりわけ、一九七〇年代以降の資本主義の変容をもたらした移動の過程が、詳細に跡づけられている。第二の精神の時代が終わり、新たなテクノロジーの活用とグローバル化によって特徴づけられる資本主義の新段階にあっては（上五二頁）、新たな、さしあたっては特定の規範的価値による統制から自由な世界――「ネットワーク世界」または「結合主義的世界」――が成立するに至ったが、九〇年代を通して、この世界を正当化するとともに制約する第三の精神が形成されつつあるというのが、本書の診断である。

（2）〈六八年五月〉とその後

「一九六八年五月の反乱とその後の展開を、真剣に受け止めること」（上二四五頁）。そこには、資本主義の変容を理解するために不可欠な、二つの重要な事実を認めなければならないと著者らは言う。まずは、〈六八年五月〉の重大さという事実がある。五月の出来事を何よりも特徴づけるのは、四つの源泉に発する憤慨、そして社会的批判と芸術家的批判の両者が見事に連携しえたという事実であって、そのため資本主義体制は、深刻な危機に脅かされることとなった。しかし、重要なもうひとつの事実がある――「資本主義が批判を武装解除し、主導権を取り戻し、新たな活力を見出したのは、五月の諸事件の最中に表明された異議申し立ての主題の一部を取り込むことによってであった」(同)のである。

この批判の回収は、どのようにしてなされたのか？〈五月〉のゼネストを終結させたグルネル協定から七三年頃までの数年間には、経営者層は危機への対処を社会的批判への対応として行い、「新たな社会」を掲げるシャバン＝デルマス政権と連携しつつ、労組との交渉による階級闘争の緩和を目指した。すなわち、「一九三六年の大ストライキ後に確立されたゲームの規則」(上二九〇頁)に従い、資本主義の第二の精神の枠組みの中で事態が進展したのである。しかしそれによっても異議申し立てが沈静化せず、生産性の低下に歯止めがかからなかったために、経営者層は危機を新たな観点から解釈し、対応を改めることになった。資本主義の危機は、より高い賃金やさらなる雇用安定を求める声に起因するものではない。危機は、テイラー主義的な流れ作業に象徴される、各人の創造性を評価することのない労働環境への不満に端を発している。労働者は、生活のさらなる保障ではなく、より多くの自律と抑圧からの解放を求めているのだ……。こうして、芸術家的批判の観点から再解釈された危機に対応することで、資本主義の変容がもたらされた。

「自律の要求の妥当性を認め、それを産業の新秩序のまさに中心的価値とさえする」(上二七七頁)ことにより、旧来のヒエラルキー的管理形態が緩和され、個々の労働者は、自らの潜在的能力の活用を促されるようになる。品質管理サークルや討議グループが設置され、フレックスタイム制が導入される。労働形態のこうした変化には、たしかに芸術家的批判の諸要求が反映している。「しかし、これと相関的に、保障（セキュリテ）と賃金の面で、先行する期間に獲得されてきた諸権利が奪い去られていった」（上二九一頁）。労働に基づいた生活の安定が、自律性と交換されたのである。それに伴い、集団的な権利実現と結びついた「社会的正義」から、各人の能力に応じた待遇格差を正当なものとみなす「正義」へと、規範的価値の移行がなされた（上二六六、二七〇、二八三頁）。

それゆえ、本書によれば、七〇年代後半以降に展開された資本主義の再編は、たんに旧来の自由主義の復活としてのみ考えるべきではない。〈六八年五月〉以後に活性化を見た「解放と自由なアソシエーション」（上二九四頁）の主題が、そこでは明白に取り入れられている。そしてまた、この資本主義の新段階は激烈な反国家主義を伴ったが、その源泉は「六〇～七〇年代にウルトラ左翼によって展開された国家批判」（上二九四頁）――アルチュセールの「国家のイデオロギー装置」概念と結びついた――にある。アナーキズム的レトリックに依拠しつつ批判を行った彼らは、自己の主張がエスタブリッシュメントの側の自由主義に近しいものとなっている事実に気づかないままに、ラディカルな体制批判を繰り広げたのである。こうして資本主義は、「極左（ゴーシスト）資本主義」（上二九五頁）というべき独特の様相を帯びつつ、再活性化を果たすことができた。経営層の側の戦略変更に随伴した、「批判諸勢力それ自体の同時並行的な変貌」（上二七五頁）が指摘される所以である。また、社会的批判の周縁化の動きは、この批判の主要な担い手であったフランス共産党の没落傾向によって促進されたものでもある。共産党系のナショナル・センターCGTの弱体化と、〈六八年五月〉の息吹を受けて自主管理を掲げ、「量的」要求よりも「質的」要求を重視したCFDTの台頭が、労働運動の領域における社会的批判の後退を確かなものとした。そして、このCFDTと結びつきの深い社会党による政権獲得――「権力についた六八年世代」（上二八五頁）――、さらには八三年の「緊縮への転換」に伴う共産党との連立解消が、左派政権下でのフレキシビリティー増大という逆説的状況をもたらしたのである。

（3）憤慨という原刺激へと退行する批判――排除との闘いと人道主義的活動

「賃労働者の保障（セキュリテ）の低下、そして伝統的に盟友であった労働組合の力の削減に行き着く動き」（上二八六頁）が社会党政権のもとに展開していく中でも、大量失業と社会的不平等拡大の現実はもちろん、人びとの不安と憤りの大いなる源泉となった。しかし、社会階級間の力関係をめぐって構築されていた社会理論が力を失い、「搾取」の概念に依拠して闘われる社会的批判の形態が時代遅れのものとみなされるようになった一九八〇年代、この憤慨に表現を与えた「排除」の概念は、批判概念としては不十分なものであったと著者らは診断する。第六章第一節における「排除との闘い」の分析の要点は、以下のようなものである。

搾取モデルにあっては、搾取される者は搾取する者の犠牲者であり、後者は前者による非難の対象とされる。そして、この犠牲を恒常的に生み出す構造それ自体を問題化することで、社会変革に向けた運動を組織していくことができる。それに対して、「排除モデルは非難を経由することなく否定性を示すことを可能にする。〔…〕排除された者たちは、誰の犠牲者でもない」（下九〇頁）。もはや告発の対象となる者は誰もいない。彼らの状況の原因をなすものは、彼ら自身のうちに、彼らが不幸にして抱えている「ハンディキャップ」にある。貧困を個人の責任に帰するという発想、かつて搾取モデルによって理論的乗り越えの対象となったこの発想が、ここでは復活している。排除は、否定的特性を抱えた当事者――最貧困層のこのようなイメージは、旧来の社会運動が培ってきた肯定的な民衆像と鋭い対比をなす（下九三頁）――が個人的な努力によって克服すべき「運命」として理解される（下一〇〇頁）。こうして、「社会的不正義の拒絶は、搾取という明確な観念を奪われ、社会変革の展望もない中で、いわばその原刺激となっているものへと退行してしまった。すなわちそれは、苦しみを前にした憤慨へと引き戻されてしまったのである」（下九三頁）。批判の理論的な支えを欠いたままのこの「初歩的でほとんど感傷的な感情の動き」（上七九頁）に対応する活動は、人道主義的援助の形態を取るほかなかった。この分析は、芸術家的批判の回収による社会的批判の弱体化の分析と並び、本書の最も見事な部分に数えられるだろう。

(4)「プロジェクトによる市民体」と（ポスト）フォーディズム的前提——不安定雇用は今日の宿命なのか？

しかし、このように排除概念と人道主義運動の不十分さを指摘する一方で、九〇年代における社会的批判の再活性化を論じる著者らは、それを「排除の政治化」（下九五頁）として、また人道主義的諸活動の一種の発展形態として提示する。硬直した組織への反感と、個別的な大義をめぐり短期的な「プロジェクト」として取り組まれる活動を特徴とする新たな運動は、ネットワーク世界ないし結合主義的世界の現実に適合しているものとされる。そして排除概念については、著者らはそれを、新たな世界に適合した搾取、すなわち「結合主義的搾取」（下一〇二頁）として再定式化することを提唱する。[*21] 新たな社会的批判は、当時成立しつつあった新たな市民体の理念型に沿った形で構想されるべきだというのである。『正当化の理論』の時点では見出されていなかったこの新たな市民体——「プロジェクトによる市民体」——が、資本主義の第三の精神の基盤となるのだという。この呼称は、九〇年代のネオマネジメント文献に頻出する「プロジェクトによる組織」なる表現のもじりである（上一六三頁）。本書第二章は全体として、企業の幹部層（カードル）に向けて書かれたこれらの文献から、新たな市民体の理念を抽出することに捧げられている。新たな抗議運動と新段階の資本主義の間には、「形態学的な相同性」（下九九頁）が認められる。だからこそ、「結合主義的世界と同形でありながらも、それに一定の枠をはめ破壊的な影響を制限することを可能にするような装置の構築」（下一三二頁）を企てることができるのだと著者らは言う。

批判のこのような理解には、本書が『正当化の理論』から引き継いだある種の限界が感じられる。シャペロと同じくATTACフランスの学術顧問を務めるクリストフ・ラモーは、彼女との議論を踏まえた本書の長文の書評において、批判者が擁護者と同じ市民体を共有し、その枠組みの内部で批判を行うという前提は、批判の力をあらかじめ、部分的に無効化することになると指摘している。それも、九一年の著作の六つの市民体が古代から十九世紀までの古典的著作を参照して論じられていたのに対し、プロジェクトによる市民体は同時代のネオマネジメント文献から発想を得ているのだから、こうした傾向はいっそう強化されているとすら言いうるのだ、と (art. cit., p. 294)。実際、本書は新たな市民体に適合的な一連の政策提案を、九〇年代の他の著者たちに依拠しつつ紹介しているが、ベーシック・インカムであれ、活動契約であれ、雇用可能性の維持であれ、それらはいずれも雇用の不安定性を前提としている。「彼らが参照している一連の研究は、雇用の不安定性は避けがたいものであるというその主張によって、

＊21　ただし、ネットワーク世界の恩恵を独占する「ネットワーク屋」による搾取としてのその定義は、その恩恵をみなに分かち与える「つなぐ者」の偉大さとの対比（下一〇三頁）ともども、きわめて説得的な議論とは言いがたい。ラモーは本書の書評において、搾取を「盗み」に同一視している点に関し、マルクスの搾取理論からの後退を指摘している。Christophe Ramaux, « La critique est-elle soluble dans le capitalisme ? », *L'Année de la régulation*, n° 5 (2001-2002), 2001, p. 300.

まさにこの不安定性を促進しているのではないかという危惧が、生じないだろうか?」(p. 304)

ここでの問題を、(ポスト)フォーディズム的前提の無批判な継承として捉えることもできる。雇用の安定性をフォーディズム的労働編成の時代に——本書の枠組みでは、第二の精神の時代に——固有のものとみなすなら、ポストフォーディズムへの移行に伴い、安定雇用の要求は過去にしがみつく非現実的態度であることになってしまう。ロベール・カステルはすでにこのような前提の妥当性を認めず、「賃金労働社会は『フォーディズム的』社会ではない」[*22]ことを強調して、レギュラシオン学派が「フォーディズム的賃労働関係」に帰着させた類の——労働の権利と社会保護を備えた——雇用形態を「古典的雇用」と称していた。こうしてレギュラシオン学派の用語法を採用しないことで、彼は「賃金労働社会」における雇用の安定性がテイラー主義的流れ作業に従事する労働者のみならず、当時すでに「ポストフォーディズム的」と称しうる労働環境にあった公務員や私企業のホワイトカラー層にも適用されていた事実を示唆していたのである。[*23] こうした観点をさらに発展させているのが『安定雇用を讃えて』(二〇〇六年)および『社会国家』(二〇一二年)のラモーであるが、彼は先ほど参照した書評の中で、テイラー主義的労働編成のもとでの労働、すなわち熟練を要しない細分化された労働は、本来ならむしろ雇用の不安定化に容易につながるものだったはずだとして(実際、近年の不安定化の進展は、何よりもこの種の労働に関するものである)、次のように述べている。「労働の権利と社会保護は、厚みある社会的〔闘争の〕歴史の産物、資本主義に寄り添うことに甘んじるのではなく、反対に、自らに固有の価値観に基づいて、資本主義に一連の妥協と規則を課すことに成功した、長期にわたる批判的営みの産物である。それにまたこれらの妥協と規則とが、部分的には、資本主義の軌跡それ自体を規定することにもなったのだ」(pp. 303-304)。このような観点からすれば、批判をつねに資本主義の「移動」に後れを取るものとみなし、事後に新たな状況の理解に努めて一定の制約を課すことができるだけの存在とする『新たな精神』の議論は、批判についてのあまりに「機能主義的な読解」(p. 295)を提示しているということになる。

4 批判社会学へのさらなる歩み寄り——『批判について』

プロジェクトによる市民体は著者らによる提案ではないという留保(下三一七頁)にも関わらず、本書で記述されるこの新たな理念型に、彼らが一定の希望を託していたことはたしかだ。しかし「実際には、わたしたちは部分的に、思い違いをしていました。たしかにネオマネジメント言説は企業の具体的諸制度に対し、部分的にではあれ、現実的な影響を与えています。しかしこの言説は、一般的有効性を備えた『市民体』として形成されたものではなかったので

＊22 Robert Castel, *op. cit.*, p. 133.
＊23 Voir *ibid.*, p. 161, n. 1 et pp. 176-177. なおカステルは、この最晩年の論文で不安定雇用のポストフォーディズム的正当化に異議を唱えるに際し、ラモーの『安定雇用を讃えて』を参照している。

す」[*24]——最近のインタビューで、ボルタンスキーはこのように率直に述べている。テヴノーとの共著と比べての批判的次元の強調は明らかであるにせよ、ネオマネジメント文献から結合主義的世界に適合した新たな「偉大さ」を抽出し、誰のことも搾取しない「つなぐ者」（下一五三頁）の存在可能性に期待をかける『新たな精神』の議論は、今日のボルタンスキー自身を完全に満足させてはいないように思われる。

問題となるのは、批判を資本主義の「移動」につねに遅れを取るものとみなす本書の基本原理である。今日の著者らは、「社会運動によってしばしば表明されてきた批判を考慮した自己批判」（上xxiii頁）として、批判が資本主義に先立って移動し、創意を発揮する能力を持っていることを重要な事実として認めている。それはすなわち、批判に対し、現代資本主義との「形態学的な相同性」に甘んじることとなしに、固有の価値観をもって新たな現実を構築していく能力を認めるということである。『新たな精神』においてもすでに、「遅くすること、延期すること、間隔をあけること」（下二四三頁）の意義が、さらにはまた「これまで解放と可動性を結びつけてきた紐帯を解消」（下三一八頁）し、不連続性を成功した人生の規範とみなすがごとき幻想を断ち切る必要性が、芸術家的批判再生との関連で主張されていた。そして刊行の翌年、彼は経営者団体MEDEF（メデフ）の失業者対策提案を批判する声明に連署するが、そこでは短期のプロジェクト契約導入が、批判項目のひとつとなっている（『ル・モンド』二〇〇〇年七月二〇日付）。

反資本主義新党（NPA）やその周辺のルイーズ・ミシェル協会との交流を持ったことでも

知られる現在のボルタンスキーは、ブルデュー派とも縁の深い社会的・政治的諸運動へと大きく歩み寄るとともに批判社会学の意義を再評価し、それと批判の社会学を両立可能にしようと試みている。こうして生まれたのが、すでに参照した『批判について――解放の社会学概論』である。冒頭で紹介したように批判社会学の問題点を改めて指摘する一方で、本書の彼は批判の社会学の限界を明確に認める。そこで想定される批判は、所与の状況において不可能と思われることを求めない「現実主義」の限度内にとどまっており、現実の堅固さ――「現実の現実度」――を問題化し、その相対化によって変化への展望を開くことができないというのである。批判社会学のほうがかえって、全体を把握するその視点ゆえに、分断化されていた弱者に対し集合的要求を掲げる手段をもたらし、現実の相対化を可能にすることを通して、人びとの批判的力をより多く引き出すことができた――かつて端的に乗り越えうると信じたブルデュー的社

＊24 *Penser à gauche*, *op. cit.*, pp. 469-470. なお二〇〇九年の別のインタビューでは、「労働の自律性」の主題は八〇年代および九〇年代に有しているように見えた価値を失ってしまったとの判断に立ち、本書の意義と限界が次のように述べられている。「労働規律は現在、テイラー主義の時代と同じくらいかむしろそれ以上に重視されています。〔…〕この本は今でも歴史的・理論的次元に関しては妥当性を持っていますが、政治的観点からは古びてしまいました。ですから、現代資本主義の本性がどのようなものであるのか、お答えすることはできないんです。私には分からないからです」（Olivier Besancenot et Luc Boltanski, « La révolte n'est pas un plaisir solitaire », *Contretemps*, n° 1 (nouvelle série), 1er semestre 2009, p. 28）。

会学の力量を、今日の彼はここまで見直すに至っている(第二章)。

ボルタンスキーの態度変更は、周囲との緊張を生むこととなった。彼は「中立性の要請」に背いたとして、また「ブルデューへの回帰」という罪を犯したとして非難を受け、主としてこのような内部緊張のために、GSPMは活動を停止してしまったのである。[*25] 第一の非難に対して彼は、社会学はその誕生以来、「方法論的に中立な立場を社会批判の可能性に適合させるための手段を求めてきた」のだと応えている(p. 56)。こうして、現代フランスを代表する社会学者の軌跡を、九九年の重要な著作を中心としつつもその前後の時期における思想と行動を併せてたどり直すことは、わたしたちが生きる資本主義社会の変容過程について、それに対する批判のあり方について、考えるべき多くの材料を提供してくれるのである。[*26]

初出 『近代世界システムと新自由主義グローバリズム』三宅芳夫・菊池恵介編、作品社、二〇一四年一一月。掲載時のタイトルは、「批判の新たな試みと労働編成の行方——ボルタンスキ&シャペロ『資本主義の新たな精神』とその周辺」。

＊25 « De la sociologie critique aux impasses actuelles de la critique sociale. Entretien avec Luc Boltanski (juillet 2012) », propos recueillis par Fabien Delmotte et Cécile Lavergne, dans *Émancipation, les métamorphoses de la critique sociale*, Éd. du croquant, pp. 55-56. 同グループが「解体しつつある」時点での談話。

＊26 二〇一四年五月には、最新の共著『極端に向かって――右派の領域の拡大』が刊行された。本書は、極右的言説と実践が、目覚ましく躍進する国民戦線への反対を表明する勢力――伝統的な右派、さらには左派の一部――のうちにまで浸透しつつある「例外的状況」を分析する、「現在性の存在論」（フーコー）の試みである（Luc Boltanski et Arnaud Esquerre, *Vers l'extrême : Extension des domaines de la droite*, Éditions Dehors, 2014）。

リュック・ボルタンスキー『批判について』はどのような書物か

1 リュックとその兄弟

リュック・ボルタンスキーは一九四〇年生まれ。パリの社会科学高等研究院（EHESS）の研究ディレクターを務める彼は、今日のフランス社会学を代表するひとりとして知られる。「ボルタンスキーは、ピエール・ブルデューの死後、最も卓越した、また最も革新的なフランス社会学者として台頭してきた」――彼の仕事の全貌を英語圏の読者に伝えるべく編まれた『リュック・ボルタンスキーの精神』の序文にはこうある（Simon Susen, Bryan S. Turner, eds, *The Spirit of Luc Boltanski: Essays on the 'Pragmatic Sociology of Critique'*. London, New York, Delhi: Anthem Press, 2014, p. xxiii）。日本でもすでに、一九九一年の『正当化の理論』（ローラン・テヴノーとの共著、三浦直希訳、新曜社、二〇〇七年）、一九九九年の『資本主義の新たな精神』（イヴ・シャペロとの共著、三浦直希他訳、ナカニシヤ出版、二〇一三年)、二〇〇四年の『胎児の条件』(小田切祐詞訳、法政大学出版局、二〇一八年)と、主要著作の一部が翻訳紹介されている(ほかに編訳書『偉大さのエコノミーと愛』三浦直希訳、文化科学高等研究院出版局、二〇一一年)。

とりわけ、フランス発の社会科学の書としては例外的な規模の反響を得た『資本主義の新たな精神』の著者として、リュック・ボルタンスキーの国際的名声は弟の現代美術家クリスチャン(一九四四年〜)のそれと拮抗するものであるように見える。けれども、上記の数冊の訳書の存在にもかかわらず、日本では両者の知名度は顕著な不均衡を呈しているといわざるをえない。この不均衡は、彼ら二人が時に作業を共にする仲であるばかりか、いくつかの主要なテーマを共有しているとみなしうるだけに、いっそう残念なものだ。例えば、取り替え可能な一般性とかけがえのない単独性のあいだの緊張という主題。本書『批判について』では批判を可能にする条件として論じられ、先立つ著作『胎児の条件』では理論構築の核心をなしていた(本稿筆者による『週刊読書人』三二八一号の書評を参照【本書所収】)この最重要主題が芸術家のものでもあることは、豊島の「心臓音のアーカイブ」ひとつとっても容易に理解できるだろう。ブリュノ・ラトゥールの企画になる『聖像衝突(アイコノクラッシュ)』展(カールスルーエ、ZKM、二〇〇二年)におけるインスタレーション「胎児とイメージ戦争」(ヴァレリー・ピエと共同)発表を経て刊行された『胎児の条件』が、まさにこの単独性とその否定の主題に関して、クリスチャンとの(また、この弟と親交の深さでも知られる同展の共同キュレーター、ハンス゠ウルリッヒ・オブリストとの)対話に多くを負っている旨を「謝辞」に記しているのはいささかも不思議なことではない。フランス語ではすでに両者の並行的伝記が出ているが（Anne Sauvageot, *Luc et Christian Boltanski : Fraternité*, La Lettre volée, Bruxelles, 2018）、この点に関して日本語ではさしあたり、本稿の筆者が弟の大回顧展「Lifetime」（二〇一九年二月〜二〇二〇年一月）を機に執筆したエッセイを参照されたい（「人生の時間とその後」以文社ウェブサイト、二〇一九年十月二九日【本書所収】）。そこでは、クリスチャンとリュックが生きた特異な幼少年期が紹介されるほか――なおボルタンスキー家の歴史は、前者によって折に触れ語られてきたのち、後者の息子のジャーナリスト、クリストフの小説『隠れ家』（二〇一五年、同年のフェミナ賞を受賞）によって永遠化されるに至った――、両者が今日に至るまで重ねてきた対話にも焦点が当てられている。

けれども、研究上のより直接的な関係の点では、ジャン＝エリー・ボルタンスキー（一九三五年〜）の名前を挙げなければならない。『胎児の条件』の「謝辞」においてはクリスチャンに先立ってその名が記されるこの長兄――なお、本稿執筆時点の日本では、大阪の国立国際美術館に続き東京の国立新美術館において、末弟の最初期の映像作品《咳をする男》（一九六九年）で血反吐を吐いている姿が、上記展覧会を訪れる人びとに強い印象を与えているところだ――は、『批判について』でも「準備の全段階に付き合って」（「謝辞」）、言語学者としての知識を提供し、社会学者の概念構築を助けている。あるインタヴューから、この貢献の決定的性格についての証言を引こう――「言語学という手本は、純粋主義者であればたぶんいささか隠喩的に用いられているということでしょうが、私が試みてきたたぐいのアプローチにあって、つねに存在感を示しています。最新著『批判について』を見れば、そのことは明らかでしょう。そんなこともあって、私はこの本を兄のジャン＝エリーに捧げたのです。この分野について知っているわずかばかりのものを、私は言語学者である彼から学んだのですから」（Luc Boltanski, « La fragilité de la réalité », *Mouvements*, n°64, octobre-décembre 2010, p. 151）。

2　ブルデューとラトゥールのあいだで

兄弟関係抜きでは成立しえなかった本書はまた、ある師弟関係の歴史抜きには考えられない著作でもある。当初ＥＨＥＳＳの「ヨーロッパ社会学センター」でピエール・ブルデューのもとに学んだリュック・ボルタンスキーは、一九七〇年代を通して師との共同作業を続けるが――日本語で読める成果に、ブルデュー監修『写真論』（山縣熙・山縣直子訳、法政大学出版局、一九九〇年）がある――、やがて彼と決裂し、一九八四年にはローラン・テヴノーとともに「政治・道徳社会学グループ」（ＧＳＰＭ）を立ち上げる。問題は、「批判」をめぐる両者の姿勢の違いにあった。ブルデュー派の「批判〔的〕社会学」は、社会秩序を貫く支配・被支配構造の暴露に力を注ぐあまり、個々の行為者をそうした構造を認識しえない無力な存在として扱う傾向がある。それに反発したボルタンスキーは、自らの社会学を「批判のプラグマティック社会学」

として構想し、日常を生きる人びとが、社会学者による啓発を待つまでもなく、批判と呼びうる営みを実践しえていることを――いい換えるなら、彼らが構造に従属したエージェントであるというよりも、既存の構造的枠組みなどないところで真にアクターと呼びうる存在として行為していることを――示そうと試みたのだった。その最大の成果として生まれたのが、一九九一年の『正当化の理論』である。けれども指摘しておくべきは、ボルタンスキーのこうした新しいアプローチが、当初は批判の再生への寄与というよりもむしろ、批判という営みの相対化とその社会的役割の周縁化を目指すものとして受け取られたことである。「彼らは批判的社会学を実践したのではなく、批判についての社会学を粛々と開始した」――例えばブリュノ・ラトゥールは、同年刊行の『虚構の「近代」』（川村久美子訳、新評論、二〇〇八年、八二頁）で直ちにこのように著者らの仕事を祝福して、彼自身のポスト（あるいは非）批判的理論構築の援軍として大いに役立てたものだ。アクターネットワーク理論（ANT）のこの立役者によれば、『正当化の理論』とは何より、近代という告発の時代を終わらせた書物なのである（八一頁）。

しかし――本書が振り返っているように――批判の社会学の構築は決して、批判的実践の無効性を宣言し、それを放棄しようとするものではなかった。そのことは、やがて――『正当化の理論』出版のわずか数年後に――ボルタンスキーが自らの社会学とかつての師の社会学との一種の総合の企てに着手するに及んで、誰の眼にも明らかなものとなる。じっさい、「ANTに対する裁然たる批判」（ラトゥール『社会的なものを組み直す』伊藤嘉高訳、法政大学出版局、二〇一九年、一二二頁註）を含んだ――とはいえラトゥールとの対話は以後も継続される――九九年の『資本主義の新たな精神』は、九一年の著作の一種の応用編としての側面を持ちつつも、この理論的な（再）転換を明確に打ち出した書物だ。

ブルデュー派とのこの一種の和解をさらに深めつつ、新たなパースペクティヴを開こうとする試みが、二〇〇九年の本書、『批判について――解放の社会学概論』である。フランクフルトの社会研究所における連続講演を土台とするこの哲学的社会学の書を読むことは、デュルケームからブルデューを経てボルタンスキー自身に至るまでのフランス社会学の展開はもとより、ラトゥールやフィリップ・デスコラの新しい人類学的アプローチ、英米の政治哲学やプラグマティズム、講演の企画者である友人アクセル・ホネット――なお両者の理論的関係については、ホネット『私たちのなかの私』についての本稿筆者の書評を参照（『週刊読書人』３２１５号【本書所収】）――が今日継承するドイツ批判理論の伝統といった多様な知的潮流に関心を抱く読者にとって、そしてもちろん、今日における批判の現状に思いをめぐらせるすべての市民にとって、思考を大いに喚起する得がたい機会となるに違いない。

3 要約の試み

本書は六つの章からなっており、二つの章がそれぞれ一部を構成する三部仕立ての書物として読みうる。以下に掲げるのはごく簡単な要約である。

最初の二章では、社会学と社会批判の関係が論じられる。社会学は、科学である限り、中立的な記述の要請を自らに課している。そのような社会学にとって、社会の批判を行うこと、すなわち規範的観点に立った判断を行うことは可能なのだろうか？　そしてもし可能なのであれば、それと中立的な記述の要請が、いかにして両立しうるのか？　批判とは社会学にとって、それに身を委ねるなら自己の科学としての存在が損なわれるような厄介な異物なのか、それとも逆に、その次元を欠くなら自己の学問的使命を十全に果たしえないような不可欠の構成要素なのか？　社会学の歴史を貫いて問われてきたこの問題を第一章で検討した後、著者は第二章において、批判と深く結びついて形成されてきた二つの社会学的プログラムの検討を行う。一つは、フランスでは一九七〇年代に、とりわけブルデューの業績と結びつきながら発展した批判社会学、もう一つは、ブルデューと袂を分かった著者らの研究グループが一九八〇～九〇年代に推進した、批判のプラグマティック社会学である。ボルタンスキーは、批判社会学が支配者と被支配者からなる社会秩序の全体構造を析出することに熱心なあまり、その中に生きる人々の批判的能力を見損ないがちであることを問題視する。それに対して、日常生活における人々の営為が持つ批判の力能を正しく評価すべきであるとして、かつての彼は批判のプラグマティック社会学を提唱したのだった。しかし、ボルタンスキーは本書で、批判のプラグマティック社会学の限界を明確に認める。そこで想定される批判は、所与の状況において不可能と思われることを求めない「現実主義」の限度内にとどまっており、現実の堅固さ――「現実の現実性」――を問題化し、その相対化によって変化への展望を開くことができないというのである。逆説的にも、批判社会学のほうがかえって、全体を把握するその視点ゆえに現実の相対化を可能にすることで、人々の批判の力能をより多く引き出すことができた――本章でのボルタンスキーはこうして批判社会学の再評価を行った上で、二つの社会学の調停という、『批判について』全編を通して追及される課題を提示している。

第二部に当たる第三・四章では、制度の問題が論じられる。二つの社会学はいずれも、制度を基本的に否定的に捉え、一種の引き立て役として扱ってきた。批判社会学は制度を支配の装置として批判の対象とするし、批判のプラグマティック社会学は、プラグマティズムの観点からその存在を軽視する。しかし著者は、制度の存在をあえて擁護してみせる。固有の身体を備えた複数の行為者間に最低限の意味論的な一致を保証するためには、身体なき存在として定義しうる制度が必要とならざるを得ないからである。しかし、意味論的な安全の確保は、容易に象徴的暴力の行使に転じる。それゆえ、制度は絶えざる批判にさらされなければならない。ここで重要となるのが、ボルタンスキーがウィトゲンシュタインを踏まえつつ提起する、現実と世界の区別である。諸制度により枠組みを与えられた社会的構築物としての前者に対し、「生起するものすべて」、すなわち既存の解釈格子に収まることのない生の流れの総体としての後者を対置して、現実の自明性――「現実の現実性」――を問い直すこと。著者によれば、このように「現実を耐えがたくすること」を通して、その輪郭を変容させていく作業に貢献することが批判の務めなのである。

最後の第五・六章においては、現代政治の諸問題とより密接に関わる議論が展開されている。そこで強調されるのは、支配の現代的様式と批判との危うい関係である。現代西洋の民主主義的・資本主義的社会において発展を見た支配様式を、著者はマネジメント的支配様式と名付ける。ここではもはや、支配は既存の諸制度の保守的な維持を通してなされるのではない。むしろそれらの諸制度の現実性を相対化して変化の必要性を訴えること、すなわち現実に対して世界を対置するという批判と同様の身振りこそが、今日における支配のありようを特徴づけていると著者は指摘する。こうした困難を確認した上で、ボルタンスキーは結論的な第六章において、批判社会学がかつて目標として定めた解放のための努力を、批判のプラグマティック社会学の成果を活用しながら再開していくことを訴えている。

初出　リュック・ボルタンスキー『批判について』(Luc Boltanski, De la critique, Gallimard, 2009) の日本語版訳者解説として二〇一九年九月頃に書かれた原稿。「本書訳者」を「本稿の筆者」に改めた。

社会的なものの問い——アクセル・ホネットの現在

『社会的とはどういう意味か』——フランス独自編集の二巻本（二〇一三・二〇一五年）に与えられたこの表題は、アクセル・ホネットの全業績を貫く関心の所在を適切に伝えている。じっさい「社会的なもの」の領野の探究こそは、『権力の批判』以来、彼の主要な企図であり続けてきた。

この一九八五年の著作で、哲学者はまず、初期フランクフルト学派とりわけアドルノの社会理論のうちに「社会的なものの排除」を見定める。そこでは全体主義論の文脈が戦後西ドイツ社会の分析にまで拡張され、社会的現実が全面的な支配／被支配関係の秩序へと還元されてしまったというのだ。このアポリアを脱却し、「社会的なものの再発見」を果たした立役者として、ホネットはハーバーマスを、しかしまたその論敵ミシェル・フーコーを、同時に評価する。後者は社会的なものを「闘争」のパラダイムのもとで見出す。しかし社会秩序を「永遠に続く闘争関係」としてのみ把握することはできないことから、フランスの哲学者は歴史分析においてはこの観点を放棄し、アドルノ流の画一的な権力観に回帰してしまう。対照的に前者は、社会的相互作用を「了解」の次元において見出す。しかしそこには、社会秩序をあまりに葛藤のないものとみなしがちだという欠点がある。こうしてホネットは闘争の次元の還元不能性を確認し、独仏の理論家の議論を架橋して、「コミュニケーション理論に依拠した、社会の闘争的モデル」（一九八八年版後記）を提案するのである。

気づかれるように、ここでは、経済的不平等と再分配の問題系が周縁化されている。のちのナンシー・フレイザーとの論争を通して強調されたように、ホネットにとって再分配的次元は、社会の十全な構成員として承認されるという道徳的次元との関係でしか意味をなさない。不十分な報酬の問題は、損なわれた尊厳の問題なのである。

再分配の問いを後景化したうえで、社会的なものをめぐる議論を二つのパラダイムの競合関係を軸に展開するというこの二重の身振りは、『権力の批判』において最初の定式化を見たのち、以後の彼の仕事に基本的な枠組みを提供することとなったといえよう。『社会的とはどういう意味か』第一巻の序論は、この競合関係をドイツ・モデル――ヘーゲルを典型とし、承認をめぐる闘争を統合の媒介、「共同体の漸進的拡大の動力」とみなす――とフランス・モデル――ルソーに遡り、統合の契機を欠いた終わりなき支配／被支配関係を想定する――との対話、「承認の積極的モデルとむしろ懐疑的なモデルのあいだの絶えざる行き交い」として捉え直している。

今回日本語訳の出た『私たちのなかの私――承認論研究』（日暮雅夫ほか訳、法政大学出版局、二〇一七年）は、収録論考の半数をフランスの論集と共有していることからもわかるように、原著刊行の二〇一〇年頃までの著者の仕事の有益な集成として読みうる著作である。例えば両論集に所収のリュック・ボルタンスキー論（二〇〇八年）は、上記の両モデルの対話という文脈で、彼の理論の特徴をよく理解させてくれる。ここで主として論じられるのは、前年に独訳が出たばかりの『正当化の理論』（原著一九九一年）である。社会秩序を構成する六つの規範的理念型を見定め、批判の営為をこれら複数の「市民体」間の交渉に還元する同書の議論は、既存の諸制度の安定性を自明視するものとしてやがてボルタンスキー自身による乗り越えの対象となっていく。しかしこの旧作をホネットは、六つの原理が形式上序列化されていない限りで、合意による安定化の契機を排して「社会的なものの液状化」をもたらすものとみなし、そのような観点から批判するのである。なおボルタンスキーは、ホネットに招かれフランクフルト社会研究所で行った「アドルノ講演」に基づく『批判について』（二〇〇九年）において、諸制度に枠づけられた社会的構築物としての「現実」を「世界」――「生起するものすべて」（ウィトゲンシュタイン）、すなわち生の流れの総体――にさらし、その「粘性」を溶きほぐしていくべきことを説いている。連続講演の直前に雑誌掲載されたホネットの「液状化」論文はそれゆえ、過去のボルタンスキーの議論を以後の展開に沿ったかたちで再構成して、このフランスの友人のアプローチを彼自身のアプローチと対比させているわけだ。

こうしたところに、漸進的改革の舞台として既存の制度的現実を重視するホネットの基本的傾向が表れているといえよう。この傾向は、トロツキスト系のサークル内で「新しいベルンシュタイン」として非難されたというベルリン時代から変わらないものだ。じっさい彼は、ベルリン自由大学に提出した博士論文に基づく『権力の批判』のおよそ三十年後の仏訳刊行（二〇一七年）に際して、フーコー（そしてアドルノ）のラディカルな制度批判をハーバーマスによって相対化する同書のアクチュアリティを証明すべく、二十一世紀の社会的議論におけるネグリやバディウ、あるいはジジェクの転覆的身振りを引き立て役として喚起している。

とはいえ、『私たちのなかの私』の興味は、彼の仕事を特徴づけてきたまさにこの相対的な穏健さが、次第に挑戦を受けていく過程の証言として読みうる点にある。一九九〇年代半ばのボルタンスキーは、数年前の『正当化の理論』では自明の枠組みとみなしていた現代資本主義の展開をもはや無視しえなくなったと感じて、『資本主義の新たな精神』（一九九九年）を著した。国際的な反響を得たこの研究を繰り返し参照するホネットの論集もまた、経済的不平等の深刻化という十九世紀的な「社会問題」の回帰を確認し（「組織化された自己実現」）、失業対策の名のもとに制度化される「市民労働」が労働条件切り下げを正当化していく現実を前にして、「イデオロギーとしての承認」を語らずにはいない。

それでも彼は――ポランニーによる市場経済の「社会的埋め込み」の要請を退けて――、「生計を維持することを保障する報酬と承認に値する労働」が、資本主義的労働市場に内在する原理そのものに従うことで実現しうることを説くのであり（「労働と承認」）、結局のところこの種の議論が本書の基調をなす。この議論を全面的に展開した著作といいうる二〇一一年の『自由の権利』では、「搾取の問題も、拘束のもとで結ばれる労働契約の問題も、資本主義的市場経済の彼方でしか解決しえない構造的欠陥として理解されるべきではなかろう」ことが主張されて、既存の社会秩序の維持が改めて強調される。こうした論調を見るなら、「承認理論を発展させていくなかで、わたしは「闘争」概念を大幅に見失うことになった」という、同年刊行のホネット論集（D・ペザーブリッジ編）での告白も、もっともなものとして了解されよう。

しかし二〇一四年春、ある合評会で『自由の権利』の論旨の体制補完的性格に関して集中砲火を浴びた彼は、「知的な自己理解が損なわれ、あるいは覆されてしまったという、奇妙で当惑させる感情」に苦しむ。「［ここで］批判されているのをわたしが見出す哲学者は、わたし自身がそうであると信じてきた左派ヘーゲル主義者ではなく、わたしがいかなる戸惑いもなく自分とはっきり区別してきた右派ヘーゲル主義者のひとりだ」（『クリティカル・ホライズンズ』十六巻二号）……。こうして成立した『社会主義の理念』（二〇一五年）は、これまでの理論的探究を引き継ぎつつも一種の市場社会主義の原理を提示し、支配的秩序の乗り越えの展望を開こうとする野心的な著作である。

「他者において自己のもとにあること」――ヘーゲルがこのように定義する自由を、ホネットは「社会的自由」と名付ける。市場はその十全な開花の場となりうるのか、もしそうだとして、現存の社会秩序はそれにふさわしい環境のもとに市場を置いているのか。『私たちのなかの私』の諸論考は、以後の二著作でさらなる展開を見る探究の、意義深い中間報告を提出している。

初出 『週刊読書人』二〇一七年一一月一七日・三二一五号。アクセル・ホネット『私たちのなかの私』の書評として書かれた。

「ユルム街の師」から何が残るのか？

——没後四半世紀を経たアルチュセール

『マルクスのために』と『資本論を読む』の刊行後半世紀にして、ルイ・アルチュセールの没後二五年に当たる二〇一五年、ユルム街の高等師範学校の「マルクス読解セミナー」参加者らは、E・P・トムスン『理論の貧困』の仏語訳を世に問うた。フランス哲学者の「理論主義」とその「誤てる太陽系儀」の海峡をまたいでの侵入に苛立った英国の歴史家によって一九七八年に刊行された同書の遅まきの訳出は、それなりの反響をもって迎えられた。社会学者ルイ・パントは長文の書評のなかで、ほぼ四十年前のこの著作を通してアルチュセールの仕事に立ち返ることには、「理論主義の病」に対する「衛生上の、あるいは治療上の」理由からして意義があるだろうと書いた。かつてのユルム街の哲学教師の仕事が、一九八〇年の悲劇的出来事に引き続く煉獄の時期を経て、その影響力を多少なりとも取り戻しつつあることの裏返しの証明ともいえよう。

フランスではこの二〇一五年、生前未刊行のアルチュセールの書物二点が出版され、いずれも翌二〇一六年には日本語で読めるようになった。彼の作品は今日、「例外的な死後開花期を迎えている」――そのうちの一冊、『終わりなき不安夢　夢話 1941-1967』（市田良彦訳、書肆心水）の編者まえがきはこのように述べているが、じっさいこれら二冊はいずれも、哲学者の著作の復権の動きの進展と定着によって刊行可能になったものだといいうる。

『終わりなき不安夢』に収められた夢の記録すべてを、妻殺害へと必然的に方向付けられたものとして読むことは慎まなければならない。それらは「ありのままに読むべき」なのであり（編者まえがき）、本書は何よりアルチュセールのうちなる「夢と理論を往復しながら哲学を紡いでいく回路」を見定め、彼の哲学を「自己への関係」として理解するための機会を提供する書物なのだ（訳者附論）。しかしそれでも本書は、「夢はつねに生に先んじる〔…〕、生は夢が先に見つけ、決着を付けていたことを立証する」との断定の読まれる恋人クレール宛ての手紙（一九五八年二月）を「プレリュード」とし、妹を「救済のために」殺すこと、それも彼女自身の「同意のもとに」そうしなければならないことを夢のなかで確信したという記述を「前兆夢」（一九六四年八月）の表題のもとに収め、妻殺害を「二人で行われた一人の殺人」と称する手記に「エピローグ」の資格を与えている。八〇年の出来事はもはや、人びとのとめどない論評への情熱を煽り立てるだけの生々しさを失っているということなのだろう。

もう一冊の本もまた、時間の経過が可能にした刊行物だといいうる。かつて編まれた『マキャヴェリの孤独』(原著一九九八年、福井和美訳、藤原書店、二〇〇一年)は、共産党にとどまり続けた哲学者がその理論において保持した「開かれた」性格を強調する論集だった。『マルクスのために』や『資本論を読む』が再刊される一方、党内政治に密接に関わる諸著作が絶版のままだったのも、同じ要請によっているはずだ。「しかしこれらも遠からず再刊されるだろう」――『終わりなき不安夢』の編者まえがきはこのように述べることで、状況はもはや以前と同じではないのだと示唆する。じっさい、夢の記録と同年に刊行された『哲学においてマルクス主義者であること』(市田良彦訳、航思社)は、まさにこれら「閉じた」諸著作とともに読まれるべき作品、七〇年代の共産党の路線選択をめぐる論争的文脈を抜きにしてはほとんど読みえない作品だ。何しろ本書は、「プロレタリア独裁」概念を擁護する党員哲学者が、自らの立場を「科学」として説明する哲学の教科書なのである。

「社会主義の恐ろしい川をプロレタリア独裁の小舟に乗って下り、ようやくそこへ辿り着き、日光浴のために船を降りる海岸。このとき、共産主義の海岸には、余白の自由な支配があるだろう」(二三章)――デリダの「余白」をめぐる議論を敷衍しながら提示されるこの展望、あらゆるマージナルな者たちの解放の光景のこのような予告を、二一世紀において、誰がいささかの留保もなしに受け入れるのか。かつて師の求めに応じてこの不幸な概念を擁護する書物(『プロレタリア独裁とはなにか』原著一九七六年、加藤晴久訳、新評論、一九七八年)を著したエティエンヌ・バリバール、一九八一年にヴィトリ―の出来事――前年のクリスマス・イヴ、同市の共産党市長はマリ移民の居住する寮の一角をブルドーザーで破壊した——を告発して除名されるまで「古きスターリンの機構」にとどまった彼は近年になって、「世界中に最も広まったわたしの作品！」として七六年の自著を振り返りつつ、現在の立場変更を明言している。「階級闘争や諸々の労働搾取形態が、政治の構造化においてある根本的な役割を果たしているのだと考えるのを決してやめたことはない」にせよ、「わたしは今では、支配形態の多元性を承認したのです」、「そして同時に、わたしは「最終審級」概念も放棄しなければなりませんでした」、等々（『ヴァカルム』五一号、二〇一〇年）。このようなときにわれわれは、今とはまったく別の時代のように思える過去から届けられたこの哲学教科書を、どのように読めばよいのか。

「アルチュセールから何が残っているのか？」と冒頭で問いかける『マリアンヌ』誌の書評は、トムスンの訳書刊行が改めて「ユルム街の思想家」のスターリン主義との曖昧な関わりに焦点を当てたことに触れつつも、『哲学においてマルクス主義者であること』が著者のよき教師振りを偲ばせる啓発的な書物であることを説き、そこで開陳される理論の開かれた側面の強調によって、過去の政治的文脈から解放しようとする。こうした読み方は、のちの「偶然性唯物論」の先駆けをそこに見出す読み方と同様、他の著作ではなく本書が手に取られるべき理由を説明しない。現在における意義を見定めるためには、やはり本書はあくまでもその本来の文脈において、つまり「哲学書としてよりあえて政治的古文書として」（訳者解説）読まれるべきだろう。

まずはそもそも、『哲学においてマルクス主義者であること』にあって紛れもない教条的身振りと見えるものが、当時の党の路線との対決の意志の表現であったことを確認しておこう。七六年八月に執筆された本書は、同年二月の第二二回党大会における「プロレタリア独裁」放棄の決定への批判的応答の一環をなすのであり、この対立は、やがて七八年四月の『ル・モンド』紙への一連の寄稿と以後の大騒動によって、党内民主主義の現状に対する率直な問題提起へとつながっていく（『共産党のなかでこれ以上続いてはならないこと』原著一九七八年、加藤晴久訳、新評論、一九七九年）。トムスンは七八年二月に『理論の貧困』を書き終えたのだったが、一連の騒動を眺めたのち八月に執筆したあとがきでは、アルチュセールが「英国のフランスびいきのインテリの新たな「反スターリン主義」文化の偶像」となったまさにそのときに同書を刊行するという間の悪さを認めざるをえなかった。七六年の哲学教科書は、このような時期の一ドキュメントとして読みうるわけである。

それにしても、「現存社会主義」の官僚支配にイデオロギー的正当性を付与してきたこの概念を「科学」の名において擁護することは、スターリン主義の批判とどのように調和するのか。アルチュセールはこの概念を国家の廃絶の企図と厳密に結びつけていた。マルクス主義の伝統にいたって忠実に、国家を支配階級の搾取の道具以外のものとは決してみなさないことで、彼は「ブルジョワ国家」であれ「現存社会主義」の国家であれ、国家に対するプロレタリアの力の関与を退け、国家とは別の共同性の形態の探求へと導かれたのである。なるほど今日では、このような国家理解は先鋭というよりむしろ単純なもののようにも見える。教え子であり身近な協力者であったバリバールの以後の理論的展開については、すでに触れたとおりだ。当時にあっても、例えばニコス・プーランザスはアルチュセールの影響を受けつつも、国家のうちに階級間の力関係の、したがって「人民」の力の一定の反響を見定めることで、ユーロコミュニズム左派の立場に接近していったのだった。しかし冷戦終結後の先進諸国における「社会問題」の回帰を、そして状況がさらに深刻化するなかで成立したオバマ政権やオランド政権、さらにはツィプラス政権になしえたことの乏しさを思うとき、既存の枠組みのなかでの国家権力獲得の射程が真摯に検討された当時の議論状況に、それなりのアクチュアリティが感じられてくるのも事実だ。じっさい、シリザ政権の批判者として国際的注目を集めたギリシアの哲学者パナギオティス・ソティリスは、まさにこのような観点から、アルチュセール、バリバール、プーランザスらの七〇年代の論争的文脈に立ち返っている。してみれば、結局のところ、本書が執筆された時代は、われわれのものとはまったく異なる別の時代ではないのかもしれない。

初出　『週刊読書人』二〇一七年三月十日・三一八〇号。ルイ・アルチュセール『終わりなき不安夢』、『哲学においてマルクス主義者であること』の書評として書かれた。

メルティング・ポットとしての〈共和国〉?／
ジェラール・ノワリエル『フランスという坩堝』

フランス人の三人に一人は、少なくとも三世代さかのぼれば外国出自である――この推定を序論で掲げるジェラール・ノワリエル『フランスという坩堝(るつぼ)――一九世紀から二〇世紀の移民史』(大中一彌・川崎亜紀子・太田悠介訳、法政大学出版局、二〇一五年、原著一九八八年)は、一九八〇年代の時事的争点となっていた移民の統合問題を脱ドラマ化し、冷静な議論の学問的基盤を提供すべく、一九世紀以降の移民現象全体を「長期持続」のもとに捉えて最初の歴史的概観を打ち立てた名著だ。移民を通して当初の国民形成を進めてきた米国とは別の仕方で、革命以後のフランスもまた一個の「坩堝(メルティング・ポット)」であり続けてきたのだと著者はいう。議会制民主主義の確立後に工業化が進展したこの国は、「フランス人がやりたがらない仕事」を担う大量の移民によって、国民の産児抑制と世代を追っての階級上昇を支えてきた。第三共和政期に創出されたこの政策的枠組みを、著者は第二次大戦後の全ヨーロッパに広まる近代的な移民導入の最初の事例とみなす。

もちろん米仏のこの対比は、「共和国モデル」の統合を称揚するためになされているのではない。レジス・ドゥブレの米仏比較論とは異なり、本書は「モデル」の語に規範的価値を込めることなく、中立的意味で用いている。実際、かつての移民たちの大半はあるいは追い出され、あるいは自発的にフランスを去っていったのだし、残った人びとの「同化」は、たやすいものではなかった。チェコ移民二世のマドレーヌ・ロバンソンは、級友の嘲りと教師の読み違えに晒され、それゆえにこそ誇りの源泉となっていた本来の姓、「自由」を意味するズヴォボダの語を放棄することでしか女優たりえなかった。今日「文化的に近い」国出身の移民として回想される人びとは、第二次大戦後のマグレブ移民たちと変わらぬ差別と暴力を被ってきた。「フランスという坩堝」への溶け込みは、葛藤と苦痛のなかでなされたのだ。

ただし、旧体制（アンシアン・レジーム）の文明化プロセスにおける貴族とブルジョアの相互浸透を語ったノルベルト・エリアスの議論を敷衍しつつ、ノワリエルはこの溶け込みのうちに一定の相互性を認める。移民たちは、単に支配的秩序に与するのではないのだ。かつては、労働運動と共産党が彼らのための「中間集団」として機能した。今日、移民出自の若者たちのために、どのようなかたちの「有機的連帯」を創出すべきなのか？　一九八八年の著作を閉ざすこの問いは、二〇一六年にあってなおいっそう重い。

初出　『ふらんす』（白水社）二〇一六年四月号。

〈黄色いベスト〉と民主主義の未来

ジェラール・ノワリエルは、二〇一八年九月に刊行されたばかりの『フランスの民衆史』の結論を、「エマニュエル・マクロンとは、どんな未来の名前なのか?」と題した。そこで歴史家は、共和国大統領の綱領的著作『革命』の内容を分析し、同書における民衆的諸階級の不在を指摘する。たしかにそこには「貧者」や「弱者」は登場するが、「労働者」は登場しない。「庶民層が言及されるのは、ただ解決されるべき問題としてのみであって、活用されるべき富としてではないのだ」。革新は社会の上層からしかやって来ないと信じるマクロンにとって、歴史の変化に果たしてきた民衆の役割は決して理解されない。しかし実際には、上・中流階級は民衆的諸階級の活動や抵抗や価値観を様々な局面で受け入れ、こうして社会はしばしば、支配層が当初望んだのとは別様の発展を示してきたのだと歴史家はいう。じっさい『フランスの民衆史』にあって強調されるのは、「ただ集合的な闘争のみが、人民に自らの運命の改善をもたらしてきた」という事実である。

こうした観点からするなら、マクロン政権――発足当初から、もっぱら少数の「ブルジョワ・ブロック」（B・アマーブル）を支持基盤とするがゆえの脆弱さは指摘されていた（片岡大右「予告された幻滅の記録」『世界』二〇一七年七月号を参照）――が、尊厳を奪われたと感じた庶民層とのあいだの緊張を高めていき、広範な反対運動に道を開くのは時間の問題だったといえよう。けれども、二〇一八年一一月一七日土曜を「第一幕」とする〈黄色いベスト（ジレ・ジョーヌ）〉の運動は、従来の運動には見られないいくつもの特徴によって、内外の観察者の驚きや戸惑いを引き起こしている。とりわけ注目されるのは、それが政治組織や労組と無縁の、むしろそれらに対する不信を背景とした運動であるということだ。そのこととも関わって、旧来の社会運動のようにパリ・コミューンや〈六八年五月〉が参照されることは稀であり――とりわけ前者を継承するような歴史感覚は、活動家と知識人の世界の外では一般的ではない――、代わって活用されるのは、一七八九年の最初の革命と結びついた一連の象徴である。こうして運動の現場では三色旗が翻り、《ラ・マルセイエーズ》が歌われる。革命史家ソフィー・ヴァニッシュは、後者の背景としてまったく非政治的な経験――サッカーの応援――を指摘しつつ、国歌が同時に革命歌でもあるというフランスの歴史事情が可能にした実践であるとしている（『メディアパルト』一二月四日）。

しかし、当事者により選ばれた歴史的参照項とは別に、この運動に関してしばしば言及されるのは、英国の歴史家E・P・トムスンが一八世紀の民衆暴動を説明するために提起した「モラル・エコノミー」の観念である（特に、サミュエル・アヤット「〈黄色いベスト〉とエコノミー・モラルと権力」)。農民たちの暴動は、市場原理とは別の合理性を持った公正な経済観——生活必需品は適正価格で売買されるべきだといった——を背景としており、彼らはそれが権力者によって裏切られたと感じた時に立ちあがった。民衆諸階級の闘争が労働運動として制度化され、政治組織と結びつく以前の時代とのこうした比較は、たしかに〈黄色いベスト〉の今日的な性格の理解を助けてくれるように思われる。ジェラール・ノワリエルは、早くも最初の行動の数日後(一一月二二日)にブログで透徹した分析を発表しているが、そこで次のように述べている——「民衆の抵抗は、こうして政治化されることで一定の枠組みと規律を獲得し、活動家の教育を可能にしたが、それと引き換えに人びとは、自分たちの力を政党と労組の指導者に譲り渡すことになった。」歴史家はこうして、〈黄色いベスト〉のような自然発生的運動が、SNSでの呼びかけを通し、瞬く間に全国——海外県・海外領土を含む——に広まった事実に歴史的意義を認める。「政党と労組の時代」は、過去のものとなったのかもしれないのだ。

もっとも、ノワリエルはこれら中間団体の地位の低下を、単に歓迎しているのではない。〈黄色いベスト〉を「視聴者民主主義」(ベルナール・マナン)の典型的所産とみなす彼は、主流メディアの決定的役割を強調するが、テレビ局がこの運動を初回から生中継し、「サイレント・マジョリティの前代未聞の運動」として扱った一因は、まさにこの反政党的・反労組的性格が好都合だからである(対照的に、二〇一八年春の国鉄労組の闘争の報道は控えめなものにとどまったうえ、ストに憤慨する利用者の姿が無闇に強調された)。それにまた、既存の中間団体のこうした排除は、ほかならぬマクロンの権力掌握の論理でもある。政党や労組に「回収」されるのを拒む〈黄色いベスト〉たちは、単に現政権の政治的対抗勢力から正当性を奪っているだけ、ということにもなりかねない。また枠組みと規律の不在は、レイシスト的、セクシスト的等々の逸脱に道を開くということもある。それでも歴史家は、この直接民主主義の驚くべき実践を、新しい現実のなかで政党や労組に何ができるのかを再考するための契機として積極的に受け止めるのである。

一九世紀の遺産というべき既存の中間団体の厄介払いは、たしかにこの運動に両義的な性格を与えている。先に触れたアヤット論考が指摘するように、特定の共同体的価値観を前提とし、権力者との協約が回復されたとみなされるや収束する限りにおいて、モラル・エコノミーは保守的なものだ。また、アントニオ・ネグリは、〈黄色いベスト〉という「マルチチュード」の力をその独立性のうちに認め、政治勢力化への危惧を表明しつつ、しかしそのままでも結局、「政治システムによって中和され、無力化されてしまう」だろうとして、政党とは別のかたちでの「組織化」の必要性を説いている(ヴァーソ社のブログ、二〇一八年一二月八日)。

さて、こうしたすべてとの対照によって浮き彫りになるのは、デヴィッド・グレーバーの『ル・モンド』論考(ウェブ版一二月七日)の、確信に満ちて楽観的な調子である。一連の出来事は、弥縫的な救済の身振りを誇示する機会を与えることでかえって体制を安定させるものにとどまるのか、それとも、より大きな変革の前触れにほかならないのだろうか。

初出　『世界』（岩波書店）二〇一九年二月号。デヴィッド・グレーバー「〈黄色いベスト〉運動――私たちの足元で地面は大きく動いている」の訳者解説として掲載された。

第四部
日本とアジアをめぐる問い

はじめに

リュック・ボルタンスキーは「あらゆる社会において、度合いを異にしつつ、様々なかたちを取りながら、おそらく批判は等しく存在している」と述べて、批判能力の普遍的性格を正当に強調しています（『批判について』第四章）。しかしその一方、アジア諸地域では、批判精神の体現者とみなされた西洋文化との対比において、自らの文化の特徴を考察する試みが繰り返されてきました。第四部ではそうした試みのいくつかを取り上げています。

英国在住のブレイディみかこは日本滞在記で、社会批判が集合的力を持ちえずにいる祖国の社会的風景を憂鬱に眺めながらも、そこに「おとぎの国」のかすかな潜勢力を見ている。決して親しく交わることのなかった加藤周一と三島由紀夫は一九五〇年代半ば、日本文化の「雑種性」または「雑多」な性格を軌を一にして説くことで、ひと時立場を交差させている。そしてこの部の中核をなす「アジアの複数性をめぐる問い」では、加藤の「雑種文化論」と許紀霖や趙汀陽らが唱える現代中国の「天下」論との比較を皮切りに、シンガポールのアーティスト、ホー・ツーニェンと、香港の哲学者、ユク・ホイの仕事を取り上げつつ、非西洋世界の近代化をめぐる問いの諸相に光を当てています。普遍性と単独性のあいだの緊張をアジアというフィールドにおいて考究することは、以後のわたしの中心的な取り組みのひとつとなるでしょう。

緊縮の中枢からガラパゴスへの旅
――ブレイディみかこ『THIS IS JAPAN』

「三・一一以後」の神話の自明性を解きほぐし、決して断ち切られることなく持続してきたにもかかわらず人びとの意識のなかで周縁化されてきたものを、再び日本の社会的風景の中心に据えなおすこと。ブレイディみかこ『THIS IS JAPAN――英国保育士が見た日本』（太田出版、二〇一六年）は、列島の今日と将来にとってこのうえなく貴重でありながら、そこに住まう誰もが――少なくとも十分には――なしえないできた作業に果敢に取り組んでいる。著者がこの必読の取材記をフリーター全般労組／キャバクラユニオンの「ソウギ」への随行記によって始め（第一章）、企業組合あうんと中村光男氏の取り組みに最も多くの言葉を費やすのは（第四章）、まさにそのためである。版元ウェブサイトの充実した特設ページでいわれているように、「知るべき人びと、ほんとうにクールな人びとは、ネットの喧騒の外側に」いるのだ。じっさい本書にあって、「三・一一以後」の社会的風景を暗鬱に染め上げているあの「ネットの喧騒」の立役者の幾人かは、控えめにいっても好意的な描かれ方をしていないデモの現場で目撃され、名前を言及されるにとどまる。この批判的相対化の力は、いうまでもなく、一九九〇年代半ば以降の著者が生活の拠点としてきた別の島国での経験に根拠を持っている。英国と欧州の最新動向を鮮烈に伝える「Yahoo!ニュース」の人気寄稿者は、祖国の首都における一か月間の滞在を、緊縮の中枢からガラパゴスへの、深い憂鬱を基調とする旅として生きたのだった。

1 「一九四五年のスピリット」と「パンク魂」

「サッチャーが製造業で成り立っていた地方の町をぶっ潰し、夥しい数の失業者を出したため、逆説的に失業保険をもらえる基準は甘くなり（そうでなければ内戦が起きていただろう）、失業者の名目的な数を減らすために疾病・障害者生活保護金の乱れ打ちを行ったりして〔…〕、働かずとも食える制度を国が確立した」――一九八〇年代後半の英国の状況が、『アナキズム・イン・ザ・UK』（Pヴァイン、二〇一三年）ではこのように要約されている。こうして、労働の価値を体現しえなくなったワーキングクラスの人びとは、アンダークラスと称されて新たな下層階級を構成するようになる。そして九〇年代後半に政権復帰した労働党はといえば、サッチャーそのひとが「私の一番出来のいい息子」と呼んだトニー・ブレアのもとで新自由主義路線を継続する一方、「まるで臭いものに蓋をするかのようにアンダークラス層を生活保護で養い続けた」。

これら下層の人びとはやがて社会悪の根源とみなされ、「ブロークン・ブリテン」が語られるようになるが、二〇一〇年に復活した保守党政権による給付打ち切りと劣悪雇用への就労促進のため、いまや彼らは「労働の価値も、今日より明日を良い日にするというコンセプトすら知らない、被害者意識の強いニュー・ワーキングクラスを形成しつつある」のだとブレイディみかこはいう。

『アナキズム・イン・ザ・UK』ののち、『ザ・レフト』(Pヴァイン、二〇一四年)を経て『THIS IS JAPAN』の直前に刊行された『ヨーロッパ・コーリング――地べたからのポリティカル・レポート』(岩波書店、二〇一六年六月)が示唆するように、「ブロークン・ブリテン」の克服を掲げることにより、キャメロン政権はかえってほんとうに英国を壊しつつある。二〇一四年春以降の「Yahoo!ニュース個人」の記事を主体とし、『図書新聞』および『atプラス』への寄稿を含む『ヨーロッパ・コーリング』は何より、この危機的状況を前にしての、英国および欧州における左派の再編とでもいいうる動向を熱っぽく報告する著作だ。保守党・労働党双方が放置ないし促進してきた「ソーシャル・クレンジング」や「ソーシャル・アパルトヘイト」(それぞれ「階級浄化」、「階級隔離」と訳されている)の展開は、「社会的」と称しうる領域が一度は階級以外の多様なアイデンティティ上の問題を包括するものとして拡張されたのちに、再び経済的不平等の問題が中心に迫り上がってきた事実を証言している。こうして、「第三の道」路線による中道化の果てに左右の政治的対立が相当程度意味を失ったかに見える状況のなか、「上」の支配のもとで顧みられなくなった「下」の再政治化が進んでいく。必然というほかないこの動きは、まずはレイシズムと排外主義の表現を取って顕在化したが、ブレイディみかこが注目し期待をかけるのは、同じ課題に「反緊縮」の政治勢力形成のかたちで応えようとする人びとの取り組みだ。緊縮財政の制度化——そこにはEUの方針が大きく関わっている——に反対する彼らを活気づけ、その闘いに根拠を与えているのは、英国では、福祉国家の構築、とりわけ無償の医療サーヴィスを保証するNHSの創設をもたらした「一九四五年のスピリット」（ケン・ローチ）にほかならないと著者はいう。

もちろん、「長いあいだ「右翼、左翼」の区別はあまり意味がないと思って来た」（『ザ・レフト』）と告白するブレイディみかこは、『ヨーロッパ・コーリング』がその表題において参照するザ・クラッシュにもまして、このグループを「ファッキン社会主義バンド」として揶揄したジョン・ライドンとセックス・ピストルズを愛してきた事実を繰り返し表明しているし、またたとえばサッチャーの死を前に高揚する「ザ・レフト」——「嬉しそうに中指を突き立てて小鼻をふくらませているティーンズや、ビール缶を片手に泥酔しきった目つきで警官に悪態をついている三〇代のミドルクラスのお坊ちゃまたち」——への醒めた眼差しを隠そうともしない（『アナキズム・イン・ザ・UK』）。しかし、「左」であることの自明性に居直る人びとがときに発散させる腐臭に似た何かに敏感なわれわれの著者は、それでも、ローチに代表される人びとの闘い——一九四五年当時の左派の精神への、すなわち「下」の勢力たらんとする努力への回帰によって、いわば「左」になるという経験を新たに生きなおすものといいうる――のちに「パンク魂」の発露を認める限りにおいて（『ザ・レフト』）、今日しばしば「急進左派」と称される勢力に声援を送るのである。結局のところ、NHSを導入した保健大臣アナイリン・ベヴァンがかつて述べたように、「道の真ん中を歩く者は車に轢かれる」のだ（『ヨーロッパ・コーリング』）。

2 ガラパゴスの生態系

さて、一九四五年は日本においても、「平和憲法」や「不戦の誓い」と結びついて、民衆にとっての一種の「スピリット」の源泉となっているといいうる年ではある。しかし『ヨーロッパ・コーリング』所収のエッセイ「米と薔薇」は、同じ年をめぐる二つの歴史的経験の異質性を強調する。英国の民衆がナチスとの闘いに勝利したのちに自国内での階級闘争を遂行し、戦争の英雄チャーチルを退けて労働党政権を成立させることで、当時「荒唐無稽」な不可能事とみなされていた福祉国家建設を現実のものとしたのに対し、「平和憲法」は日本の民衆が勝ち取ったものではなく、せいぜい「敗け取った」といいうるものにすぎないとブレイディみかこはいう――「英国の「スピリット」は民衆の自信の源になっているが、日本のそれはくすぶりの源でもある」。とするなら、第二次大戦終結後という同じ時点への回帰は、両国それぞれにおいて別の政治的意味を持つことになるだろう。遠い英国から眺めてのこの――いうまでもなく論争的な——直観を出発点に、祖国の社会的風景のただなかに踏み込んだ経験から生まれたのが『THIS IS JAPAN』である。

反安倍政権デモの見物記である第四章前半は、一部マスメディアの好意ある扱いによって「若者」の運動として喧伝されているものが、真に若年層を中心的アクターとする運動を知っている者の眼差しに映ったままに描き出されていることで胸を打つ。若者——先導役を務めるが、隊列のなかでは目立たない——のラップコールに唱和しようと全力を尽くす「初老の男性」や「白髪の女性」を多数派とするひとの群れの画一的な身振りを前に、英国の保育士は取材先で見た日本の園児たちの行儀のよさ（第三章）を想起しながら、「デモにもデモクラシーを」とつぶやく。「自分たちの年齢やライフスタイルに合った、自分たちにとってもっと楽なやり方があるはずだ」。

多くの若者のものになっていない点で欧州の運動とは異なるこの運動は、また主題においても異なっている。著者によれば日本の運動は、「「原発」「反戦」「差別」のイシューに向かいがちで経済問題をスルーする」（第五章）。アイデンティティをめぐる闘争を経て——もちろんこの新たな問題系を退けるのではなく——経済的不平等の問題を再焦点化し、それを促進する緊縮政策への反対を主軸とするようになった欧州の状況とのちがいは明らかだ。いうまでもなく、今日の日本の運動の主流にあっても、経済の問題がまったく問われていないのではない。それでもたとえば、本稿執筆中の二〇一六年十月一六日に結果の出た新潟県知事選の展開を見るなら、このような指摘の一定の妥当性が了解されよう。そこでは——靖国参拝や「慰安婦」問題に関する立場については措くとして——、三年前の参院選時には景気回復よりも財政再建を重視し、規制緩和による解雇容易化に賛成し、格差是正よりも経済活動の自由を選んでいた保守政治家が、当時の原発推進姿勢から再稼働反対に転じたその一事のみによって共産党や社民党の推薦を受けて当選したのであり、しかもそのことは何らの議論も惹起しなかったのである。「三・一一以後」ならではの政治的風景というほかない。

もちろん、日本でも経済的不平等は進展している。伝統的な「反戦」意識も、二〇一一年以後における「原発」や「差別」の問題の前景化も、このいたって物質的な現実をなんら変えるものではない。それではなぜ「貧困」は、運動の「大きな船」になれずにいるのか？「昨今の日本の運動」にあっては「Twitterが公開プロレスみたいになって」おり、「とても大きくなれる運動をちょんちょん切って行く」ばかりだから（本書の取材の副産物であるウェブ上の記事、「AEQUITAS meets ブレイディみかこ」より）？ それはひとつの有力な仮説だ。しかし活動家たちの振る舞いのたしかに深刻な拙劣さのみが問題なのではあるまい。本書はとりわけ、「日本のコレクティヴ・マインドセット」（エピローグ）とでもいうべき「一億総中流主義」、この「岩盤のイズム」（第二章）の執拗さのうちに、ガラパゴスの生態系の秘密を見定めようとする。

「アフォードできること（支払い能力があること）」。それが「日本人の尊厳」の源泉となっていると著者は主張する（第五章）。社会保障制度の真の確立を棚上げにし続ける一方、雇用条件の劣悪化を社会に広範に行き渡らせることで、この国では「失業率10%とか超えたりとか、そういう悲惨な社会」とは異なり、「まだ非正規でも仕事がある」（第二章、藤田孝典氏の発言）という状況、「派遣でも非正規でもいいというなら」「実は仕事がたくさんある」のであり、それで「生きてはいける」（第五章、大西連氏の発言）という状況が維持されてきた。こうして、生存の支えを制度に対しては求めがたいという感覚が広く共有される一方、誰もが就労を通してアフォードできている限りで、自らを「普通」であり「中流」であると信じうるわけである。国際的には反緊縮のテーマが活況を呈するなか、「頑なほど健全財政にこだわる」この国の特殊性を、著者は尊厳をめぐるこの日本的信念によって説明する（第五章）。保育園の各種備品を牛乳パックの再利用でまかなう習慣も、補助金削減に苦しむ英国の保育園からやってきた者の目には、緊縮措置の自主的な実践のように映る（第三章）。「手づくりの精神」は素晴らしい。しかし低予算の告発を差し控えて家具さえをも牛乳パックでつくってしまう日本の公立保育園の現状は、われわれの著者にとって、「結婚とか子供をつくるとかはエリートのすること」だとみなすことで自らを「普通」に位置づけるアルバイト暮らしの青年のありよう（第二章）とひと続きのものに感じられるのである。自前でアフォードできる限度に合わせ、水準設定をフレキシブルに下方修正することで「普通」と「中流」にとどまろうとするこのマインドセットにあっては、やがて高校に行くことや一日に複数回食事することがエリートの特権とされ、それができない人びとは依然として自らの境遇を「普通」とみなして満足するということになりかねない。このようなディストピアの到来を食い止めるには、ポデモスを支持するスペインの若者のように、「結婚や子育てといった普通のことぐらいできる世の中にしろと憤る」こと、フレキシブルに低下するままにはならない「普通」の基準を定めることだ（同）。それはつまり、社会権を含めた広義の人権が尊重される社会を目指すということである。一九世紀末の労働党結成時の精神――労働者を代表する政治勢力の形成――への回帰を掲げるジェレミー・コービンを参照しつつ、最終章に当たる第五章末尾の著者は、日本もむしろ戦前の社会的議論の活気へと立ち返ったほうがよいのではないかと提案し、戦後の経験を理想化する一方で戦前を画一的に暗鬱な空間として想い描く日本的通念に改めて逆らっている。

3　おとぎの国の行方

「一億総中流主義」をドグマとし、緊縮フレンドリーな「リベラル」が栄えるわれわれのガラパゴスのうちに、ブレイディみかこはときとして、ほとんどありえないファンタジーを現出させる「おとぎの国」の相貌を認める。「「上」と「下」の明確な切り離しがない」日本、英国におけるような「ソーシャル・アパルトヘイト」が成立しえずにいるこの国は（第五章）、まさにこの同質意識のゆえに生きがたいものとなっている一方で、「エピローグ」における世田谷区の子どもたちと「カトウさん」の交流のような、英国では想像することすらできない出会いを可能にする環境でもあるのだ──「階級なんて存在しない、格差はあっても自分たちはみんな同質なのだと言い続けてきた国は、息苦しい、息苦しいとそこに住む人々が言うわりには奇跡のような場所で閉塞に穴が開いている」。

とはいえ、こうした奇跡のような何かもおそらく、列島の運命のように見える衰退に伴い、やがては失われていくだろうと著者は推測する。本書全体を通して支配的なのは結局のところ、憂鬱の気配である。ミクロの日常とマクロの政治のつながりを意識化し、グラスルーツの誠実な取り組みを政治的変革の展望へと結びつけて、この運命を変えることができるものだろうか？本書の著者の仕事が一種の「黒船」として──本人は控えめに、外国からの石投げを語るにとどまるが（『ヨーロッパ・コーリング』、「あとがき」）──期待を集めているというわれわれの読書界の現状はそれ自体、同質性を想定される内部から批判を遂行することの困難を証言することで、先行きが決して明るくはないことを予想させている。じっさい、この著作と比較可能なものを日本にいる誰も書くことができずにいるという事実が、なんともつらく、やるせないのである。

初出　『図書新聞』（図書新聞）二〇一六年一一月二六日・三二八〇号。

加藤周一と三島由紀夫

戦争に傷つくことなく戦後の文壇にさっそうと現れた二人の若き自信家、一種の逆説においても「戦争の生んだ子」（臼井吉見『文學界』一九五二年十一月号）と言いうる加藤周一と三島由紀夫は、決して幸福に出会ったのではない。三島にとって、彼がマチネ・ポエティックに対して当初抱いた親近感を衰えさせたのは何より、「検事のごとき眼玉」を持つ加藤とその政治的方向性であったようなのだし（「私の遍歴時代」一九六三年）、加藤のほうでは、ある座談会のあとに、「ずけずけしたものの云い方、わずかばかり有名になって、三島さんは小説がうまいなどと云われて、その結果他人に対する言葉づかいがぞんざいになる男」、「警句をいいたがるが、いいすぎて意味が通じない」、等々と記している（「JOURNAL INTIME」一九四九年十二月）。

しかしこの相互の悪印象にもかかわらず、両者の歩みは以後も時折交差することになった。一九五一年末に例外的な海外旅行者として日本を発った三島は、南北アメリカを経て翌年三月に欧州入りし、仏政府半給費留学生としてやはり例外的なパリ滞在の日々を送る加藤の司会のもと、音楽評論家遠山一行と対談する（『西日本新聞』三月二九日）。そして一九五五年三月の加藤の帰国後まもなく、二人は岡本太郎を交えて再会するだろう（『藝術新潮』六月号）。「出ていて面白味のある座談会だった」（『小説新潮』七月号）と三島を喜ばせたこの鼎談では、二人の「文学の権威」（岡本）は多少とも意見を一致させ、既存の日本的現実との衝突を生じさせてまで芸術運動を起こすことの困難を主張して美術家を困らせる。ここで加藤は、時を同じくして発表された「日本文化の雑種性」（『思想』六月号）で主題化した、「徹底的な雑種性」に依拠することで「われわれにしかできない実験」をなそうという主張に基づいて発言しているが、三島はと言えば、わずかに時を隔てた八月四日付の『小説家の休暇』の記述のなかで、「古今東西種々雑多な文化的所産」の併存という条件を「未曾有の実験」の契機として、「日本文化の未来性」を生み出すべきことを提案するのだった。一九五〇年代半ばの両者がひととき接近しえたという事実を想起することは、別様の展開もありえた潜在性において日本の戦後史を考えるためには有用であろう。

さて、ここに再録されるのは、そんな三島が「断乎として相対主義に踏み止まらねばならぬ」というこの時点での確信を離れ、「絶対者」のためにあの演劇的な死を死んだのちに書かれた加藤の文章である。イェール大学で二人の同僚と組織した共同セミナーに基づく著作の第六章「三島由紀夫――仮面の戦後派」より、章末の「おぼえがき」の加藤執筆部分を採った（加藤周一、M・ライシュ、R・J・リフトン『日本人の死生観』矢島翠訳、岩波新書、下巻、一九七七年、一七七〜

一八三頁)。文中の「L」はリフトンを表す。加藤の単独執筆になる三島についての文章のなかでは最もまとまったものであり、共同執筆の(ただし多くは加藤のアイディアによるものと思われる)第六章本論ともども、その趣旨は数年後の『日本文学史序説』終章(一九八〇年)におけるより簡潔な記述に引き継がれている。

この「おぼえがき」を読んでわかるのは、加藤が終戦直後の悪印象を三島についての最終的な印象として保ち続ける一方、先ほど触れた一九五〇年代の一定の接近と見えるものについては、おおよそ心にとどめなかったらしいということだ。じっさい、本書の終章(『著作集』第七巻や『自選集』第六巻に再録)の加藤執筆部分で、かつて三島が受け止めようとした混淆性について「贋物と本物、古いものと新しいもの、輸入品と自家製品、そのすべてを時代と場所の条件から抜き出してかきまぜたごった煮」といった記述がなされているのを読むなら、そこに自らの「雑種文化」論に通じる何かを見出した者の共感を認めるのは難しい。

もちろん、加藤が三島という現象の冷ややかな観察者にとどまったという事実は、今日の読者が両者のうちに発想の重なり合いを見出すことを妨げない。超越的なものを相対化する雑種性や混淆性の評価の点のみならず、個人的なものと集合的なもののあいだの緊張をそれぞれに生きたという点でも、二人は大いに比較可能だろう。この緊張を、一九五〇年前後の加藤はロマン主義的近代の本質特徴として論じた。しかし日本浪曼派を生んだ国では、ロマン主義の二重性はあまりに容易に、「自我をめぐって展開する形体と、ファシズム政治に収斂する形体〔…〕

との融合」（第六章本論）に帰結してしまう。この日本的困難が、三島を論じる加藤の筆致に深い陰りを帯びさせている。

初出　『文藝別冊　三島由紀夫１９７０』（河出書房新社）、二〇二〇年三月。加藤周一「三島由紀夫―仮面の戦後派」の解題として掲載された。

アジアの複数性をめぐる問い
——加藤周一、ホー・ツーニェン、ユク・ホイの仕事をめぐって

1 「小さな希望」の表明か、「不可視の帝国」の論理か——「雑種文化」論再訪

加藤周一の思想を、丸山眞男と並ぶ「戦後民主主義」の代表的知識人といった通念を超えた次元で検討する場合、彼がフランス留学からの帰国直後に一連の論考によって提起した「雑種文化」論に注目されることがしばしばだ（最初の書籍化は、『雑種文化——日本の小さな希望』大日本雄弁会講談社、一九五六年）。生誕百年を記念して二〇一九年に開催された国際シンポジウムでも、本稿の筆者を含め多くの報告者がこの点を議論した（三浦信孝・鷲巣力編『加藤周一を21世紀において引き継ぐために』水声社、二〇二〇年）[*1]。

「雑種文化」の問題提起が興味深いのは、しばしば単純な西洋的近代の支持者のようにみなされがちな加藤が、むしろ非西洋社会の諸原理に一定の評価を与えていた点にある。生誕百年シ

ンポジウムの企画を主導したひとりである三浦信孝は、二〇年以上前にすでにこの点に注目し、カリブ海地域のクレオール文化の意義を強調するマルチニック出身の作家エドゥアール・グリッサンと加藤の対談を実現させていた（NHKのETV特集「カリブ海から世界へ」として二〇〇一年七月一六日に放映）。「必ずしも議論が噛み合ったわけではない」（前掲『加藤周一を……』の三浦による「まえがき」）と振り返られるこの出会いの意義は、それだけにかえって改めて検討するに値するだろうけれど、ここでは、同じ「雑種文化」論をめぐり同じ一九九〇年代から二十一世紀初めにかけて提示された別方向のアプローチに目を向けることにしたい。日本のポップカルチャーのアジア諸国での成功が脚光を浴び、日本文化の異種混交的な性格とその「アジア」性が取り沙汰されていたこの時期、メディア研究の分野でこうした傾向の問題性が論じられるに際して、戦後の高度成長の始まりと軌を一にして提起された加藤の「雑種文化」の主張は、この九十年代の動向の源流をなすものとして批判的検証の対象とされたのだった。

吉本光宏は、伝統への純粋な回帰を目指すナショナリストと西洋文化への純化を志向する近代主義者の両者を退けて日本文化の雑種性を説く加藤の議論のうちに、帝国主義のイデオロギーに加担しうる論理を見出す。「加藤が推奨する代替案、すなわち日本文化の雑種性の積極的な肯定路線にしてもやはり、洗練されたものであれ卑俗なものであれ、ある種のナショナリズムへと容易に堕落しかねないものなのだ。一九四〇年代初めに近代を超克するという日本の歴史的使命を称えた京都学派のイデオローグたち、日本の帝国主義を正当化するイデオロギーとしての大東亜共栄圏の理念、東西の弁証法的統一としての日本、等々といったものへと」。吉本によれば、「加藤が積極的に肯定する日本文化の雑種性は、結局のところ、例えばダナ・ハラウェイのサイボーグ概念が提起する真の雑種性とはまるで異なっている」。こうして吉本は、日本流の折衷が施された東京ディズニーランドを典型とする「選択的雑種性」の初期の正当化事例として加藤の議論を位置づけつつ、自らの主体の変容を受け入れないままの「国際化」によって構築される「不可視の帝国」を打ち破るために必要なのは、フィリピン、タイ、パキスタン、イラン等からやってきた不法滞在者たちの現実に向き合うことであると主張する。なお、この点が説かれた最終節は「日本の小さな希望」と題されている。『雑種文化』の副題をそのまま借り受けつつ、加藤とは別の道にこそ、ささやかな希望があると示唆しているのだろう（"Images of Empire: Tokyo Disneyland and Japanese Cultural Imperialism," in *Disney Discourse*, Routledge, 1994）。

岩渕功一『トランスナショナル・ジャパン』（岩波書店、二〇〇一年＝岩波現代文庫、二〇一六年）は「雑種文化」論を「戦後日本のハイブリディズム言説の先駆け」と位置づけ、それが同時代に「自民族中心主義的な日本文化論への批判になりえた」点を評価したうえで、上述の吉本の論を参照しつつその限界を検証する。そもそも戦前の日本は異文化吸収の能力を帝国主義的拡

＊1　工藤庸子『大江健三郎と「晩年の仕事」』（講談社、二〇二三年）は、終章においてこのシンポジウムの講演録を参照しつつ、大江がノーベル賞受賞記念講演で強調した日本に生きることの「あいまいさ」を、加藤が定式化した「雑種性」の主題と比較している。

張の根拠としていたのであって、文化的異種混交性の強調はそれ自体としては、ナショナリズムさらには帝国主義の展開を脅かすものではない。岩渕はこのように――まったく正当に――指摘しつつ、ハイブリディズム言説によって文化的純粋化志向を退けようとした加藤が、「彼の意図とは裏腹に」、「脱構築」の作業を徹底できずに終わったと評する。「西洋文化に影響された雑種性を肯定する議論は、加藤の意図にかかわらず人びとに自国文化への自信を取り戻させたといえる」のだし、日本のメディア産業が東・東南アジア市場で成功を収めた一九九〇年代に新たに活性化された、高い文化混淆能力をもってナショナル・アイデンティティの中核となすハイブリディズム言説の、戦後における源流とみなすことができるのだという（第二章）。

こうした批判に対し、ハイカルチャー志向の加藤が東京ディズニーランドを喜んだとは思えないとか、吉本の論考が出た同じ時期の彼は新聞紙上でドイツにおける反移民言説の台頭を取り上げ、同国における「文化の多様性の承認」と「政治的市民権の民族文化からの切り離し」の選択を支持しつつ「日本国の将来」への懸念を表明していた（『朝日新聞』「夕陽妄語」一九九三年六月二二日）といった指摘によって反論するのは容易い。けれどもここではむしろ、こうした脱文脈的・脱歴史的で一面的であることは疑いえない批判が、単純化と誇張を伴いつつも、現に加藤の論理が内包するものの一端を示唆していることを率直に認めることにしたい。

それはつまり、第一に、加藤の思想には実際に、戦前の京都学派（やさらには日本浪曼派）の仕事の一定の成功を認め、それを単純に退けても仕方がないという自覚が含まれていたということ、そして第二に、「雑種文化」の問題提起は大衆文化の現実の多少とも積極的な評価を帰結せずにはいないのであってみれば、そこには必然的に、彼自身がおよそ好まなかっただろう近年のポップカルチャーを考察する際にも有益な論理が含まれているだろうということだ。後者の論点については、高畑勲のマンガ・アニメ論との関係で以前論じたことがあるので、[*2] 本稿では前者について取り上げることにしたい。

じっさい、加藤は日本浪曼派への個人的な嫌悪感にもかかわらず、それが現に大衆を捉える力を持ったことを無視できないと痛感していた。一九五五年、フランス留学からの帰国直後に行われた竹内好との対談で、加藤は「大衆と割合に当たり前の関係に立っていた」それらの詩

＊2　以下を参照。片岡大右「『鬼滅の刃』とエンパシーの帝国」、『群像』二〇二一年十一月号【本書所収】、「1　日本マンガの「鳥獣戯画」起源説再訪」。なお、加藤の議論は当人の趣味嗜好を超えて、大衆文化のより率直な評価を帰結するはずだという論点は、『雑種文化』の刊行当時すでに、桑原武夫によって示唆されていた。同書の基本的主張は、左右の知識人の文化的純化路線（純粋日本文化または純粋西洋文化への）と距離を取りつつ、大衆が現に生きている雑種的文化を受け入れるよう求めるものだ。けれども同じ本で加藤は、生活水準の向上にもかかわらず大衆はマンガしか読まない（し、野球やサッカーやテレビにのめり込んでいる）、という状況を嘆いている。桑原はこの点の矛盾を指摘して、以下のように記した。「雑種文化に徹するということは、この文章の底にあるような、高級な正統趣味（それは決して悪いものではないが）を棄てることとつらなってくるのではないか」（『日本読書新聞』、一九五六年十月十五日・八七〇号）。

この桑原の指摘は、今日において日本のマンガ・アニメの文化史的位置を考えるうえでも示唆に富んでいると言える。前記の旧稿では、この分野をめぐる鶴見俊輔と加藤周一（および後者の日本文化論に依拠したアニメ論を国際的に発信した高畑勲）の発言の比較を行ったけれど、そこで筆者が提示した対比関係は、日本のマンガ・アニメをこの列島が古来保持してきたものとされる文化的諸特性（「此岸性」、「集団主義」、「感覚的世界」、「部分主義」、「現在主義」）の直接の所産として理解するのか（加藤と高畑）、人類精神史に共通の遺産として受け止めるのか（鶴見）というものだった。けれども桑原の示唆に従うなら、むしろ在来の日本的感性と西洋文化の所産が混ざり合うなかで生まれたという――ある意味では素朴な――捉え方が、もっとも適切であるのかもしれない。

人や文学者を単に「間違った」として片付けてしまった過去の態度を反省している（『日本読書新聞』一九五五年四月四日号）。岩津航がこの発言を引きつつ指摘するように、「日本浪曼派の奏でるマンドリンが心を摑んだのは、それが大音量で絶え間なく流れていたからだけでなく、そこに大衆の関心に応えるレトリックがあったから」だという事実に、向き合わなければならないのだ（『レトリックの戦場――加藤周一とフランス文学』丸善、二〇二一年、第五章）。そんな加藤が同時期に発表した「雑種文化」の主張が、彼自身は日本浪曼派ともども嫌っていた京都学派の主張に近い何かを含んでいるとしても不思議はなく、そこには思考に値する両義性を認めるべきだろうと思われる。

なお、文化的雑種性ないし混淆性の強調が帝国の論理に通じる一面を持つというのはある意味では当然であって、このことは、戦前の日本だけでなく、今日の中国の諸議論を見ても理解できることだ。近年の中国では、周王朝の時代に成立した「天下」概念に立ち返って新たな国際秩序を展望する試みが現れている。「新天下主義」を提唱する許紀霖は、文化的単一性に基づく近代的な国民国家に比べ、古今東西の帝国においては領域内の宗教的・文化的多元性が維持されていたことを指摘し、およそ二千年に及ぶ中華帝国の歴史に「統治の智慧」を学ぶべきだと説く。そうした「伝統的な天下主義の止揚によって、脱中心、脱ヒエラルキー化を求めなければならないと強調しながらも（『普遍的価値を求める』中島隆博／王前監訳、法政大学出版局、二〇二〇年、第三章）。

許の主張に見られるような複数文化の共存のビジョンと同時に、「漢民族」の中心的文化それ自体の混淆性を強調するのが、趙汀陽の天下論だと言える。二〇一六年の『天下的当代性』は各国語の翻訳がなされているが、その英訳（Zhao Tingyang, *All under Heaven: The Tianxia System for a Possible World Order*, tr. Joseph E. Harroff, University of California Press, 2021）から引くなら、「「漢文化」と呼ばれるものもまた、多様な文化的雑種性〔diverse cultural hybridity〕の産物なのだ」（一三章）。ここではさらに、フランスの知識人レジス・ドゥブレとの往復書簡（Régis Debray et Zhao Tingyang, *Du ciel à la terre*, Les Arènes, 2014）での説明も引いておこう。「漢民族は、今日では均質的な民族だと想像されていますけれど、実際にはあらゆる民族の大変な交雑からなっています。この同化吸収は単一文化への還元ではなく、多様な要素の混淆です」。こうして混淆性を掲げ、「天下」における対立の抹消を説く趙に対し、ドゥブレはそのような主張が可能になるのは、「隣国を（日本を除けば……）さして恐れる必要がないほどに強力で、ただ自らのみに依拠する大帝国である中国の、輝かしい孤立」があってこそだろうと応じる。趙は「天下とは新種の帝国ではなく、一種の反帝国であり、そこでは文化的多様性が損なわれることはありません」と反論しつつも、大国が容易に帝国意識を持ちがちであることは認め、「天下概念が帝国主義的意識の理にかなった矯正となれば」との希望を述べている。

加藤周一の「雑種文化」論の今日的意義を検討するのであれば、こうした今日の中国の諸議論との比較もなされるべきだろうと思われる。いずれにせよ、加藤の議論は――そこで掲げられた希望が「小さな」ものにとどまる事実からも示唆されるように――何か明快な答えを提出しているというよりも、前向きでありながらも厄介な両義性を含み持った問いかけとして受け止められなければばならない。

2 シンガポールという場所

一九九〇年代とは、「日中を軸とした東亜の新体制」を求めるという廣松渉最晩年の問題提起（『朝日新聞』一九九四年三月一六日）が、「右翼の専売特許」だった「東亜共栄圏」の思想は今日では「反体制左翼のスローガン」となってもよいはずだ、という挑発を含んでなされたこともあって、ほとんど全般的な衝撃と反発を招いた時代だった。そうした文脈のなか、当時なんら挑発的な意見表明をしていたわけでもない加藤のような知識人の数十年前の議論が、一方では戦前のアジア侵略の、他方では冷戦終焉後の同地域に対するメディア産業の市場戦略の、正当化に通じる主張として批判的検証の対象とされたのだった。二〇二二年から振り返ると隔世の感がする。今日では、東および東南アジアから、京都学派を両義性において——ということはつまり、その危うさや失敗を認めつつも、未来に向けての考察の糧を内包したものとして——再読しようという試みが表れているのだから。

本稿ではこれから、シンガポールのアーティスト、ホー・ツーニェンと、香港の哲学者、ユク・ホイの仕事に目を向けることにしたい。彼らにとっても、アジアにおける近代の経験はある種の混淆性または雑種性として捉えられていると言うことはできるが、両者それぞれの活動の背景をなすものは一九五〇年代日本の知識人のそれと完全に同じではない。そもそも、ここで指摘しておくべきは、加藤が日本文化をその「雑種性」によって特徴づけるに際し、西洋諸国との差異ばかりでなく、他のアジア諸国・諸地域との差異を強調していたことだ。とりわけ——インドと中国という古くからの文化大国に加え——、まさにシンガポールと香港との対比が強調されていた。「キリスト教圏の外で、西ヨーロッパの文化がそれと全く異質の文化に出会ったら、どういうことがおこるか。それが日本文化の基本的な問題である。シンガポールや香港ではそういう問題はおこっていないか、おこっているとしても日本でのように深い意味ではおこっていない」(「日本文化の雑種性」、一九五五年)。

加藤がこのようにみなすのは、当時まだ英領植民地だったこれらの地では、西洋文化は西洋人によって西洋人のために持ち込まれているにすぎないという判断による。マルセイユ発神戸着、およそ五十日がかりの欧州航路の経験を、彼は三つの都市の印象に代表させて以下のように記す（同）。

神戸はマルセーユともちがうが、シンガポールともちがっていた。外見からいえばシンガポールの方が神戸よりもマルセーユにちかいが、それはシンガポールが植民地だからであって、シンガポールの西洋式の街はマレー人が自分たちの必要のために自分たちの手でつくったものではない。〔…〕シンガポールの西洋式文物は西洋人のために万事マルセーユと同じ寸法でできているが、神戸では日本人の寸法にあわせてある。西洋文明がそういう仕方でアジアに根をおろしているところは、おそらく日本以外にはないだろうと思われる。マレーともちがうし、インドとも中国ともちがう。そのちがいは、外国から日本へかえってきたとき、西ヨーロッパと日本のちがいよりもはるかに強く私の心をうごかした。

加藤周一はこうして、西洋に由来する文物を受け入れ自らのものとしてきた維新以後の発展の果てに、「日本人の日常生活にはもはやとりかえしのつかない形で西洋種の文化が入っている」ことを説く。そして、もはやこの雑種的性格は所与の前提とするほかないとして、一方では保守派の純粋日本化志向を、しかし他方ではまた、進歩派の純粋西洋化志向をも退ける。けれどもここで確認しておくべきは、加藤が日本との違いを強調したシンガポールこそが、維新以後に欧州航路の要となってからずっと、ある種の雑種性や混交性によって特徴づけられてきたという事実だ。

西原大輔『日本人のシンガポール体験』（人文書院、二〇一七年）によれば（第二章）、矢野龍渓はこの町の「異国的で多国籍的な性格」のために『アラビアン・ナイト』の翻案（一八八七年）の舞台に選んだのだし、一般的に言って、「幕末の竹内遣欧使節団以来、シンガポールを訪れた日本人は、大英帝国による優れた港湾開発や都市整備に瞠目する一方、南洋の動植物や肌の黒いマレー人・インド人の見慣れない習俗に関心を持った」。

もっとも、その後に西原が記しているように、多民族性や多文化性への注目は、おおむね「文明と野蛮の二面」といった序列を伴いながらなされていたと言うべきだ。ここではそのことを、横光利一の『欧州紀行』（一九四〇年）から、一九三六年三月四日の日記を引くことで確認しておこう（強調引用者）。

朝八時、シンガポール着。一見港の風景は平凡だ。われわれの想像は全く見当外れで街へ降りる気もしない。しかし、一度降りるや熱帯の特長は急激に官感を襲う。花の襲撃、香の交響。文化の錯雑。植物の豊饒。

横光はまずはこの港湾都市の印象として、「文化の錯雑」と書き記す。けれども彼にとって、シンガポールの魅力は結局のところ、その前後で繰り返し称賛されているような、色鮮やかに咲き匂う花々の幻惑に尽きるものだったようだ。

シンガポールから花を取り除けばその倦怠は地獄であろう。内地の渡航者はただ花にびっくりして人生の楽園ここにありと思うらしい。しかし、長い居住者にとって花はいったい何ものの代りとなろうか。馬来は流謫地という意味だそうだ。

「衣食住に配慮を要せぬ未開地の土人」が英国の支配下で「文化の侵入」を受け、靴や帽子への欲望から逃れられなくなった次第を哀れむその後のくだりを見ると、横光は一方では現地の文化的複数性を認めつつも、他方ではおおむね西洋の「文化」と非西洋の「野蛮」という図式に従いながら、英領マラヤの人びとを眺めていたように思われる。

およそ六年後の一九四二年二月、日本軍はシンガポールを陥落させる。東大仏文研究室――この時期、加藤周一は医学部生でありながらよく出入りしていた――の講師だった中島健蔵は、マライ派遣軍に徴用されて、昭南島と改名されたこの島で同年末まで過ごす。ここでは、このフランス文学者・文芸評論家が現地の「大東亜劇場」で行った昭南市民向けの講演を見てみよう。中島は、現地住民に「この町をどう感じたか」と尋ねられるたびに、「一種いいがたい混合物という印象を得た」（強調引用者）と答えてきたのだという。

驚くべき多種多様な人種、無数の相異なる生活様式。英国という旧来の支配勢力が突然消滅して、次の政策が、まだよくのみこめないところからくる呆然たる表情。やがて秩序が回復するにつれて、急激に増加した表面的な日本模倣（『回想の文学⑤　雨過天晴の巻』平凡社、一九七七年、第八章）。

「混合物」というこの印象は、ある種の混乱状態を言い表しているのであって、そこに積極的な価値評価を伴っていないのは明らかだ。しかし中島は続けて言う。「昭南の最初の印象が、一種異様な混合の状態である、という時、わたくしの心の中には、けっして悪意はありませんでした。」というのも、「あらゆる新しい文化は、けっして秩序整然たるところから生まれるものでは」なく、「混沌とした中から、しだいにもりあがり、誰も気がつかないうちに、一つの一般的生活様式が生まれてくる」のであってみれば、「混合物」だという現状は、来るべき秩序と繁栄に向けての出発点ともなりうるからだ。ただしそのためには、現地の人びとの「意志と実践」が必要となる。新たな統治者となった日本人の中から「よいと感ずるもの」を見極め、その「美点を信用する」――「そういう用意のない批判は、批判ではなく敵意」であり、「敵意に対しては、やはり敵意が生まれるほかない」と中島は警告する——、「われわれ東亜諸民族」の協同を通して「新しき近代」を建設しようではないか。そうでなければ、「現在のような過渡的な不便の撤去が遅れるばかり」となってしまうだろう……。

中島はこの講演原稿を戦後の回想録にそのまま再録しつつ、軍の関与なしに書かれ、多少とも自分の考えを盛り込むことができたこの講演のメッセージが結局のところ、当時の日本政府や満洲国政府、また南京の汪兆銘政権によるものと変わらないことを認めている。「日本自身が、新たに植民地主義侵略を実行している最中の迷彩にほかならないことを知りながら、こういう講演をやったことを、得々として披露するのではない。軍の一員である以上、自分ひとりで何と考えようと、侵略者の片われには相違ないのである」。

人びとの善意を飲み込みながら進展した日本の侵略史の一端がうかがえるエピソードだと言えるけれど、ここで確認しておきたいのは、中島にとって「一種いいがたい混合物」というシンガポールの印象が、一刻も早く乗り越えられるべき「過渡的な不便」の背景をなすものにほかならなかったという事実だ。「日本文化の雑種性」に戻るなら、この加藤の論考は、大日本帝国の崩壊により再び英領となっていた一九五〇年代のシンガポールにおいて、被植民地の人びとの状況がいまだ「過渡的な不便」の状況にとどまっていたことの証言として読むことができるだろう。だから加藤は、シンガポールにとっての解決を「植民地か独立か」の二者択一でしかありえないと考えた。そこに見出される混淆状態が人びとの幸福に寄与するようには見えず、彼が日本文化のうちに認めるような、もはや解きほぐしがたく融合した雑種性とはまったく異なっているように思われたのだろう。

ともあれ、少なくとも「雑種文化」の問題提起を行った五〇年代後半の加藤は、日本という文化的世界を西洋諸国と差異化する一方で、アジアという別の統一性を構築しその一員として日本を捉えていこうとしていたというよりは、むしろ他のアジア諸国と比べての例外性を強調していた。そのなかでも、旧来このうえない混淆性によって知られてきたシンガポール、日本占領期を経て英領に復したこの島の独立前の状況との対比が、彼の考える日本の文化的雑種性を定義するうえでは重要だったわけだ。それでは、一九六五年の独立後のシンガポール、権威主義的体制のもとに著しい経済成長を達成し、「アジア的価値観」を掲げることにもなったこの国についてはどうだろうか。

このことを、より広い文脈のなかにおいて考えてみよう。同じ一九五〇年代後半、梅棹忠夫もまた、日本の独自性を強調する議論を展開していた。彼の「文明の生態史観」の仮説は、加藤の「雑種文化」論を参照しつつも、日本と西ヨーロッパの「平行進化」を説いたことで知られる。これらユーラシア大陸の東西の端を「第一地域」、その間に広がる広大な領域を「第二地域」とすることで、梅棹は日本を他のアジア諸国から切り離し、「おたがいにアジア人だということばは、一種の外交的フィクションである」(「東南アジアの旅から」)と言い切った。「ちかごろ、「日本はアジアの孤児だ」ということがいわれているが、かんがえてみると、それはなにも、ちかごろにはじまったことではなさそうだ。ずいぶんまえから、数百年もまえから、日本はほかのアジア諸国とはちがった運命をたどっていたのではないだろうか」(「東と西のあいだ」)。

加藤であれ梅棹であれ、日本の発展がアジア諸国中の紛れもない例外であった時期にあって、その例外性を思考しようとする努力のなかで、こうした主張がなされたのは理解できる。そしてまた——再び梅棹を引くなら——アジアないし東洋を一括りにするという発想は「たいへんヨーロッパ的なものである」と同時に、岡倉天心の「アジアは一なり」以来のアジアの統一性を求める思想は、「「大東亜共栄圏」の思想的根拠のひとつにさえ、させられた」という事実を忘れることはできない(「東南アジアの旅から」)。しかしそれでもなお、今日改めて、東北アジアの結びつきが再考されつつあるのだし、晩年の加藤周一自身がそのような構想に期待をかけていた。けれどもその場合、中国とインドのあいだに広がる広大な地域である東南アジアはどうなるのだろうか。

3 東南アジアの統一性?

ここでようやくわたしたちは、ホー・ツーニェンの仕事について語ることができる。本稿の筆者は、二〇二一年五月末のある日、山口市の山口情報芸術センターにて、彼のインスタレーション《ヴォイス・オブ・ヴォイド》を鑑賞した。加藤周一生誕百年シンポジウム講演録の合評会開催に合わせ、立命館大学加藤周一文庫に出向いて資料調査を行う出張旅行の一環として、東南アジアの現代アーティストが京都学派とりわけその第二世代の面々の思想と行動に向ける眼差しに触れておきたかったからだ。けれどもこの作品について言及する前に、別の重要作品を一瞥することにしたい。

二〇一七年のロフォーテン国際芸術祭で発表された《東南アジア批評辞典》は、アルファベット二六文字それぞれにつき数語のキーワードを挙げ、それらをめぐる映像と言葉を組み合わせた作品であるが（アルゴリズムにより、音声と映像の組み合わせは見るたびに変化する）、ホーにとって「アジア」の統一性の問題に先立ち、東南アジアの固有性への問いが存在していることを示している。[*3]

中国とインドという巨大な文明世界に挟まれたこの地域は、幾筋もの山脈に貫かれた大陸部と海洋に無数の島が浮かぶ島嶼部からなり、決して単一の国家に統治されることがなかった。ウェブ上の導入ページに掲載されたキュレーターのハイディ・バレットとの対談でホーが語るように、そもそもこの言葉は外から与えられたものにすぎず、この地域の人びとの側に何か共

＊3　この作品はインターネット上で公開されている。Ho Tzu Nyen: The Critical Dictionary of Southeast Asia – Vdrome. https://www.vdrome.org/ho-tzu-nyen/

通の意識があったわけではない。「東南アジアという言葉は第二次世界大戦中に、米軍がこの地域を指すための呼称として生まれました。そこで、以下のような問いが、このプロジェクトの出発点のひとつとなったのです――東南アジア、言語によっても宗教によっても政治構造によっても統一されたためしがないこの地域の統一性は、何からなっているのか？」

ベトナム史研究者の古田元夫は、際立って多様なこの地域の統一性という同じ問いを提起し、「一つは、稲作農業である」と答えて、それが「東南アジアにおける国家形成の一つの基盤となった」という事実を指摘している（『東南アジア史10講』岩波新書、二〇二一年、第1講）。ホーの《辞典》も同様に、稲作と政治の、したがって国家権力の結びつきを強調する。この作品のPの項目は、まさに「paddy（稲作）」と「植えること（planting）」、そして「politics（政治）」を取り上げて、以下のように説明しているのだ。「定住的な灌漑された土地に米を植えることは、人をそこに植えることでもある。何世代もの間、稲田に労働をつぎ込んだ人々は、そこを離れようとは思わなくなる。彼らの米と同じく、彼らも空間に固定されており、把握、課税、徴兵可能で、すぐ手の届くところにいる。これは常に、国家形成の鍵となる条件だった」。

この国家権力への問いは、《辞典》の全体に浸透している。東南アジアの統一性を求める探究の途上で、ホーは国家権力の様々な術策とその疑わしさにわたしたちの目を向けると同時に、それに抗い、それを欺き、それから逃れるための人びとの実践を取り上げていく。ここではFの項を見ておこう。Fとは――挙げられる語の一部を引くなら――「虚構（fiction）」であり、「逃走（flight）」であり、「森（forest）」であり、「軋轢（friction）」である。古代ムラカの格言には、「ラージャのために働け。さもなくば森で暮らせ」とあったという。森はその後も、国家の外部における生を支えてきた。「熱帯林の密生による地形的軋轢」が「軍隊の行進を阻み、国家の虚構の普及を阻む。森林は国家の虚構からの逃亡者を保護し、無法者、盗賊、ゲリラ、神話、魔術の拠点となる。」

何より、この《辞典》は――任意の項目から視聴可能だとはいえ順を追って見るなら――Aの項目で「アナーキー（anarchy）」を、「アジア（Asia）」や「群島（archipelago）」とともに掲げて始まり、Zで「ゾミア（Zomia）」――人類学者ジェームズ・C・スコットの『統治を逃れる技術――東南アジア山地部のアナキズム的歴史』（日本語版は『ゾミア』佐藤仁監訳、みすず書房、二〇一三年）以来注目を集める――を語って終わる。「現在も存在するおそらく世界最大の無国家ゾーンは、東南アジア山塊、またはゾミアと呼ばれる、高地の巨大な広がりである。この広大な山岳地帯は、東南アジア大陸部、中国、インド、バングラデシュの国境地帯にまたがり、約250平方メートルにわたって広がっている。ほぼ〔西〕ヨーロッパと同じ面積である。概算では、ゾミアの少数民族の人口は8千万人から1億人とされる。これらの人々は数百の民族的アイデンティティと少なくとも5つの語族に分かれているので、単純な分類はできない」……。

だからといって、この驚くべき無国家地帯だけに自由が保たれているのではない。直前のYの項目では、東南アジアにおいては「屈服（yielding）」でさえも一面的な被支配を帰結しないことが示唆される。この地域の人びとは植民地主義者の征服に容易に屈したのだけれど、「屈服こそ全ての魔術の秘密」であって、「世界を変容させようとする者には、まず順応性と柔軟性が必要だ」。「夢、予言、魔術的幻覚においては、見る者が見られるものに積極的に屈服する。見る者はその光景の中に入っていこうとし、それと一体になる」。多様な抵抗と屈服の映像に合わせて語られる――または歌われる――こうした言葉は、あらゆる次元の「流動性」(項目Fではこのfluidityの語も取り上げられていた)によって特徴づけられる東南アジアという地域世界全体を魔法にかけられた場所として提示するこの《辞典》の企てを、よく表現していると言いうる。

ゾミアにおけるような文字通りの無国家状態への関心を示しつつも、植民地体制のような紛れもない支配下の生をも一面的な服従の日々としては捉えず、順応性の内なる不穏な力に目を向けようとするこうした姿勢は、この《東南アジア批評辞典》がシンガポールのアーティストの作品であることを思えば意義深いものとなる。全体主義的ないし権威主義的体制のもとでの生を両義性をもって理解しようというこの問題関心は、二〇一九年の《旅館アポリア》[*4]と二〇二一年の《ヴォイス・オブ・ヴォイド》によって、第二次大戦下の日本を舞台として作品化されることになった。

4　アポリアと逢魔時

《ヴォイス・オブ・ヴォイド――虚無の声》は、西田幾多郎に始まる「京都学派」の哲学者たちの一九三〇年代以降の発言に立ち返る作品だ。この学派の「左派」とされる三木清と戸坂潤をも取り上げつつ、中心的に扱われるのは、真珠湾攻撃の直前に第一回が行われた（一九四一年十一月二六日、掲載は『中央公論』一九四二年一月号）「世界史的立場と日本」の座談会である。とはいえ、シンガポールを含む東南アジアの侵略と植民地支配をもたらした「大東亜戦争」のイデオローグたちの言葉に焦点を当てたこの作品を、ホー・ツーニェンは単純に被害当事国の国民として制作したのではない。それも少なくとも二つの意味で。第一に、ホーはこの作品において、単に日本の戦時下の現実を再構成しているのではなく、独立後現在に至る、彼自身の国の現実をも念頭に置いていた。この作品のドラマトゥルク新井友行との対談では、以下のよう

＊4　すでに多くの評者が述べてきたように、「あいちトリエンナーレ２０１９」豊田会場で発表された《旅館アポリア》は、「表現の不自由展・その後」の公開中止から限定的再公開に至る騒動の傍らで、訪れた鑑賞者に深い感銘を与えることになった。本稿の筆者も例に漏れないが、以下の記事では本作には触れず、「表現の不自由展・その後」と直接関連する話題として、小田原のどかと大浦信行の作品に言及しているにとどまる。片岡大右「二〇一九年秋の回想的断章――非対称性をどうするか」、『図書』岩波書店、二〇二〇年四月号・八五六号（筆者の researchmap に転載）。

に語られている（「スタッカートとレガート」、『ホー・ツーニェン　ヴォイス・オブ・ヴォイド――虚無の声』書肆侃侃房、二〇二一年）。

全体主義的な体制のシミュラクルを作ることへの私の関心は、私がシンガポール人であることに関係しているのかもしれません。シンガポールというのは、ご存知のようにテクノクラート専制主義的な国家であって、私の生活の全ての局面が、生まれたときから常にその仕組に浸透されています。私は国家をオブジェクトとして作り直すことで、その状態を持ちこたえようとしているのかもしれません。

したがって、この作品が鑑賞者に強く実感させる、抑圧的体制下に生きることとの閉塞感は、単に振り返られるべき他国――かつての侵略国――の過去に関わるものではないということだ。第二に、ホーは本作で取り上げた京都学派の人びとそれぞれを、一定の拒絶感情は当然として、一定の共感をもって、取り上げている。全面的には賛同しえない対象を、それでもエンパシー的理解の対象とすることの意義とその危うさについて、彼は《旅館アポリア》をめぐる対話のなかで語っている（ホー・ツーニェン「空虚の彼方へ」（2）、インタビュー／アンドリュー・マークル、ART iT、二〇二〇年十一月十九日）。

本当に他者の視点を身につけるには、共感〔原語はempathy〕という立場からはじめる必要があります。文脈を理解しようとして、その中で自分を見失ってしまうかもしれません。文脈が不十分なのはリサーチの問題ですが、過剰な文脈は人を麻痺します。他者の中に身を置きすぎるのは危険なのかもしれません。そのような危険を《旅館アポリア》の「ゲスト」をリサーチする過程で感じました。

同じインタビューで、ホーは京都学派への関心が日本の美術関係者の少なからずから警戒されたという経験を振り返りつつ、「これにより、京都学派のリサーチに対する私の関心はより一層高まりました」と発言している。「日本における左翼と右翼の分類はやや硬直しているように思われるというのだ（「空虚の彼方へ」〔1〕、ART iT、二〇二〇年十一月六日）。結局は帝国主義的言説に回収されるほかなかったとしても、まずは彼ら一人ひとりの思考が、状況のなかでどのように展開していったのかを見定めるべきではないか。こうしてエンパシー的な他者理解が目指されるのであるが、上記では、それが批判的距離を損ないかねないという危険が指摘されているわけだ。

なお《ヴォイス・オブ・ヴォイド》では、ヘッドマウントディスプレイ（HMD）を用いた仮想現実（VR）体験を通し、鑑賞者は「世界史的立場」の座談会の現場に立ち会うことになるのだけれど、その際、四人の出席者の誰かではなく速記者へと鑑賞者を同一化させることで、この距離の問題を解決している。しかも毎日新聞の記者だったこの大家益造は、戦後になって日本の戦争を告発する短歌を発表する人物だ。鑑賞者は、それらのうち田辺元を告発するものを、VRの部屋に入り込むに先立ち、一連の映像のひとつのなかで読み聞かされることになる。西田以後の京都学派を代表するこの哲学者（「世界史的立場」の座談会には不参加）は、学徒出陣拡大の情勢下に京都大学で開催された公開講座「死生」で、死に対する「実践的」態度──国家のために死ぬことで絶対者とつながるという──を説いた。このテクストをめぐる映像のなかで、公開講座に参加していたらしい大家が一九六〇年代になって作った六つの歌が朗読されるのだ。ここではひとつだけ引いておこう──「死を講じ学徒動員に征かしめき　誰かいう血を噴く哲学なりと」。

けれども、ホーのこの作品では、田辺の思想的態度それ自体もまた、両義性をもって、すなわち一定のエンパシー的理解の対象として提示されていることを確認しておくべきだろう。「死生」をめぐる映像のナレーションは、大家の短歌の紹介に先立って、この点を強調する。「戦後田辺は京都学派の戦争協力の筆頭と見られるようになりますが、それに比して知られていないのは田辺が京都学派のほぼ全員と同じく非理性的な全体主義を憎んだということです」。田辺は一九三三年に、ハイデガーのナチス政権への協力を公然と批判しているし、京都学派と海軍との秘密会合において、中国に対する「懺悔」の必要を説いていたというのだ。[*5]「田辺の「絶対媒介」のシステムにおいては、何者も責任を逃れることはできません」。

しかもその後、VRの部屋に入った鑑賞者は、再び田辺のテクストに出会うことになる。HMDを装着し、速記者となって「世界史的立場と日本」の座談会会場に身を置いた鑑賞者が立ち上がると、目に見える風景は一変し、周囲には果てしない青空が広がっている。点在する雲、そして「ガンダム」シリーズの「ザク」――「モビルスーツ」と称される有人操縦式兵器のひとつで、大量に戦線に投入される量産機として知られる――を思わせる緑色のロボットの群れ。鑑賞者もいつの間にか、その一体となっている。そんな青空に田辺の「死生」の朗読が響き、ザクたちの機体はゆるやかに崩れ、塵となって消えていく。ただ雲ばかりとなった空のなか、鑑賞者は自らもまた同じ運命を辿っていることを知る。こうして、田辺自身が示した一定の誠実さの証拠と大家による告発をともに読み聞かされ、判断を曖昧に宙吊りにしていた鑑賞者は、ともに敗戦を生き延びた元戦争協力者とその告発者のいずれでもない立場――無謀な戦争の無益な犠牲者のひとり――に身を置き、このような死を死んでいった数え切れない先人のことを改めて思うのである。

ある個人の善意と誠意と知的努力がたしかなものであろうと、そしてそのことをわたしたち

＊5　ここで言及されているのは、一九四二年三月二日の第二回会合での発言。「希望や構想ではなく過去の満州事変以来の日本のImperialism的やり方を率直に反省し、ざんげし、その自由主義、帝国主義から来た現在の破綻、のっぴきならぬ改革の必要を自覚し、国内体制の改革をやる必要」、等々（大橋良介『京都学派と日本海軍――新資料「大島メモ」をめぐって』ＰＨＰ新書、二〇〇一年）。

い死をもたらした事実はどうすることもできない。しかしその逆もまた然りで、ある個人が巨大な不正義のなかに身を置きそこで一定の役割を果たしたという事実は、与えられた状況のなかで最善を尽くしたのかもしれないというもう一方の事実を否定しない。ホー・ツーニェンは言う——「私が京都学派に興味を持っているのは、彼らがその中に自らを見出し、それに対する「責任」を取ろうとした「状況」が、歴史的に前例のないものだったからでもある。このことが彼らに対する一定の共感を引き起こす。彼らが引き出した結論の多くに対して私は非常に批判的だが、それでも、である」（前掲「スタッカートとレガート」）。

こうして、《ヴォイス・オブ・ヴォイド》はわたしたちを、ある解きがたい問いの内部に置き去りにする。そして同じアポリアは、二〇二一年秋に豊田市美術館で公開された新作《百鬼夜行》において、第二次世界大戦中の日本のアジア侵攻、とりわけマラヤ（現在の半島部マレーシアとシンガポール）での行動に焦点を当てつつ、再び東南アジアを含むアジア全域と日本の曖昧な関係を通して表現されることになった。両者の関わりの曖昧さは、ここでは例えば虎の形象によって体現されている。日本には生息していない虎は、武家文化以来、日本の想像的世界の重要な構成要素となってきた。そして「アジア的強さの象徴」としての虎のイメージを借りつつ、日本は東南アジアへの軍事侵攻を進めたのだった。それでは、現に虎の生息する東南アジアにおけるのと異なって、日本における虎の形象は真正さを欠いているのかと言えば、必ずしもそうではない。そもそも《東南アジア批評辞典》ではWの項目で「トラ人間（weretiger）」が取り上げられ、こちらの地でもまた、虎は単に現実的な動物の輪郭に収まらずに人間との境界線を曖昧にする、半ば魔術的世界の存在であることが示唆されていた。こうして、実際の生息の有無を超えて、想像力のなかで培われた虎は日本とシンガポールやマレーシアを曖昧に結びつけながら、アジアという不安定な統一体を、力強くかつおぼろげに浮かび上がらせる。

同じことはもちろん、この作品が主題化する妖怪たち全般にも言える。第一展示室では、多様な妖怪が相互に関連付けられることもなく、絵巻物——加藤周一はそこに、構造化を欠いた「今・ここ」の連続という日本文化の特徴のひとつを見て取ったものだけれど——を思わせる平面上に現れては消えていく。これらの妖怪は、日本が〈西洋の衝撃〉ののちに近代化を進めるなかでも消え去ることはなく、黄昏時は今なお、魔物または災いが出来する「逢魔時（おうまがとき）または大禍時（おうまがとき）」であり続けている（後者は辞書的には「おおまがとき」が正しいが、原文ママ）。そして「アニミズムの語源といわれるアニメーション」は、日本文化のなかで独自の展開を経たのち、アジアに、また世界に広まっていった。そのことが示唆するのは、妖怪たちとアニメーションは、アジアの曖昧な統一性の鍵となるばかりでなく、[*6]西洋を含めた惑星全体に関わる何ものかであ

＊6　能勢陽子が強調するように、ホーは本作のアニメーション制作を北朝鮮の会社（スクリーン・ブリーズ・スタジオ）に委ねている。表立っての文化交流の不在にもかかわらず、この国と日本や他のアジア諸国がたしかに何かを共有していることを示そうとしているかのようだ。

るということだ。本展示のキュレーター能勢陽子は、「われわれのなかにある原始人」のよみがえりを論じるフロイトの言葉をパラフレーズして、「われわれのなかにある妖怪」について語っている（「変容するもの：妖怪、スパイ、虎」、『ホー・ツーニェン　百鬼夜行』torch press、二〇二一年）。それが姿を現す逢魔時は、ただ日本とアジアだけの時間ではないにちがいない。

5 「技術多様性」と普遍性

ホー・ツーニェンはアジアにおける近代の問いをめぐり、解きがたい謎、アポリアを作品化してきた。香港の哲学者、ユク・ホイもまた、多少とも重なり合う困難を主題化してきたと言える。香港でコンピュータ工学の研究から出発したユクは、ロンドン大学ゴールドスミス校で哲学研究に転じ、とりわけフランスの哲学者ベルナール・スティグレールの薫陶を受けつつ、技術をめぐる哲学的諸問題に取り組んできた。そんな彼は、博士論文『デジタルオブジェクトの存在について』刊行と同じ二〇一六年に『中国における技術への問い』を出版し[*7]、以後、技術と近代性の問いを、中国やアジアの思想伝統と西洋近代の技術思想の出会いという歴史的文脈の再検討と結びつけ、いっそう注目を集めつつある。

ユクがなにより重視するのは、技術思想の複数性という観点だ。中国であれ日本であれ、〈西洋の衝撃〉を受けて近代化を推し進めることになった諸地域では、新たな技術体系の導入に伴い、それと旧来の思想伝統との衝突が引き起こされてきた。けれどもユクによると、近代技術の背景をなす西洋的思想は、唯一にして普遍的なものではない。どんな技術も固有の世界観ないし「宇宙論」と結びついているとみなすユクは、両者の一体化したありようを「宇宙技芸（コスモテクニクス）」と名付け、西洋の宇宙技芸がすべてではないと説く。例えば中国は、人間と自然の対立に基づく西洋の伝統とは別の宇宙技芸を持ち、高度な技術文明を築き上げていた。

こうした「技術多様性」の主張、西洋の世界制覇をもたらしたのとは別の「宇宙技芸」の可能性への期待に言葉を与えるに際して、ユクは現代の人類学、とりわけ「存在論的転回」の潮流に分類される諸成果から大きな示唆を受けている。フランスの人類学者フィリップ・デスコラによる「自然主義」の相対化——彼によれば、人間を自然から引き離し両者を対立させるこうした原理は四つの存在論のひとつにすぎない（残りの三つは「アニミズム」、「トーテミズム」、「類推主義」）——に加え、大いに参照されるのは、エドゥアルド・ヴィヴェイロス・デ・カストロによる「多自然主義」の提唱だ。「多文化主義」とは自然の単一性を前提として文化の側の多様性を言い立てているにすぎず、自然それ自体の多様性を考えなければならないというこのブラジルの人類学者の主張に引きつけて、ユクは自らの「宇宙技芸」の複数性を議論している。

＊7　序論（著書全体の一章～六章）の日本語訳を『ゲンロン』（ゲンロン）七～九号（二〇一七～二〇一八年）で読むことができる（仲山ひふみ訳）。〔全訳は伊勢康平訳、ゲンロン、二〇二二年八月刊〕。

ただし、人間と他の動物、さらには自然との切断に基づくプロメテウス神話を中国の伝統に求め、アメリカ先住民の自然観をめぐる人類学的調査に注目するというこうした特徴にもかかわらず、ユクの主張は非西洋の古来の伝統や様々な先住民の知恵への回帰といったものではない。じっさい彼は、ヴィヴェイロス・デ・カストロとの対談冒頭で、「あなたの仕事には非常に啓発されてきました、特にあなたの多自然主義という概念には」と感謝を述べつつも、人類学者が自らの立場を「戦略的原始主義」と称し、「先住民の（諸）存在論」を語るのを聞いて、やんわりと異議を表明している。「あなたが提案される戦略的原始主義以外に、別の様々な始まりを考えることができないものでしょうか〔…〕。わたしが「先住民の存在論」への回帰と言わないで別の始まりと言うのは、今日のグローバルな条件からすると、そのような回帰は不可能ではないにしても困難であろうと思われるからです。おそらく、こうして別の様々な始まりを考えるならば、未来における「技術」の発展をめぐるわたしたちの想像力を変えていくことができるのではないでしょうか」（"For a Strategic Primitivism," in *Philosophy Today*, 65 (2), Spring 2021）。

『中国における技術への問い』においてもすでに、こうした批判的見解は示されていた。それも、二〇世紀前半の日本と現在を結びつけるかたちで（二〇章、強調引用者）。

> 二〇世紀には、「近代の超克」の必要性を主張する声が、まずはヨーロッパに、やがて

は日本に——それぞれの動機は異なっていたにしても——響き渡ったものだし、そうした声は今では、環境危機と技術的破局を契機に、ほとんど至るところで耳にされる。けれども、このような声が結局何を引き起こしたのかと言えば——古代の宇宙論や先住民の存在論への回帰を唱える人類学者たちは忘れてしまっているように思われるのだけれど——、戦争と形而上学的ファシズムにすぎなかった。

同じ章では続いて、「ユーラシア主義」の新たな定式化によって知られるロシアの哲学者、アレクサンドル・ドゥーギン——今日、プーチンのウクライナ侵攻の思想的背景が取り沙汰されるなかで改めて注目を集めるようになった——への批判的な言及がなされる。ユクはその後、著書のロシア語訳刊行を機に二〇二〇年にドゥーギンとの対談を行っているが、そこでヴィヴェイロス・デ・カストロへの心酔を隠さない対話相手に向かい、以下のように釘を刺していた。「去年ブラジルで彼と会ってその点について議論したのですが、というのも、わたしは本のなかで、彼のことを批判もしているからです。つまり、わたしたちはただ多自然主義を語っているわけにはいかないということです」(“Technical Issues with Yuk Hui and Aleksandr Dugin,” V–A–C Sreda, June 24 2020)。

西洋の歴史から生まれた近代技術とその背景をなす思想、すなわち西洋的な宇宙技芸に問題があり、中国を含め他の諸地域の過去の伝統には別の宇宙技芸が見出されるとしても、だからといって単なる回帰は不可能でもあれば望ましくもない。ここにあるジレンマを、ユク・ホイは折りに触れ議論してきた。そこで基本的に説かれるのは、近代技術を拒絶するのではなく受け入れながらも、西洋のものとは別の宇宙技芸のなかにそれを取り込んでいくことだ。非西洋の諸地域の伝統的な宇宙論に赴きその可能性を探りながらも、課題となるのは回帰ではなく、新たな宇宙技芸を発明しなおすことだとされる。それゆえ、ユクは『中国における技術への問い』序論で、一方では「固有に中国的な技術の哲学を構築する」必要を説きながらも（仲山ひふみ訳、『ゲンロン』7、強調原文）、新たに生み出されるべき宇宙技芸は、特定の地域に固有の富となるのではなく、西洋を含めた惑星全体の富となることが期待されている。けれどもそうなると、「技術多様性」の主張にもかかわらず、結局はある種の普遍性、または人類に共通の何かの探究が問題である、ということになりはしないだろうか。

6「ラディカルな他性」？

改めて確認するなら、ヴィヴェイロス・デ・カストロの言葉を借りて「あるラディカルな他性が主張されなければならないだろう」と説きながらも（仲山訳、『ゲンロン』8、強調引用者）、ユクの思想はこのブラジルの人類学者のものとは異なっている。この点で、彼と論争関係にあった別の人類学者との比較は有意義であろう。ヴィヴェイロス・デ・カストロはまさにこの「ラディカルな他性」を理解せず、調査先の文化を西洋流の発想で解釈しているとしてデヴィッド・グレーバーを批判し、「オールドファッションな人類学者」の生き残りのように扱った。ところでユク・ホイは、ロンドン大学ゴールドスミス校時代に彼と知り合って意気投合し、その小さな著作『アナーキスト人類学のための断章』の中国語訳を刊行（二〇一四年）するほか、〈オキュパイ・ウォールストリート〉の運動が世界的な影響を与え香港にまで広がったのを機に仏紙『ル・モンド』に共同で記事を書くなど（二〇一四年十月十日）、親しい関係にあった。二〇二一年九月の急逝を受けて、香港のアートコレクティブ「Floating Projects」のウェブサイトに追悼文を寄せてもいる。

　あるインタビューではシモンドンの重要性と並べて、「わたしは人類学者たちの仕事にも影響を受けてきました。例えばマルセル・モースやデヴィッド・グレーバーです（特に贈与経済の観念）」と語っている（Research Network for Philosophy and Technology, Feb. 24, 2017）。著作中では、最近日本語訳が刊行された『再帰性と偶然性』（原島大輔訳、青土社、二〇二二年）の最終第五章、宇宙技芸の複数性を改めて強調する結論部分に言及がある程度だ。[*8] それでも、繰り返しの言及にもかかわらずヴィヴェイロス・デ・カストロの発想とは折りに触れ一線を画しているユクの立場を理解するのに、グレーバーが残した仕事は補助線として大いに役立つだろうと思われる。

　グレーバーはヴィヴェイロス・デ・カストロに反論して、「ラディカルな他性」なるものは実はそれほどラディカルなものではなく、そこには人類一般に通じる何かが見出されるのだと主張し、「存在論的転回」に与する人類学者が調査先の文化集団に固有のものとみなしたものは、西洋世界の人びとを含めた人間一般の探究に役立つからこそ重要なのだと論じた。グレーバーはこうした観点から、非西洋世界の諸伝統を重視しつつも単純な西洋批判を退け、アナキズムとも親和的な「原始主義」的発想を絶えず相対化しようと努めてきた。遺作となった大著 *The Dawn of Everything*（考古学者デヴィッド・ウェングロウとの共著）でも貫かれるこうした理論的姿勢は、ユク・ホイの仕事とどの程度重なり合うのか。[*9]

西洋的近代を乗り越えるという課題はこのうえなく重要なものであっても、この課題はそこに見出される諸原理を単純に拒絶するのではなく、むしろある種のやり方で引き受けなおすことで達成されるものに違いない。グレーバー――例えば彼の『民主主義の非西洋起源について』は、西洋由来の「民主主義」の語をあえて引き受けたサパティスタの称賛をひとつの趣旨として書かれた――はもちろん、非西洋的な宇宙技芸の再創出を通して近代技術を「再我有化」すべきことを説くユク・ホイにおいても、それゆえ結局のところ、西洋近代の遺産の再評価が問題となる。このことは、ユクが重視するジョゼフ・ニーダムの問いにも関わってくるだろう。数々の発明を行った技術大国だった中国が、自前の近代的科学技術を発展させられなかったのはなぜか。中国科学史研究の大家が投げかけたこの有名な問いをめぐって、最後に再び加藤周一の仕事に立ち返ることで本稿を終えることにしたい。

加藤は一九七〇年代の中国論でニーダムの問いに言及している。この点について、本稿の筆者は少し前に、ユクとの比較を念頭に置きつつ次のように記した。「加藤の場合、ニーダムを参照し、中国を一度は西洋と別種の普遍性を体現する文明世界として捉えつつも、最終的には共通かつ単一の科学的原理に基づいて両文明世界を理解しようとしている（『著作集』九巻、一九七一－七二年の中国論四篇への「追記」）。多様性に目を向けつつも単一性を手放そうとしないこうした志向は、単に古い西洋中心主義の残滓にすぎないのか、それともむしろ、誠実な思索の営みとして今日においても継承すべきなのか[*10]」。私見では、結局、アジアをはじめとする非西洋

＊8　北京発の文芸誌『CHUTZPAH!《天南》』への寄稿（二〇一二年、第五号）では、ユク・ホイは自らの思想とアナキズムの親和性を説きつつ、グレーバーのほか、英国出身の哲学者サイモン・クリッチリーの名を引いている。後者はニュースクール・フォー・ソーシャルリサーチで「アナキズム的転回」をめぐるシンポジウムを主催したひとりだ（このシンポジウムについては以下を参照。片岡大右「「あいだ」の空間と水平性」、デヴィッド・グレーバー『民主主義の非西洋起源について――「あいだ」の空間の民主主義』以文社、二〇二〇年）。

＊9　グレーバーのこうした理論的特徴については、以下を参照。片岡大右「未来を開く――デヴィッド・グレーバーを読む」、『群像』二〇二〇年九月号【本書所収】、同「神秘的な、楽しい未来」に向けて――デヴィッド・グレーバーを読み続けるために」、『群像』二〇二〇年十一月号【本書所収】、同「コロナ下に死んだ人類学者が残したもの　デヴィッド・グレーバーの死後の生」、「コロナ時代の想像力」（岩波書店のnote）、近日公開予定〔→二〇二一年十月二一・二八日〕。

＊10　片岡大右「『加藤周一を21世紀に引き継ぐために』合評会に寄せて」、『加藤周一を21世紀に引き継ぐために』合評会記録』、立命館大学加藤周一現代思想研究センター、二〇二二年三月。

世界の近代化をめぐる問いはこうしたところ――「ラディカルな他性」のようにみなしうる何かと普遍的なものとのあいだの緊張――の周囲をめぐっているように思われる。

初出　『群像』（講談社）二〇二二年七月号。

第五部

歴史のなかの生

はじめに

第五部には、いずれも批評または批判の歴史経験と多少とも関わりつつ、それぞれに固有の生を生きてきた三人の芸術家の肖像を収めています。

ベルトルッチの作品世界は、秩序への徹底した批判の意識と当の秩序への深い内属の感覚の共存によって特徴づけられている。この根本的な緊張の自覚が、映画作家からたやすい「解放」への展望を奪い去り、両義的な閉鎖空間への滞留を志向させるのです。

「ゼロ年代のＤＩＹアクティヴィズム」に触発され、「こうじゃない世界」の感触を日々の生活のただなかに探り当てようとする小沢健二の身振りは、私見では、批判または批評と呼ぶことができる営みの、最も実りある実践のように思われます。けれども、注意しなければなりません。彼自身は、「世の中の主流と違う見方を提供」することは「批判」でも「批評」でもないと断っているのです（『うさぎ！　沼の原篇』ひふみよ出版部、二〇一〇年）。

批評または批判との複雑な関わりは、『批判について』の著者リュックを兄に持ち、異論の応酬を含む対話を続けてきたクリスチャン・ボルタンスキーのもとにいっそうあらわだと言えるでしょう。兄が時に示す「解放」への展望を、弟はさほど共有しなかった。それでも、決定的な答えのない問いかけを作品化するクリスチャンの芸術は、批判をめぐるリュックの考察とそここここで響きを交わしています。

蜘蛛の策略の世紀は今なお続いているのだろうか
——ベルナルド・ベルトルッチ監督『暗殺のオペラ』再上映に寄せて

1 リガブーエとマグリット

二〇一八年七月末、記録的な酷暑の東京で、一九七〇年の真の傑作、『暗殺のオペラ』の再上映が開始される。空調の効いた場内に入り、人心地のついた思いの観客たちの瞳をまず奪うのは、動物とりわけ熱帯の野獣たちを描いた一連の絵画の鮮烈な色彩だ。アントニオ・リガブーエの作品のタイトルバックへの採用は、「主として地理的な忠実さのため」だと監督はいう。「リガブーエは、映画で見られるのと同じ木々を、同じ風景を、描いていました。彼はわたしの撮影現場からたった四十キロのところに住んでいたのです」（『インタヴュー集』ミシシッピ大学出版局、二〇〇〇年）。そして画家が描いたこの地——イタリア北部、エミリア地方のポー渓谷——の木々や風景は、豹やライオンや虎を取り巻く環境として、それなりにふさわしいものだといえるかもしれない。「気温は日陰で三八度、映画は、ポー川の太った蚊たちの飛び交う音に満たされています」――『母なる光景』と直訳しうる原題をもち『ベルトルッチ、クライマックス・シーン』として日本語訳（筑摩書房、一九八九年）が出された書物のなかで、映画作家は六九年夏の撮影をこのように振り返っている。じっさい、リガブーエの絵画に別れを告げた観客たちは直ちに、鳥のさえずりとセミの鳴き声と蚊のうなり声の響き渡る空間に投げ込まれる。食卓に供されるスイカの果肉の鮮やかな赤。灼熱の戸外を逃れてきた先で、映画を愛する極東の人びとは南西ヨーロッパの田舎町の、劣らず暑い夏の光景に出会うのである。

しかし、ヴィットリオ・ストラーロにより定着されたこの夏の光景は、奇妙な非現実性を保っている。ベルトルッチは、この才能ある撮影監督との最初の共同作業に際して、リガブーエを含む素朴画家と並びルネ・マグリットを視覚的な参照項とした。「何でも見ることができる夜、ちょうど素朴画家たちの作品におけるように、数百メートル先の風景の中に隠れた家でも見ることができるような夜」（前掲『インタヴュー集』）――それはまた、マグリットが「光の帝国」の連作で描いた世界にも通じるというのだ。しかし彼らは、夜に関してのみベルギーの画家を参考にしたのではあるまい。この映画にあって、架空の田舎町の日中の情景は絶えず、影の侵入を受けた空間として構築されている。マグリットは、昼と夜の共存からなる光景を「光の帝国」として、つまり光と闇の対立としてではなく、遍在する単一の原理の執拗な支配として提示した。ベルトルッチの長編第四作は、光に対するこのようなアプローチを画家から引き継ぎながら、対立の論理を失調させ変化の契機を無効化してしまうある強力な磁場の存続にかたちを与えようとする。

2 レジスタンス神話の解体?

すべてを絡めとっていくこの――原題に従えば――「蜘蛛の策略」の装置の基本的な枠組みは、一応の原作であるボルヘスの短篇から借用されている。しかし映画作家は、当人の弁によれば、「事象の循環的本性をめぐるいたってボルヘス的な反省を、さほど重視しているわけではない」(『インタヴュー集』)。この映画の主題は「死者の王国への旅」だというのだから、ことは円環的な回帰よりもむしろ、変化の契機の不在と終わりなき停滞に関わっているのだ。物語の舞台がタラ、すなわち「スカーレット・オハラが「明日は別の一日」といってから帰還する場所」の名で呼ばれるのは、この変化の不可能性を際立たせるための皮肉な操作にほかならない。

主人公アトス・マニャーニは、同名の父の「公式の愛人」の招きでタラを訪れる。三六年にこの町の歌劇場で何者かに暗殺された彼の死の真相を、突き止めてほしいのだという。やがて判明するのは、父が三人の同志を裏切ったこと、そしてこの裏切りを償うべく自らの演出のもとであえて殺され、悲劇の英雄として人びとの記憶にとどまって、ファシズムへの憎しみを煽り立てることを望んだという事実だ。しかし、広場に集うタラの住民を前にした息子は、真実を伝えることはしない。自分もまた、父の策略の装置の一部をなしているのではないかと自問する彼は、秘密を保ったまま駅に向かう。列車到着の遅れが繰り返し告げられる。線路は、まるで長い間いかなる車両の行き来もなかったかのように、草に覆われている。

この映画の物語は、同年公開の長編第五作『暗殺の森』の物語ともども、戦後イタリアにおけるレジスタンス神話の解体の試みとして説明されることが多い。リソルジメント以後の国民史の例外的現象としてファシズムを捉えるクローチェ流の理解からするなら、レジスタンスはこの不幸な逸脱を克服し一貫性を回復するための努力として、全国民的な性格を持つことになる。しかしそれではなぜ、ムッソリーニはあのような成功を収めることができたのか？『体制順応主義者』の原題を持つ『暗殺の森』——秘密警察に所属し反ファシストの恩師とその妻の暗殺計画に関与する青年の物語——は、一方では、自らの異質性の自覚ゆえに体制順応を願う主人公の欲望に焦点を当て、他方では、教授とその妻の反ファシズムの「ブルジョワ的」限界を指摘することで、この成功の秘密を解き明かそうとする。クワドリ教授の人物造形についてはしばしば、グラムシやトリアッティの影が指摘されるが、狭義のモデル問題を超えたところで、ベルトルッチが自由主義者のみならず共産党のうちなるブルジョワ的性格を問題化していることはたしかだ。同様に、『暗殺のオペラ』におけるアトス父もまた、ブルジョワ的相貌を強調されている。そしてその企ての無力を証し立てるように、彼の「敵」であったファシストの大地主ベカッチャは、ムッソリーニが失脚し反ファシズムの英雄の悲劇が記念されるようになったタラの町を、何ごともなかったかのように支配し続けているのだ。しかもそれだけではない。この物語には、スターリン主義とその清算の問題が重ね合わせられている。「アトス父子の関係と同じようなものを、わたしはベルリングエルとトリアッティのあいだに想像していました。英雄的な父の裏切りを見出す息子は、トリアッティのスターリン主義を見出すベルリングエルなのです」（前掲『母なる光景』）。七二年にイタリア共産党書記長となるベルリングエルは、先任者がモスクワとのあいだに維持した曖昧な関係を、結局のところ、直視することなしに済ませた。そしてその一方、彼は七三年にキリスト教民主党との「歴史的妥協」を打ち出して、かつてトリアッティが主導した体制内化をさらに推し進めていく。こうしたすべてに起因する閉塞の感覚を作品化したものとして理解される限りで、『暗殺のオペラ』は、共産党への左からの批判が顕在化するに至った当時の文脈に、いかにもふさわしい映画であるように見える。

3 ブレヒト的次元

しかし、話はそう単純ではない。何しろ当時の映画作家は、まさにこの反共産党的雰囲気の全般化を前にして六九年に入党に踏み切り、毛沢東主義に与する友人たちを失望させたばかりだったのだ。そのなかのひとり、ジャン＝リュック・ゴダールの住所と電話番号を『暗殺の森』のクワドリ教授のものとして作中で用いることで、ベルトルッチはこの年長の友人に対する一種の父殺しを遂行する。「わたしはラディカルを殺そうとする体制順応主義者だったというわけです」（英紙『ガーディアン』2008.2.22）。『中国女』の監督はこの悪ふざけの主をカフェに呼び出し、毛沢東の肖像入りのメモを手渡す。個人主義と帝国主義との闘いの勧めが書きつけられたその紙片を、イタリアの映画作家はただちに破り捨てたという。もちろんこの新米共産党員にとって、「人民」の集団的力をないがしろにしているのはゴダールのほうだった。「思うに、ゴダールは最初の映画では右のアナキストでしたが、今では左のアナキストになっています。わたしにいわせれば、アナキストは大衆の闘いにとって危険な存在です」（米誌『ローリング・ストーン』1973.6.21）。『暗殺のオペラ』についていうなら、それゆえ、蜘蛛の策略に覆いつくされた町の状況が、映画作家によって全面的に拒絶されていると考えることはできそうにない。じっさい公開当時の彼は、同志たちの「素朴さ」を頼りなく感じたアトス父の策動について、一定の共感とともに語っている。意外に思った様子の聞き手は、裏切りという行為の怖ろしさを口にする。ベルトルッチの答えはこうだ——「そうは思いません。怖ろしいのは、何らかの理念のために英雄が必要とされるということです。英雄を必要とするというのは、怖ろしいことです」（『インタヴュー集』）。どうやらこの映画は、ボルヘスに劣らずブレヒトを発想源としているようだ。『ガリレオの生涯』の劇作家は、異端審問での地動説撤回に幻滅した弟子が「英雄を持たない国は不幸だ！」と叫ぶのを耳にした主人公に、「英雄を必要とする国が不幸なのだ」と応えさせた。ここにはもちろん、英雄など必要としない幸福な時代の到来を待ち望む思いを読み取ることができる。しかし同時にここで含意されているのは、不幸な時代においては――怖ろしいことに――英雄が求められざるをえないこと、そうした求めに応じ、誰かが英雄とならざるをえないということでもある。そしてアトス息子は、まさにこの英雄の要請を理解したために沈黙を選んだのだった。広場を去るに先立ち、彼は以下の言葉を口にする――「ひとりの人間はすべての人間からできている。彼はすべての人びとと同じ価値を持ち、すべての人びとが彼と同じ価値を持つ」。サルトル『言葉』末尾からのこの引用文は、著者の意図を離れ、英雄をつくるのは人民にほかならないということを確認するために用いられているように見える。タラの人びとみなが、蜘蛛の策略の基本的な構成要素をなしているのであってみれば、神話破壊に何の意味があろう。アトス父はまさしく、「真実は何も意味しない」と断じていた。そしてベルトルッチは八二年初版刊行の『母なる光景』で、「裏切りも、スターリン主義も、歴史的必然だった」と語っている。かつて「唯物史観」に依拠する各国共産党の人びとは、自陣営の勝利をこの「歴史的必然」の語を用いて大いに喧伝したものだ。しかしこの党員映画作家は、同じ必然性の感覚に支えられながら、過去の暗い逸話への執着に意味を与えていた。それゆえこの作品は、「脱神話化の諸矛盾についての映画」（『インタヴュー集』）として定義されるのだ。しかも同じ機会にベルトルッチは、「怖ろしい、狂暴でさえある映画」だという『暗殺の森』と対比して、このように語っている――「『蜘蛛』には一種の幸福感があります。完全に閉ざされた世界」。欺瞞に根拠を置くこのいかがわしい世界は、抗しがたい魅惑の源泉でもある。

4 禁じられた閉域への滞留

しかしだからといって、この魅惑的な土地が「死者の王国」であることに変わりはない。そして「歴史的必然」を語る先に引いた言葉のあとには、直ちに次の重大な補足が続く――「(しかしほんとうでしょうか?)」こうして結局のところ、すべては曖昧なままにとどまる。この曖昧さが、七六年の『ノヴェチェント』における二〇世紀――「一九〇〇年」と誤訳されている原題の意味するところはこれだ――の歴史の彼なりの提示にもどのように浸透しているのか、もはや語る紙幅はない。いずれにせよ、『暗殺のオペラ』において明確に主題化された閉鎖的空間への両義的な滞留は、以後、『孤独な天使たち』(二〇一二年)に至るまで、ベルトルッチ作品の中心に置かれ続けるだろう。解放の望みはないのか?「もちろんあると思う」――『ラスト・タンゴ・イン・パリ』(七二年)公開時の彼は答える。「しかしわたしは、解放それ自体よりも解放に向かうプロセスを描くことに興味があるのです」(前掲『ローリング・ストーン』)。タラに張り巡らされた策略の糸は、おそらく、わたしたちの現在をもとらえている。

初出　『図書新聞』（武久出版）二〇一八年八月一一日・三三六三号。

「世の中の裂け目」はいつだって開く
――小沢健二が帰ってきた

0 『So kakkoii 宇宙』についての付記

二〇一九年一一月一三日、小沢健二のほんとうに久しぶりのアルバム、『So kakkoii 宇宙』がわたしたちに届けられた。「そして時は２０２０」と歌いだされた新しい年の訪れに合わせ、『図書新聞』二〇一八年四月一四日・三三四七号へのわたしの寄稿、「「世の中の裂け目」はいつだって開く」を以下に転載する。宇野維正『小沢健二の帰還』（岩波書店、二〇一七年）刊行を受けて書かれた本稿は、同書の論述に促されつつ、わたしなりの観点からこの類まれな「ミュージシャン、作文家」を論じたものだ。この必読の導入の書を著された宇野氏、適切極まりない著者を適切極まりないタイミングで説得し出版への道筋をつけた岩波書店の渡部朝香氏、そして一万一千字を超えるわたしの原稿を当時豪胆に受け入れ、今回転載を快く許可してくださった

『図書新聞』の須藤巧氏に、改めて敬意と感謝の意を表したい。
転載に先立ち、以下に新アルバムの印象を簡単に記すことにする。

＊＊＊＊＊＊＊＊＊

一三年ぶりの全国ツアーとして二〇一〇年五・六月に行われ、「帰還」への第一歩となった「ひふみよ」では、アンコールで歌われた「愛し愛されて生きるのさ」の英語詞部分が「我ら時をゆく」と言い換えられていた。ライヴ音源に新旧の文章作品（「ドゥワッチャライク 1994-1997」、「うさぎ！ 2010-2011」）他を併せた作品集が『我ら、時』（二〇一二年）と名付けられたことからも、ここに重要なテーマがあることは明らかだ。じっさい、突然の渡米と活動の極端な縮小ないし方向転換を経て日本のポップミュージック・シーンに帰ってくる過程で、小沢健二が直面したのは自分が、そして自分を含む人びと――「我ら」――が、どのような時間を生きているのか、どのような時間をともに生きていけるのかという問題だったのだと思う。

極東の列島で紛れもないスターとして生きた一九九〇年代の過去を、本人のツイートから表現を借りるなら、まずは「NYC男子」として、ついで「南米男子」として（@iamOzawaKenji, 2019.11.4）過ごした21世紀の現在とどのように結びつけ、かつての聴き手と新たな聴き手とともに、どのような未来を展望していくのか。英語タイトル *So Kakkoii Pluriverse* に即してミュージシャン自身が明らかにしているように（@iamOzawaKenji, 2019.11.14）、今回のアルバムで歌われる「宇宙」は根本的な多元性を特徴としているのだけれど、こうして強調される多元性は、この時間の意識に関わっている。

『So kakkoii 宇宙』の冒頭に置かれた「彗星」では、二〇二〇年を目前に控えた二〇一九年冬の現在が、一九九五年という過去からの時の流れのなかに置かれる。「笑い声と音楽の青春の日々」を経た今。わたしたちの現在は、過去の経験と記憶によって二重化されている。もっとも、この最初の曲では大体のところ、過去と現在の連続性が肯定され祝福されているように見える（「はるか遠い昔　湧き出した美しさは　ここに」／「グラス高くかかげ　思いっきり祝いたいよね」）。

けれど二曲目の「流動体について」では、わたしたちが生きている現在が、過去にはらまれていたいくつもの可能性のひとつにすぎないことが強調される。この現在は、別のものでもありえた。例えば、一曲目で言及されていた「今遠くにいるあのひと」との関係が続いていたら、「子どもたちも違う子たち」だったはずだ（愛する長男の写真をジャケットに掲げたアルバムでこういうことを歌っているのがすごい）。わたしたちの現在は、過去との関係でばかりではなく、つねに「並行する世界」と隣り合っているという理由でも、二重のものになっている。

四曲目の「失敗がいっぱい」で言われるように「失敗のはじまりを反省する時」はもちろんのこと、「流動体について」で回想されるように、この今が「間違いに気がつくこと」の結果として選び取られたものだった場合にさえ、わたしたちは取り替えの効かない現在を生きながらも、並行世界のもうひとつの現在を時に思わずにはいない。そんなわたしたちは、決してたどり着くことができないこのもうひとつの現在を押しのけるようにして、やがて訪れるはずの未来を思い描き、それによって今ここを二重化することで自分を励ましている。

この未来という次元は、一曲目(「高まる波 近づいてる」)でも二曲目(「確かな約束」)でも決定的な意味を持っていたけれども、三曲目の「フクロウの声が聞こえる」で繰り返される「いつか」によって改めて主題化されて、以後、「失敗がいっぱい」以外の全曲の展開のなかで、多少とも中心的な役割を果たしていく。

「フクロウ」で展望されたのよりもずっと間近なものとしての未来が、「今もう少しで」訪れることを待ち望む五曲目の「いちごが染まる」。「汚れた僕ら」が「魔法のトンネルの先」で再生されることを歌う六曲目の「アルペジオ」。「願い」が成就する「確かな時」に捧げられた祈りのような七曲目の「神秘的」。八曲目の「高い塔」の歌い手は、まさにその「神秘」と連れ立って「0から無限大のほうへ」と旅立つ。九曲目の「シナモン」では、「ゆっくりと進む海賊船」が「君と僕の約束を乗せ」て「夜の終わり」へと向かう。その時が来れば、「涙は乾くのだ。

そして十曲目の「薫る」。「フクロウの声が聞こえる」の「いつか」、「いちごが染まる」の「今もう少しで」と呼び交わすようにして、この最後の曲では世界が「もう少しで」その表情を変えることが何度も予告される。わたしたちの現在は、来たるべき時の予感をはらみ、「未来の虹」

と「未来の神秘」に照らされている。

けれども、「薫る」で歌われるのは何より、この未来が現在の「労働と学業」によってこそ生み出されるということ、「毎日の技」が、日々に発揮される「好奇心」が、「偉大な宇宙」を薫らせ、「新しいもの」を「生み出していく」ということだ。わたしたちの毎日は決して、来たるべき時の訪れを待つだけの空虚な時間なのではない。

取り戻すことができない過去を抱え、別のものでありえた現在を並行世界として傍らに置き、未来の輝きを思うことで支えられているわたしたちの現在。『So kakkoii 宇宙』は、これら三つの次元によって多元化された現在を、それでも力強く肯定するためにつくられている。「今ここ」に生きることの「奇跡」を歌う「彗星」が冒頭に置かれているのは、まさにそのためだ。

もちろん、これまで見てきたことから明らかなように、小沢健二はこの「奇跡」によって現在から多元性を追放してしまうのではない。というかむしろ、そんなことは決してできないということを繰り返し表現する。だからこそ、「今ここにある　この暮らしこそが／宇宙だよ」という最初の曲の言葉を覆すようにして、続く「流動体について」では並行世界が導入されるのだし、「アルペジオ」では今を未来へと生き抜くための「僕」や「君」の弱さが強調され、「高い塔」では唐突に、ほとんど途方に暮れたようなつぶやきが口にされる。「生きることはいつの月日も難しくて／複雑で　不可解で／君の中で消えた炎とか／僕が失くしてしまったものとか／全部　答えがないけど」……。

こうした難しさそれ自体を主題にしたのが、四曲目の「失敗がいっぱい」だ。そしてそこでは、この難しさを克服するための処方箋も提示されている。「魂を救う」のは、日々の暮らしそれ自体なのだ。二〇〇六年のインストゥルメンタル・アルバムのタイトルを借りて「毎日の環境学」と名付けることもできそうなこの曲は、「毎日には　なおす力がある」のだと繰り返し言い聞かせる。

続く「いちごが染まる」で歌われるように、こうしてわたしたちは日々のたゆみない歩みのなかで失敗を癒やし、「一つの夜ごと／未来の方へ弾む」ことができる……のだろうか。この五曲目は、「今もう少しで」訪れる充実した未来への確信を美しく歌い上げているけれども、ほんとうのところはわからない。じっさい前曲では、「そんな日がくるような気はしないけど」として、「訪れる幸せ」の確実さが疑われていた。

そう、「確かな約束」と「確かな時」が歌われながらも、このアルバムには不安と弱さと迷いの率直な表現があちこちに散りばめられている。『So kakkoii 宇宙』が感動的なのは、これら二つの側面がお互いを打ち消すのではなく、むしろこの作品にしっかりとした現実の手応えを与え、時に——ミュージシャン本人に言わせれば、特に最後の二曲、「シナモン」と「薫る」（『AERA』二〇一九年二月十八日号）で——「へなちょこ」感を醸し出しつつも、というかまさにそのことによって、全体として力強い励ましに満ちた音楽を響かせていることだ。

「へなちょこ」という形容がしっくりくるかどうかは別として、一九九四年の『LIFE』もまた、同じような二面性に貫かれたアルバムだった。ひたすら陽性の作品として振り返られがちだけれど、実際には作中のそこここに、喪失と痛みが刻まれている。「彗星」で言及される一九九五年に出た一連のシングル収録曲についても同じことだ（特に、主題的な目配せが明らかな――十年前の「ひふみよ」でも冒頭で歌われた――「流星ビバップ」）。男女の愛にすべてを求めるような歌をつくることはなくなっても、わたしたちを「悩める時にも未来の世界に連れてく」（「愛し愛されて生きるのさ」）ような何かを、悩み迷う時間の切実さを大切にしながら、小沢健二は昔も今も歌っている。

それでは、二〇二〇年と一九九五年のあいだの時期、とりわけ『Eclectic』（二〇〇二年二月）と「うさぎ!」（二〇〇五年秋〜）によって代表される時期の小沢健二は何をしていたのか。以下の文章はそのことを主題にしている。一読されるなら、「やっぱり小沢健二さんなんだよなー」と、うさぎ少年ならずともつぶやかずにはいられないはずだと思う。

二〇二〇年一月一日　片岡大右

＊＊＊＊＊＊＊＊＊

1 「額縁に飾られた美文」対「強い意思」

「絵本の国には基地帝国の基地が八十八ヶ所もあって、絵本の国じたいの軍事費の額も数十年間、世界で三位から六位くらいで、世界屈指じゃない？ さらに国内に山と積まれた基地帝国の武器を加えたら、かなり軍事力ギンギンの国だよね。その国が「平和憲法を持った世界唯一の国だ」と言われても、困ってしまうよ」――「うさぎ！」第三一話（『子どもと昔話』五五号、二〇一三年四月）の後半部で、登場人物のひとり、きららは語る。15歳の少女はそこで、「友人たちもする言い方だから、嫌なことは言いたくないんだけど」と一応は配慮しつつも、「「我が国の宝、世界に誇る平和憲法」みたいな言い方」への違和感をあらわに表明する。

なぜだろうか。ひとつには、最初に引いた一節で示唆されているように、そうした言葉を口にする人びとが、軍事大国としての日本の実態に必ずしも敏感ではなく、現状を変えるための努力を行っているようには見えないことへのいら立ちがある。「欲しいのは平和憲法なのか、平和そのものなのか〔…〕。平和そのものが欲しいなら、憲法がどうでも、やるべきことはたくさんある」。

そして、このこととも関わるけれど、きららの反発のもっと大きな理由は、そうした人びとが、自分たちの主張の根拠を誰かが昔つくった条文に求めるばかりで、自分たちの力、新しい社会にかたちを与えていくための自分たち自身の意思の力を、十分に自覚し信じているようには思われないという点にあるようだ。「どうにかしたいから、鍋でも釜でも、怪しげな美文の入った額縁でも投げつける」ということなら、わからなくもない。そんな風に譲歩しつつもやはり、きららは、トゥラルパンは、うさぎは、そしておそらくこの奇妙な童話の作者自身も、現実を変えていく意思の力よりも「額縁に飾られた美文」の保守に根拠を置いた「絵本の国」の人びとの戦いぶりを、多少とも残念なものに感じている（なお、小沢健二が戦後日本の再建を「平和憲法」に象徴させるたぐいの物語を決定的に相対化する観点に立っていることは、それを「戦前の「大東亜共栄圏」に近いもの」の米国主導下での構築として捉え直す第三四話〜第三六話を読むとよくわかる）。

対比的に、いくぶんかの挑発を込めて引き合いに出されるのが、「基地帝国」の権力者たちの確信に満ちた振舞いだ。「権力者たちは戦う〔…〕。憲法の言葉なんか、気にしないで。現実は意思が、強い意思がつくっていくものだと、知っているから」。この第三一話の前半部は、その実例の提示に割かれている。きららはそこで、一か月を過ごした「南国市」ことマイアミでの経験を語る。彼女が滞在したのは、海辺から「有料の橋」を渡った先にある「X島」だという。広告がいっさいなく、だから「一つ一つの存在の美しさがきわ立って見える」この島は、「基地帝国でも一番のお金持ちの人たちが住む地域の一つ」だ。

「普通なら規制に文句をつける側」の、彼ら「ビジネス界の権力者たち」は、自分たちの住む場所を「視界汚染」から守るためなら、言論の自由に抵触し憲法違反となるレベルの広告規制を決然と推し進める。「X島の協議会の委員は選挙で選ばれるんだけど、プロの政治家は一人もいない。委員には給料も、経費も出ない。住民がおこづかいで集まって政治をする。権力者で大金持ちである住民たちは、小さな島を独立した自治体にして、アマチュア政治家として、誰に借りもなしで、本音で怒ったり泣いたりしながら、自分たちの生活環境を決めていくわけ。」彼らは「世の中の自然な流れ」など信じないし、だから「普通の人」の物わかりのよい断念とは無縁だ。「権力者たち、例えばX島の住人たちは、「仕方がない」なんて風に諦めることは、絶対にないの。彼らはガンガン戦って、意思を押し通すんだよ。現実とは、仕組みだろうが法律だろうが乗り越えて、意思でつくっていくものだと、知ってるから。「広告規制は憲法違反？だから何？　うちの周りに看板立つの、嫌だもん」くらいのことなんだよ」。

二〇一八年の今、この一節に立ち返ることで想起されるのは、たとえば、米国の著名投資家カール・アイカーン――マイアミのビスケーン湾内に浮かぶ「ゲイティッド・コミュニティ」、米国の最富裕地域のひとつインディアン・クリーク島の住人である――の、トランプ政権入りのエピソードだ。当初財務長官就任を打診された彼は結局、規制改革担当の顧問役を、無報酬で引き受けた（利益相反の批判を前にやがて辞任したけれど）。よく知られているように、トランプ自身も大統領給与の受け取りを拒否している。自分たちの望む社会を自分たちでデザインし実現していく、アマチュア政治家となってそうした意思にかたちを与えられるなら報酬などいらないというX島の流儀は、かなりの程度、トランプ政権の流儀でもあるわけだ。そして最近でも共和党と民主党の選択をペプシとコカ・コーラの選択に喩え続けている小沢健二は（『Poppin

Flag』、二〇一八年二月二一日）、それを以前からの米国政治全般の流儀に通じるものと考えている。

きららの発言に戻るなら、ここでの主旨はもちろん、意思を現実のものにしていく力は政財界の「権力者」だけではなく、「普通の人」にだって備わっていることの強調にある。「あたしたちも、権力者たちに比べると力が極小なだけで、やっぱり同じ力は持ってるんだよ。だし、世の中も少しずつ変えてるの」……。そのことを自覚し誇りに思うなら、自分たちの意思よりも前に「額縁に飾られた美文」を置くような発想には、やはり不満が残るのである。

2『小沢健二の帰還』が教えてくれること

それにしても、富裕層の豪邸が立ち並ぶこうしたコミュニティには、気安く立ち入れないものもあるはずだ。じっさい、日本語でウェブ検索してみると、歌手のビヨンセが上記のアイカーンと同じインディアン・クリークに保有していた豪邸（二〇一〇年に売却）に関連して、ヘリコプター・ツアーに参加すれば見学できるという情報が出てくる。遊覧クルーズやヘリコプター・ツアーで外から眺めることしかできないこうした島であれば、きららは――そしてこの少女の報告に素材を提供したはずの作者自身は――、どうやって島内をのんびりと散策する日々を過ごし、氾濫する広告から身を守る必要から解放されて、「ずーっと長い時間、感じる能力を開いたまま」にする「快感」を味わうことができたのだろう。

そんな風に自問する「うさぎ！」の読者は、もしその人が二〇一〇年の「ひふみよ」ツアーに参加していたか、そうでなくても『我ら、時』（二〇一二年）に収められたその記録に耳を傾けたことがあるなら、そこで朗読されたモノローグのひとつを思い出すことができた。「歌は同じ」と題されたこのモノローグでは、「スニーカーなんか、二回履いたら捨てるものだ、と言う」大金持ちのニューヨークの友人のことが語られている。「彼から見ると、毎日箱から出したてのフレッシュなスニーカーを履けない貧乏人なんか、かっこ悪い、かわいそうな存在だというのだ」、等々。なるほど、こうした富裕層の友人との交流が、第三一話のエピソードを生み出したのかもしれない。わたしたちは、そんな風にぼんやりと想い描くことができた。二〇一六年までは。

というのも、この年の初夏のツアー「魔法的」は、問題の島について、もはや憶測の余地を残さないだけの情報をもたらしてくれたからだ。このツアーで販売された書籍には、「愉しい広告」四部作と題して、「うさぎ！」第三〇話～第三三話が収められた。そして全七曲の新曲のうちのひとつは、X島のエピソードに目配せするかのように、「冬のマイアミ」を舞台としていた。

冒頭の歌詞はこうだ――「リッケンバッカー橋を渡ると街はピンク色／着飾った友人たちお祝いのボトルをPOPしてくれる／本当に誕生するのはパパとママのほうで／少年と少女の存在はベイビーたちが続けていくよ」（「涙は透明な血なのか？（サメが来ないうちに）」）。リッケンバッカー・コーズウェイの先にあるキー・ビスケーン島は、独立した自治体となっている。「うさぎ！」第三一話で引かれる看板規制の文言は、ウェブで公開されているこの村の条例（三〇節一九二項）の文言と一致する。となると、X島とはキー・ビスケーン島のことで間違いない。

さらにこの歌は、滞在の理由も教えてくれる。ここにあるのはウェディングの情景だ。出産を控えているらしい女性との結婚が、夫婦となる二人の「パパとママ」としての生まれ直しとして歌われている。思えば、小沢健二は、二〇一二年のクリスマスに「妻の話」を公式ウェブサイト「ひふみよ」で公開し、結婚と妻の妊娠について明らかにしていた。だからつまりは、「冬のマイアミ」、より正確にはキー・ビスケーン島で挙式し、間もなくそのことをウェブサイトで報告する一方、この富裕層の住む島の印象とそれに促されての考察を、翌年春に雑誌掲載された物語で登場人物に託して語らせた、そして数年後のツアーで、それらすべてに立ち返ってみたというわけなのだろう。いずれにせよ、高級リゾート地として知られるこの島は、インディアン・クリークのように閉ざされた土地ではないのだから、ビヨンセの豪邸や小沢健二自身の大金持ちの友人のことをあれこれ考えてみたのは、わたしたちの無駄な思い込みにすぎなかったということになりそうだ。

しかし宇野維正『小沢健二の帰還』の読書は、こうした漠たる想像が、まるっきり無意味でもなかったことを教えてくれる。本書によるなら（第三章）、二〇〇二年二月に五年四か月ぶりのアルバム『Eclectic』を発売したものの、いくつかの媒体を通してニューヨークから言葉少なに近況を伝えるにとどまったミュージシャンは、同年五月にはジェイ・Zの来日公演に同行し、ひそかに「日本滞在のアテンド」役を務めていたのだという。そして著者は、「一部の人々の間でまるで都市伝説のように語り継がれていくだけだった」この一時帰国のエピソードを、今では消滅した公式ブログを含む当時の発言と照らし合わせることで、「Jay-Zがいるような場所に出入り」していたパーティー・ライフの日々を浮びあがらせる。「史上最も成功したラッパー」にしてやがて実業家としても頂点を極めることになるこの「東海岸のヒップホップ界の顔役」は、当時から交際していたビヨンセと二〇〇八年に結婚するのだが、『フォーブス』誌が毎年発表する「最も稼いだセレブカップル」ランキングで何度も一位を獲得しているこの二人は、先ほど触れたように、インディアン・クリークに豪邸を構えたこともあった。小沢健二が「うさぎ!」の登場人物たちを通して展開する考察の背景には、結局のところ、近年の「基地帝国」での最大の成功者のひとりに数えられるジェイ・Zを含めた富裕層の生活実感に多少とも間近で触れることができた経験が、多少なりとも存在しているのだ。

しかもそれだけではない。『小沢健二の帰還』はまた、ジェイ・Zの来日公演に同行した二〇〇二年五月の直前、四月の小沢健二が、アルゼンチン——前年の経済危機以後の混乱のさなかにあった——とブラジルへの滞在について、今ではアクセスできない当時のブログに書き記していたことを教えてくれる。「ブエノスアイレスにいます。〔…〕何を考えているかというと、一つの国の経済状態がその国の人々の心理に及ぼす影響はすごいなあ、とかいう当たり前のことです。でもそれが本当に一個人の、全く個人的な感情とかに直結するのを目の当たりにすると、経済とか社会とかいう化け物のようなものをもろに感じるというか」（第四章に引用）……。他の情報と総合して著者が推測するところによれば、まさにこの頃から、ニューヨークを拠点とした間欠的な放浪の日々――中南米、アフリカ、アジアの諸国への――が始まったらしい。

おそらく当初から旅を共にしていたのだろう現在の妻、エリザベス・コールは――先ほど触れた小沢健二自身の紹介文に従うと――、プレップ・スクールからアイビー・リーグへという紛れもない米国エスタブリッシュメントの経歴を持ちつつ、有力メキシコ紙『ラ・ホルナダ』と契約した写真家・ジャーナリストとして活動してきた人だ。小沢が例示するリンク先を読むなら、そこでは、あるいはメキシコと国境を接するアリゾナ州の強硬な移民政策が告発され、あるいは、メキシコ麻薬戦争の凄惨な犠牲を訴える「平和のキャラバン」の取材記事では、米国入りした犠牲者の親族らがハーレムのアフリカ系・ラテン系コミュニティと出会い、警察の不当な暴力への憤りを共有する一方、ウォール街での資金洗浄に抗議したのちズコッティ公園を訪問し、「人間マイク」による通訳を介してウォール街占拠の活動家らと交流する様子が印象深く伝えられている（「妻の話」）。『ラ・ホルナダ』は、ウォール街占拠の運動が盛り上がった二〇一一年秋の一連の報道で（たとえばナオミ・クラインの寄稿「世界で最も重要な出来事」、十月一六日）、エリザベス・コールの写真を用いている。また彼女は『子どもと昔話』の連載では、写真に自分自身の言葉を添えて、「体で投票をしに来た」彼ら占拠者たちの動向を伝えている（五〇号、二〇一二年)。

遠目には突然の動きのように見えたこの「オキュパイ」の運動の背景には、「うさぎ!」第四〇話と第四一話(二〇一五・二〇一六年)で紹介される「ゼロ年代のDIYアクティヴィズム」があった。『装苑』二〇一二年八月号掲載の「うさぎ!」番外編に登場する「アナキストの女の子」アナも、この流れに属するひとりだ。一五歳のうさぎ少年と同様、小沢健二とエリザベス・コールの二人もおそらく、自ら本格的にコミットすることはないままに、この動きに与する多くの友人を持っているのだと思う。

ではこのコミュニティとその周辺の人間関係は、「Jay-Zがいるような場所に出入り」する人びとの世界と、どの程度重なりあっているのだろう。これらは、ただ小沢健二ひとりの存在によって偶然つながっただけの二つの独立した宇宙なのか、それとも、もう少し相互に浸透しあうところがあるのか。それはわからない。けれどもこうして、少なくとも、「うさぎ!」の連載や「ひふみよ」掲載の文章を熱心に読み、そこで得たものを『小沢健二の帰還』の読書によって補完するならば、わたしたちはわたしたちの音楽家が、一九九七年暮れから翌年初めにかけての時期にニューヨーク住まいを始めてわずか数年のあいだに、この大都市をいかに濃密に、複雑に、重層的に生きることができたのかを、たしかな手触りをもって感じ取ることができる。

3「ミュージシャン、作文家」に立ち向かう音楽ジャーナリスト

言うまでもないことだが、地上波キー局へのテレビ出演によって事柄の軽重を判断するたぐいの文化的感性と無縁な人びとの少なからずは、一九年ぶりのニューシングル『流動体について c/w 神秘的』の発売が告知されたただちに店頭に並び、畳みかけるようにメディア露出が展開された二〇一七年二月以前にあっても、二一世紀における小沢健二の存在と活動を、持続的ないし断続的に意識に浮上させながら日々を過ごしてきた。しかし『小沢健二の帰還』は、二十年近い「空白期」における小沢健二の現前を、最も切実に感じてきた人びとのうち二人によって生み出された書物だ。本書を縁取る「はじめに」と「おわりに」の両方に登場する渡部朝香は――最近は「WEBRONZA」で書評家としての才能を発揮してもいるこの編集者が、担当書のひとつの帯に「眩い筆致で綴られた、魔法的な街の記憶」(福嶋伸洋『リオデジャネイロに降る雪』、強調引用者)との文言を踊らせているのを見るだけでも、傾倒の深さは推察されるけれど――、「今回は小沢健二の活動全体に関する知見と理解が、他の編集者とまったく違っていた」(はじめに)という感嘆を引き出すことで、他の出版社からの打診には応じなかった著者を執筆へと導いた。そして本書の著者、宇野維正はと言えば、「音楽業界でも仕事をしながら、自分で自分に呆れるくらいただの「小沢健二ファン」となっていったこの十数年間」(おわりに)を過ごした結果、「少なくとも文章を書くことを仕事にしている人間で、自分ほど熱心に、継続的に、小沢健二の言

動を追いかけ続けてきた人間は他にいないはずだ」（はじめに）と断言できるだけの知見を得るに至った音楽ジャーナリストだ。

「音楽家であるだけでなく、卓越した言葉の表現者」でもある存在（はじめに）、あの素晴らしい『アイスクリームが溶けてしまう前に』（小沢健二と日米恐怖学会、福音館書店、二〇一七年）刊行後は「ミュージシャン、作文家」と称し、書くことが自らの活動の不可欠の一側面であることを強く打ち出すようになった小沢健二について本を書くこと。これはなかなかに覚悟を要する企てであるにちがいない。「僕はその、例えば東大文学部卒とか、そういうプロフィールとか必ず出てるんだけど、それは別物で「いやぁ東大なんか関係ないよ」っていうのでやってないんですね。もうメッチャメチャ東大文学部卒のそのまんまでやってんですよ」（『TK MUSIC CLAMP』、一九九五年五月一七日）――かつての彼はこのように語ったものだが、ここに読み取るべきはもちろん学歴自慢ではない。ここでは「東大」にもまして「文学部」が重要なのであって、つまりこの発言から窺えるのは、この傑出した音楽家にとっての「文学」の価値の重みだ（なお大学時代の充実した勉強ぶりについては、『レ・スペック』一九九二年一一月号掲載の柴田元幸との対談を参照のこと）。じっさい小沢健二は、久しぶりのテレビ出演のひとつで初期の音楽活動について、「そもそも文学が好きでそれの出し口が音楽になって〔…〕」と振り返っている（『バズリズム』、二〇一七年三月十日）。今日の彼が「ドゥワッチャライク」と「うさぎ！」という新旧の連載作と並び、自らの代表的「作文作品」として挙げる「赤い山から銀貨が出てくる」（『モンキー』第六号、二〇一五年）はぜひとも読まれるべき驚きを秘めた傑作だけれど、ある意味では「音楽作品」を含めた活動の全体が、小沢健二というひとつの文学的事件を構成しているのだ。そんな存在について本を書くこと。なるほどこれは、「もし勝ち負けで言うなら、それは絶対に勝てる見込みのない勝負に挑むようなもの」（はじめに）というほかない。そしてもちろん『小沢健二の帰還』の著者は、「作文家」の仕事に文章の力において匹敵する本をつくろうなどという野心に駆り立てられて、執筆を引き受けたのではなかった。

音楽ジャーナリストを突き動かしたのは、別の野心である。宇野維正は、最初の著書となった『1998年の宇多田ヒカル』（新潮新書、二〇一六年）においてすでに、「ミュージシャンの肉声」重視の音楽ジャーナリズムのありかた――それはかつて彼自身が社員として過ごした、ロッキング・オン社が打ち立てた伝統だ――を相対化する必要性を説いていた。なぜなら、「「語られなかったこと」と「訊かれなかったこと」に興味深い真実が隠されている」からだ。続く共著『くるりのこと』（新潮社、二〇一六年〔のち新潮文庫、二〇一九年〕）は、バンドのメンバーと「親しすぎない」という利点を活かし、「客観性と相対性」を保ちつつ行われたインタヴューの記録である。アーティスト自身の言葉に丹念に付き合いながらも一定の距離を置き、緊張感をもって、ゴシップの低俗性に陥らないよう配慮するのは当然としてもしがらみにとらわれることなく、実像を浮びあがらせていくこと。このような姿勢を貫いている音楽ジャーナリストにとって、小沢健二の「空白期」の探究が、このうえなく取り組みがいのある企てに思えたのは当然だろう。その成果の判断は、個々の読者に委ねられている。しかしおそらく、以後、小沢健二が紡いできた言葉に向き合おうとする最も熱心な試みも、本書を無視することはできないだろう。本稿のこれまでの叙述は、そのことを証明しえていることと思う。

4『Eclectic』をどう聴くか

読者は本書のページをめくりながら、あるいは自分自身の小沢健二体験の記憶をたどり直し、あるいは著者の記述に促されて新たな探究に乗り出す。思いもかけない指摘に新たな認識を得ることもあれば、以前からの理解を確認し深化させることも、さらにまた、時には、解釈の相違に行き当たることもあるだろう。たとえば本稿の筆者の場合、『Eclectic』――最も好きなアルバムである――について、「底なしの孤独感、深い喪失感」（第二章）を強調する本書の観点には、半分しか同意することができなかった。ということはつまり、半分は同意しているわけであって、じっさい、この作品のなかに「いくつかの喪失」を、そしてとりわけ「9・11の影」を読み取るときの著者に反対することなど、誰にもできないだろう。

しかし『Eclectic』全編を貫く官能の手触りは、深い憂鬱の気配に伴われてはいても、あるいはそれゆえにかえって、生のこのうえなく力強い肯定の響きを感じさせる。そのこととも関わるけれど、本作にあって愛の官能的・肉体的次元が思い切り強調されているのはたしかだとしても、追求されているのはやはり愛なのであって、官能のきらめきはここで、刹那的な快楽の地平にとどまっているのではなく、むしろ未来へと続く何かであるように思われるのだ。作中で「あなた」が「穢れのない魔法使い」と呼びかけられ（「麝香」）、「神様」の導きにより知り合った「あなた」の「大きな心」が歌われて、「その輝きにつつまれた」自分自身が想い描かれる（「今夜はブギーバック／あの大きな心」）のを見るなら、ここにはやはり──わたしたちの音楽家の一九八歳年長のドイツの詩人だったら、「おお、あなた、天の使い」（ディオティーマ頌歌のひとつ）とでも呼びかけそうな勢いが感じられるのであって──、ある決定的な出会い、未来への扉を開く運命的な出来事を想像したい気持ちになる。じっさい、「あなた」の瞳から発せられる「軽い衝撃波」を受けて、歌われるのはこうした言葉だ──「1つの魔法を　あなたに返すよ／値段のないおくり物／それは　未来への魔法」（「1つの魔法（終わりのない愛しさを与え）」）。

少なくとも本稿の筆者は、二〇〇二年以来ずっと、この美しい作品をこんな風に聴いてきた。そして『小沢健二の帰還』の読書によって、アルバム発売直後の南米旅行──おそらくは未来の妻に伴われた──について教えられた今、『Eclectic』の最も素朴で単純で、たぶん美しい聴き方は、「9・11の影」のもと、世界各地への放浪生活を始めるに先立って、これらの旅の──そして今後の人生の──パートナーとなるエリザベス・コールとの出会いを作品化したものとしてそれを聴くことだと考えている。もちろん、実際のところはわからない。人生の成り行きは必ずしもつねに、素朴で単純で美しい解釈に適ったものではないのだから。しかしいずれにせよたしかなのは、『小沢健二の帰還』が、著者の主張に全面的には同意しない場合にさえ、読者が自分なりのやり方で小沢健二を聴き、読み、理解していくための有益な対話相手となってくれるということだ。本書がこの類まれな「ミュージシャン、作文家」に関心を抱くすべての人の手元に置かれるべき著作である所以だ。

5「こうじゃない世界」の可能性と実在

ともあれ、こうして始まった放浪の日々のなか、「うさぎ！」の連載が開始され（二〇〇五年秋）、またエリザベス・コールと共同で製作した映画『おばさんたちが案内する未来の世界』の上映の集いが、日本各地で持たれた（二〇〇七年）。そこで説かれたのは、一方では「灰色」の支配の執拗さと巧妙さであり、しかしまた他方では、そこから逃れ去ることの可能性、とりわけ南米諸国の経験を通して生き生きと感じられる、「こうじゃない世界にできる」（「小沢健二に聞く」、「ひふみよ」二〇一〇年一月一九日）という変化への予兆だった。こうした活動はたしかに、「間違い」（「流動体について」）に気づいて日本を離れた小沢健二が、渡米後に獲得した新たな認識なしでは可能にならなかっただろう。

それでも、「やっぱり小沢健二さんなんだよなー」とうさぎはつぶやく。彼を主人公として書き継がれる一連の物語は、「以前の音楽とか書き物とかと、明らかにつながっているというか、完全に一体のもの」だというのだ（第二二話、本書第五章に引用）。以前の書き物とは何より、『オリーブ』の名物連載だった「ドゥワッチャライク」（一九九四〜九七年）を指しているが、『我ら、時（「通常版」ではないほう）に収録されたこの連載の抜粋版を、同時収録の「うさぎ！ 2010-2011」と読み比べるなら、少年の印象の正しさがただちに実感される。「昼日本」と並行して存在する「夜日本」の伝説のうちに、「くつろぎのコックピット」を形成し「一人の世界」に入り込む人びとや自ら「人間コックピット」と化す人びとのうちに、「本に載せる服の値段の上限」を設定することで「今が勝負！ 今年のシャネル！」、「ぜったい欲しい！ 春のプラダはお嬢さまセクシー！」といったたぐいのコピーを自らに禁じ、それらの代わりに「見つけたよ、春のジーンズ・スタイル」と表紙に書く『オリーブ』のうちに、一九九〇年代の小沢健二は「こうじゃない世界」の手触りを感じ取り、熱っぽく読者に伝えようとしていた。こうした感性が、渡米後の知見の広がりをはるかに準備するとともに、今日の「帰還」のたしかな基盤ともなっている。だからこそ小沢健二は、「新しい友人たちだけでなく、「うさぎ！」を通じて古い友人たちと新しい気持ちでまた会えたこと」（「うさぎ！」第二六話、本書第四章に引用）を、喜びをもって確認することができたのだと思う。

二〇〇三年夏のアメリカ北東部大停電の経験を振り返って――『災害ユートピア』（亜紀書房、二〇一〇年）のレベッカ・ソルニットはこの時の人びとの助け合いのうちに、「地獄から入るパラダイス」のひとつの例を認めたのだったが――、「ひふみよ」ツアー（二〇一〇年五・六月）のモノローグではこのように語られた。「いつも同じ感じで進んでいく世の中で、ある全然ちがう世の中が見える。一瞬だけ、全然ちがうぼくらのありかたが見える。明日は電気が復旧して、また、元の生活が帰ってくる。けれど、今夜だけは、ぼくらは全然ちがう世界で時を過ごす。そして、元の生活に戻っても、世の中の裂け目で、一瞬だけ見たもの、聞いたものは消えない」（「闇」）。もちろん「こうじゃない世界」は、ただ災害のような出来事によってひととき現出するばかりではない。「世の中の裂け目」は、普段の生活のただなかにも、そこここに見え隠れしている。ただ人びとがそれに気づかないか、気づこうとしないだけだ。「そう、世の中の裂け目、あるんですよ。意外なところに」（「東京の街が奏でる」、「ひふみよ」二〇一一年一一月二九日）。小沢健二は、それらの裂け目を、また、「引っ張ったら世の中がほどけ」（同）そうなほつれ目を見つけ、ここにある、ほら、あそこにも、と指し示すために、わたしたちのもとに帰ってきた。「時間軸を曲げて」。

初出『図書新聞』（武久出版）二〇一八年四月一四日・三三四七号。宇野維正『小沢健二の帰還』の書評として書かれた。冒頭の「付記」は以文社ウェブサイトへの転載時（二〇二〇年一月五日）に追加された。

人生の時間とその後
——展覧会「クリスチャン・ボルタンスキー Lifetime」に寄せて

0 長崎県美術館での展示についての付記

以下に読まれるのは、『図書新聞』二〇一九年八月一七日・第三四一二号の一・二面に掲載された「人生の時間とその後——あらゆることが起こりうるのだということを知っている芸術家、クリスチャン・ボルタンスキー／「クリスチャン・ボルタンスキー——Lifetime」展（国立新美術館）に寄せて」を、同紙の許可を得て転載するものである（作品の出展に関する事実関係を二点修正）。

大阪・国立国際美術館（二〇一九年二月九日〜五月六日）から始まったこの美術家の大回顧展は、東京・国立新美術館（六月一二日〜九月二日）へと巡回したのち、十月一八日より第三の会場、長崎県美術館に移っている（二〇二〇年一月五日まで）。本稿は、東京会場の作品配置に沿った展覧会評のかたちを取りつつ、この類まれな芸術家の軌跡を、ボルタンスキー家の特異な歴史と二人の兄、とりわけ次兄の社会学者リュックとの関係を折りに触れ強調しながら提示しようと試みたものだが、「Lifetime」展の長崎への巡回に合わせてウェブ掲載するに当たり、この最後の会場の展示風景について、先立つ二会場との対比において、若干の感想を書き留めておきたい。

両者と比べるなら、長崎会場の展示は、何よりひとつの不在によって特徴づけられる。大阪と東京では入口近くに配されていた最初期（一九六九年）の映像作品《咳をする男》（東京では同時期の《舐める男》と併映）が、取り除かれているのだ。言語学者となった長兄ジャン＝エリーが激しく咳き込み血反吐を吐く様子をひたすらとらえたこの数分間の短編映画は、好悪も評価も超えたところでとにかく見る者聞く者に強い印象を与えずにはいない作品で、大阪でも東京でも、鑑賞者の注意を引きつけ盛んに言及されることになった。けれども、この作品におけるあらわな表現主義は以後に引き継がれることはないのだから、芸術家のその後の展開を尊重する限りにおいて、まっさきに《咳をする男》を語る人びとがこれほど多いというのは、いささか均衡を欠いた矛盾的状況だといえなくもない。とはいえ、本稿で強調されるように、「センチメンタル・ミニマリスト」を自称するボルタンスキーの芸術が、最初期とは方法を変えつつも一貫して、感情という同じ人間的次元に向き合ってきたことは事実だ。だからこそ彼は、この未熟な、というべき初期作品をあえて回顧展の入り口に置き、自らの出発点を再確認しようとしたのだと思われる。長崎におけるその不在は、その意味では残念なことだ。しかし見方を変えるなら、全体の均衡を逸するほどに強烈な《咳をする男》(と《舐める男》)の印象にとらわれることなく展示に向き合えるということでもある。

国立新美術館では、鑑賞者は会場入口で、《心臓音》の響きとともに不穏な咳き込みに迎えられた(なお大阪では、この映像作品の音声はヘッドホンで聞くようになっていた)。長崎県美術館では、入口付近ですでに、心臓の鼓動と鈴の音——二点の《アニミタス》から発せられる——の交響が、訪れる人びとを包み込んでいる。「すでに」、というのは、先行二会場では数百の風鈴の合奏が鑑賞者の耳を奪うのは順路の半ば以降のことにすぎなかったからだ。長崎でも《アニミタス》二点は順路後半に置かれているのだが、展示室が入口に近いために、音だけは聞こえてくるのである。こうした意味で、比較的小規模な空間内に作品を——なお出品点数自体は他会場と同水準——凝集させたこの最後の会場では、最初期からの展開をたどるという観点が多少とも周縁化される一方で、冒頭からボルタンスキー芸術の一種の総合的イメージが提示されているように思われる。

なお、長崎での展示初日に行われたアーティスト・トークで、ボルタンスキーは本稿の筆者の質問に答えて、《咳をする男》(と《舐める男》)の不在が会場の規模の小ささに起因していること、そのためより最近の作品への集中を選んだことを証言したのち、これら最初期の映像作品と以後の作品の関係について語った。「ずっとずっと前につくられた」これらの作品は「大好き」なのだが、しかしその一方、それらは「現在の作品の内部に全面的に属しているわけではない」。一種の「悪夢」を描いた《咳をする男》は「病気の若者の映画」であり、「若者の叫び」であって、最初期のこの段階から、今では「〈アニミタス〉の静謐さ」にまで達したのだ。そこでは「叫びではなく、「その後」の静けさ」が問題となる。彼はこのように、自らの軌跡を簡潔に要約した。

ボルタンスキーはまた、別の質問者から長崎という場所の選択について問われて、この町が彼にとって「特別な何か」を持っている理由を二つ挙げた。第一に、長崎は「偶然という問題」を提起する。どうしてこの町であって別の町ではなかったのか、どうしてこのひとが死んで別のひとは生き延びたのか。第二に、長崎は「人類の残酷さの証拠のひとつ」である。しかし興味深いことに、そこでは米国の行為が告発的に言及されるのではなく、むしろ「わたしが大好きな日本人たちも、中国で恐ろしいことをした」として、被害者と加害者の入れ替え可能性が強調されるのだった。きわだってボルタンスキー的なこの問題含みの主題については、本稿でも取り上げている。

長崎をめぐる応答の締めくくりでは、「ちょっと楽観的になるために」としてプルースト『失われた時を求めて』の一挿話——妻を失くした不幸な男が晴れた日の庭に連れ出され、喜びのなかで悲嘆を忘れる——が紹介された（『スワン家のほうへ』冒頭のこの挿話は、他のインタヴューでもよく言及される）。「わたしたちは人生とは悲劇的なものだと知っている。けれども幸いにして、それを忘れることができるのです。」悲劇の深みとわかちがたく共存するこの「軽さ」(あるいはむしろ「軽薄さ」)の次元もまた、本稿で取り上げるように、ボルタンスキー作品の本質に属している。

二〇一九年十月二八日　片岡大右

＊＊＊＊＊＊＊＊＊

1 「キリスト者」という名のユダヤ人

ナチス・ドイツによる占領下のパリ、大邸宅の立ち並ぶグルネル通りの一角で、近隣に聞こえるほどの夫婦喧嘩が夜中に始まる。医師である夫──オデッサ難民の息子のユダヤ人──は失踪し、コルシカのカトリック的ブルジョアジーを出自とする妻は離婚の手続きを取る。彼女のもとに残された二人の息子のうち、まだ二、三歳のリュック＝エマニュエルは父の突然の不在に苦悩する。けれど九歳上の長男ジャン＝エリーは、母に打ち明けられた秘密を共有して、パリ解放の時まで父を守るため力を尽くすだろう──偽装された喧嘩と出奔ののち、彼は床下での潜伏生活を始めていたのだ。「でも時々は出てきたらしい。だって僕をつくったんだからね」──一九四四年九月六日、前月の〈解放(リベラシオン)〉の直後に生まれ、クリスチャン＝自由(リベルテ)と名づけられた第三子は、父母の冒険をこのように振り返っている（『クリスチャン・ボルタンスキーの可能な人生』佐藤京子訳、水声社、二〇一〇年、第一章。以下、美術史家カトリーヌ・グルニエを聴き手とするこの自伝的著作の引用に際しては、数字で章を示す。なお後掲『隠れ家』によると、父は狭隘な空間に身を潜めていたにせよ、つねに床下にいたわけではないようだ）。

まずは戦後に作家となった母の小説につづられ、ついで世界で最もよく知られた現代美術家のひとりとなる三男によって繰り返し語られたのち、彼の甥のジャーナリスト、クリストフ——ブルデュー以後のフランス社会学を代表する存在となった次男リュックの息子——により新たに小説化されるに及んで（『隠れ家』、二〇一五年のフェミナ賞を受賞）、ボルタンスキー家の歴史は二十世紀フランスの伝説としての地位をたしかなものとしたといってよい。戦後の一家は、なおも危険が去っていないかのように——またポリオを患いひとりでは動けない母のためもあって——決して単独では外出せず、邸館の中央部と左翼を数階にわたり占有していながら夜は全員が同じ部屋で寝るという特異な日々を過ごす。「［両親の］友人たちの八〇％は、収容所からの帰還者か生き残りのユダヤ人ばかりで、ほとんどが共産主義者だった」（一）。母ミリアム（筆名アニー・ロラン）もまた、出自社会への幻滅を胸に共産党に入るが、それでも一家は毎週日曜に教会に出かける。ただし「ミサの間中、みんなで車の中にいた。一時間一言も喋らずにミサが終わるのを車の中で待っていた」（一）。戦前に進んでカトリックに改宗していながらも教会に足を踏み入れようとはしない父エチエンヌの特異な敬虔さ——既成の制度的宗教の枠組みに収まることのない一種の神秘主義――に、「キリスト者」と名づけられた息子は強い印象を受ける。いずれにせよ、クリスチャン・ボルタンスキーは、ホロコーストの記憶に取り巻かれながらも自らのユダヤ性に向き合うことなく、また兄たちと異なり、共産党はもとより広義の左派の政治文化に身を浸すこともないままに、この奇妙な――「閉じこもったというよりひとつに溶け合った」(『隠れ家』)――家族のなかで生きていく。そもそも彼は、十歳の頃には学校に行くのをやめてしまうのだ。「こんなに理解のある家庭に生まれていなかったら、たぶん施設送りになっていたでしょう」(仏誌『ラ・ヴィ』二〇一〇年一月二一日号)。

2 「かけがえのないことと滅びうること……」

「なかなかいいよ」(二)――粘土のオブジェをリュックに褒められて、一三歳の不就学児は芸術家になろうと決める。練習したものの画業は諦め、映像とインスタレーションからなる最初の個展「クリスチャン・ボルタンスキーの不可能な人生」を開くのは、一九六八年五月のことだ。ほとんど革命的な事態を前にしての周囲の喧騒にもかかわらず、当時の状況からの影響をのちに問われた老芸術家は「全くない」と答えて、政治への関与を芸術活動にとっての「気晴らし」にすぎないとみなし差し控えてきた自らを、あえて「反動的」と称している(三)。大阪の国立国際美術館に続き、現在東京の国立新美術館で開催中の回顧展「Lifetime」(秋からは長崎県美術館に巡回）を訪れるなら、《出発》（二〇一五年）の電光掲示に迎えられつつ、このデビュー当初の作品の一部を目にすることができる。

六九年の短篇映画《咳をする男》は、身体を震わせ血反吐を吐くジャン＝エリーをドキュメンタリー風の映像のもとに捉え（なお言語学者となったこの長兄は、同年の《なめる男》にも出演）、ただただ不気味な印象を残す。コンセプチュアル・アートとミニマル・アートの全盛期におけるこの生々しい表現主義の発露が、その後に引き継がれることはない。けれどもボルタンスキーによれば、やがて採用される形式主義的諸手段によって自覚的に「冷まされた」にせよ（六）、「センチメンタル・ミニマリスト」（米誌『ザ・ビリーヴァー』電子版2014.3.12）を自称する彼の芸術は以後も一貫して、感情を核とするものであり続けた。例えば、初期作品以来連ねられるビスケットのブリキ缶は、ジャッド風のミニマリズムに近い印象を生み出す一方で、幼年期と結びついた「感情的負荷を帯びた物体」としても受け止められる、といったように（スイス誌『パーケット』二二号、一九八九年）。

やはり入り口付近でわたしたちは、最初期の粘土作品を見つめる。幼い頃の所有物を、記憶に頼り、壊れやすい素材を用いて復元しようとするこれらの試みは、「プルースト的」（三）と称されていた時期の芸術家の傾向を代表している。記憶とその想起が、基底的な表現主義と並び、以後の諸作を貫く主要テーマであるのはいうまでもない。けれども注目すべきは、ここでの努力が、彼が生きてきた環境の特異性を回復させるのではなく、ごくありきたりの《長靴》（七〇年）や《椀とスプーン》（七一年）に向かっていることだ。そしてこの一般性への志向は、七一年の《D家のアルバム》によって、彼自身の幼年期からの解放を実現する。広告業者だった友人ミシェル・デュラン――この名字はフランスで最も典型的なものひとつ――の家族アルバムを利用したこの作品は、現実の諸個人によってたしかに生きられたものでありながら、ほとんど誰のものでもありうるような典型的な生活風景を提示している。ずっとのちの二〇〇三年、ボルタンスキーはこの旧友のギャラリーで、制作の狙いを振り返るだろう――「一番興味があったのは、社会的儀式、幸福な瞬間、聖体拝領、結婚といったもののイメージでした。強烈で幸福な瞬間、ただそれだけ」。個々人によって強度の感情をもって生きられた瞬間が、しかし同時に儀式的な制度性によって枠づけられた集団的かつ匿名的な性格を帯びているということ。すぐれてボルタンスキー的なこの両義性の問いは、じっさい、《D家のアルバム》において最初に明確に提起されたのだといえるだろう。「Lifetime」の東京会場では、一九七一年のこの作品を《青春時代の記憶》――様々な人びとのありふれた写真からなる二〇〇一年の作品――と向かい合わせに展示することで、数十年にわたる探究の持続性が示唆されている。

これらの作品を眺めるわたしたちの耳には――入場前からずっと――、会場内のスピーカーから発せられる誰かの《心臓音》（二〇〇五年）が響いている。入り口で配布された資料によれば、これは「クリスチャン・ボルタンスキーの心臓音を使用した作品」だ。そしてすぐそばに掲げられた電光カウンターは、《最後の時》（二〇一三年）に至るまで彼が生きていく時間を秒単位で刻んでいる。とはいえ、芸術家自身の生と分かちがたいこうした作品は、もちろん、他人の人生の諸断面を匿名的な一般性のもとに提示する諸作と対立しているわけではない。《心臓音のアーカイブ》(二〇一〇年)のプロジェクトが明らかにしているように、一人ひとりの心臓の鼓動音は驚くほどに異なっており、しかしそのことはほとんど何も意味しない。そして一人ひとりの生の時間のかけがえのなさは、それを比較可能な数値へと還元することを妨げるものではない。「わたしたちはみなが同じであり、みなが異なっている」(前掲『パーケット』)。素材を提供するのが他人の人生であれボルタンスキー自身の人生であれ、問われているのは変わらず、個としての特異性を保ちつつも、ある全体性の内部の取り替え可能な一要素でもあるという、社会を生きる人間に固有の両義性である。「わたしたちはかけがえのない存在なのですから、相互に取り替え不能です。けれどもわたしたちは取り替えられてしまう。こうして人生は続いていくのです」(前掲『ラ・ヴィ』)。

この点で、彼の関心が、社会学者である次兄のそれと交差していることを指摘しておこう。クリスチャンが、近代芸術の前提をなす個人の特権性に依拠しつつもそれを集合のなかでの無名性へと開いていくのに対し——なお彼によれば、「果たされるべき運命を担いつつも、地上においては何ものでもない」という意味で、「ロマン主義的芸術家とユダヤ人のイメージには関係がある」(『パーケット』)——、リュックのほうは、集合性から出発する彼の学問分野の要請を尊重しつつも、そこで還元されがちな個人の単独性を考慮に入れうるような理論構築を企ている。「兄のリュックと話をすることは、僕にはとても役立つ。〔…〕普通の人なら書物を通して習得するような思考の展開を僕に促してくれるからだ」――ボルタンスキー家の末弟はこのように証言しているけれど（七）、兄弟の対話の恩恵は双方向的であるようで、じっさい、リュックの二〇〇四年の著作『胎児の条件』（小田切祐詞訳、法政大学出版局、二〇一八年）では、「謝辞」においてクリスチャンとの議論の意義が強調されている。取り替え可能な一般性と個々人のかけがえのなさのあいだの緊張を、兄が胎内の生命とその中絶可能性に注目しつつ論じたのと前後して、弟は同じ緊張を、とりわけ生命の根源としての心臓に注目しつつ改めて主題化していく。一九七〇年代以降、彼の作品がつねに問いかけてきたのは、「かけがえのないことと滅びうることとのあいだの緊張」（『ラ・ヴィ』）というこの主題にほかならない（なおフランス語では、二〇一七年に社会学者アンヌ・ソヴァジョによる二人の並行的伝記が刊行されている）。

3 「わたしはショアの芸術家ではなく……」

七歳から六五歳までのボルタンスキーの肖像が代わる代わる映し出されるカーテン――《合間に》（二〇一〇年）――をくぐり抜け、わたしたちは再び、他の人びとの運命に関わる諸作品に向き合う。あるいはそれらに取り囲まれ、それらによって構成されるひとつの環境のなかに身を置く。大きな空間内に展示された作品群は、二点（ともに二〇〇〇年の《往来》と《三面記事》）

を除き一九八五年から一九九〇年までのものであり、米国での突然の成功の端緒となった連作〈モニュメント〉からの数点（八五〜八七年）、ホロコーストの記憶と暗示的に結びついた〈プーリム祭〉数点（八七〜九〇年）と〈シャス高校の祭壇〉一点（八七年）を含んでいる。〈モニュメント〉で明確に打ち出された宗教的性格は、「特定の宗教ではなく皆に共通する宗教性といったもの」（十）として意図されていたにもかかわらず、当時からユダヤ人の歴史と結びつけられがちだった。ボルタンスキーは、すでに引いた八九年のインタヴューで、自作がとりわけ「米国とイスラエルでは、ホロコーストと結びつけられることが多い」ことに困惑している。例えば、七十年代のフランス地方都市の少年たちの写真を用いた《モニュメント（ディジョンの子どもたち）》（八六年、非出展）は、「ニュー・ヨークでは、まったく全員によって、強制収容所で死んだ子どもたちの写真を使ったものだと解釈された」（『パーケット』）。

たしかに彼自身、父の死（八四年）を機にユダヤ的アイデンティティに向き合うとともにホロコーストの歴史性を意識して、八七年以後に取り組まれた〈シャス高校の祭壇〉および〈プーリム祭〉の連作では、それぞれウィーンとパリの三十年代のユダヤ人の子どもたち——その少なからずはやがて収容所を経験したはずの——の写真を用いている。けれどもほんの数年で、この種の暗示は放棄されてしまう。今回出品されている《死んだスイス人の資料》と《一七四人の死んだスイス人》（ともに九〇年）は、この再転換の明瞭きわまりない宣言として制作されたものだ。「スイス人を選んだのは、彼らが歴史を持っていないからです。死んだユダヤ人

——あるいは死んだドイツ人であっても——を使ってこの種の作品をつくるというのは、おぞましくも胸のむかつくことでしょう。けれどもスイス人には死ぬべき理由がない。だから彼らは誰でもありうる、どんなひとでもありうる。そんなわけで、彼らは普遍的な存在であるのです」（九七年の作品集、T・ガーブとのインタヴュー）。ユダヤ人のように死の観念と歴史的に結びついていなくても、ひとはやはり死ぬ。「あるひとは癌で死に、別のひとは自動車事故で死ぬ。理由も説明もありはしません」（『ラ・ヴィ』）。理由なき死を死んだということのために、「こうした死者たちはある意味で、いっそうの恐怖を感じさせる。死んだスイス人はわたしたちなのです」（『パーケット』）。「Lifetime」の東京会場では、〈モニュメント〉から〈シャス高校の祭壇〉と〈プーリム祭〉を経て《死んだスイス人の資料》に至る五年間の諸作が、ひと連なりの広々とした空間を構成する二室にまとめられている（《一七四人の〜》は別置）。そこではおそらく、ホロコーストとユダヤ性の主題の改めての相対化が演出されているのだといってよいだろう。

　とはいえホロコーストの経験は、以後の彼にとっても、いわば乗り越え不能の地平であり続けているように見える。ただしボルタンスキーはそれを、この地平の内部に住まうすべての人間が分有する経験の限界を画すものとみなし、わたしたちの日常を浸す基本的な環境として全般化するのである。「わたしはショアの芸術家ではなく、ショア以後を生きた芸術家です。あらゆることが起こりうるのだということを知っている芸術家、ということです」（『ラ・ヴィ』）。

4 「万聖節、つまりあらゆる人間は聖人……」

彼によれば、そこで明らかになったことのひとつは、加害者と被害者の分ちがたさ、両者の等価性である。ナチスの蛮行は、わたしたちと同じ普通の人びとによって担われた。そうであるなら、彼ら加害者を被害者と区別すべきではないのかもしれない。芸術家はこうした考察を、カトリックの宗教伝統のまったく独自の再解釈を通して展開している。〈モニュメント〉の連作以降、彼は万聖節を意味するフランス語「トゥーサン〔全聖人〕」のうちに、「あらゆる人間は聖人であるという考え」を読み取るようになる。たとえ状況のなかで怪物となろうとも、だから結局のところ、「全ての人間は許され、人間は皆聖人」なのだという〔九〕。他の出品作のなかでは、磔刑図の凡庸化の試みとみなしうる《コート》〔二〇〇〇年〕、そしてとりわけ《ヴェロニカ〔たち〕》〔一九九六年〕が、こうした発想を色濃く反映したものといえるだろう。後者にあっては、半透明の四枚の布それぞれから、救世主ならぬ女性たち自身の顔がぼんやりと浮かび上がる。彼女たち自身が――おそらくは、ボルタンスキー的に捉えられたすべての人間と同じ資格で――神の映像なのである。

こうして、悪に傾いた者を含めすべての人びとのうちに聖性を認める立場から、ボルタンスキーは、パリのユダヤ芸術歴史博物館のために《一九三九年のサン＝テニャン館の住人》〔九八年、非出展〕を制作するに当たり、「建物の門番がユダヤ人を密告した人だったら?」という依頼主の懸念を退けて、非ユダヤ人を含めた当時の全住人の名前を用いることができた（九）。ホロコーストの主題系を離れてより一般的にいうなら、「誰もが被害者であると同時に犯罪者であると彼は確信している。それにまた、「犯罪者の顔」など存在しないのだ。「写真を見て誰が犯罪者で誰が被害者かを当てようとすると、ほとんどの人間が間違える」（一三）。今回の会場では、《三面記事》――悲劇的な諸事件の記事から切り取られた写真を、加害者・被害者の別なく並べたもの――が〈プーリム祭〉ほかと同じ部屋に展示されているのは、こうした分かちがたさを強調するために違いない。

「悪はわたしたちみなのうちにある」（仏紙『ル・モンド』電子版2008.7.22）――倫理的判断を宙づりにしかねないこうした信念は、ところで、彼の次兄を苛立たせ、二人の主要な対立点のひとつとなっているらしい。「リュックは皆同じ価値を持っているという僕の考えに大反対なんだ」（九）。この点で興味深いのは、社会学者が九三年の著書『距離を介した苦しみ』を、息子クリストフ――当時『リベラシオン』の中近東特派員だった――と弟に捧げていることである。メディアを介して伝えられる遠隔地の痛ましい出来事を前にして、いかに応答すべきかを論じるこの本を書きながら、リュック・ボルタンスキーは「弟クリスチャンのことを考えずにはいられなかった」のだという。「彼の作品の大部分は、美的な自己満足に陥ることなしに、絶滅という事実を考察しているのだ」。とはいえこの弟が、「表象の世界」から「行為の世界」への困難な移行を論じる兄の情熱を、全面的に共有しているとはいいがたい。最近の発言を引こう

――「ショアについて、スターリンについて、知っていた人びとはなぜ声を上げようとしなかったのかと問われます。でも現在のわたしたちだってシリアについて知っている、難民について知っている。それでは人びとは何をしているのか、わたしは何をしているのか？　何もしていないわけです」（英紙『フィナンシャル・タイムズ』電子版2018.3.30）。それでも、彼が人間と社会をめぐる問いかけを、「美的な自己満足」と無縁なところで行ってきたことはたしかだ。様々な局面で判断を異にしているのかもしれない兄弟が、それでも根本的な何かを共有し対話を維持している事実には、心打たれるものがある。

5　「天国でも地獄でもなく……」

〈モニュメント〉以後数年間の展開に焦点を当てた空間を後にし、《幽霊の廊下》（二〇一九年）に進み出ると、その先の広がりには漆黒の《ぼた山》（二〇一五年）が構えている。大量の黒い服の堆積からなり、アウシュヴィッツを漠然と連想させるこの不穏な塊は、当初はベルギーの旧炭鉱複合施設グラン・オルニュの現代美術館のためにつくられたもので、危険と隣り合わせの炭鉱夫たちの運命を示唆しながらも、結局のところはあらゆる人間に対し分け隔てなく、しかし偶然のように降りかかる終焉の出来事を体現している。「世界は残酷だ、でももっと悪いものがある。それは神です」（仏紙『リベラシオン』電子版2010.1.30）。ボルタンスキーは、とりわけパリのグラン・パレでの第三回「モニュメンタ」／《ペルソンヌ》（二〇一〇年、非出展）の展示の機会に、この理由なき殺戮の力について大いに語った。けれども彼は、過酷さのこうした認識を、意表をつくような朗らかさで釣り合わせている。「強制収容所のなかにだって人生はある。わたしはかなり軽い人間です。軽さこそは最も素晴らしい」（同）。なるほど、今わたしたちが身を置いているこの広大な空間にしても、闇と陰鬱によってすべてが支配されているのではない。

《ぼた山》の周囲の中空に浮かぶ《スピリット》（二〇一三年）たちは、不吉な冥暗とは対照的な白さを湛えている。地表に意識を戻すなら、そこここに控えた彼岸の番人たちが、誰かが近づくのを待って《発言する》（二〇〇五年）のが聞こえる。「教えて。光が見えた？」「聞かせて。苦しんだの？」その口調は優しい。しかしこの空間の明るみは、何より、中央に据えられた《ぼた山》の左右それぞれの手前に設置された二つのインスタレーションから発せられている。

左手の背後には、《アニミタス（白）》（二〇一七年）が広がる。〈モニュメント〉ほかを展示する空間においてすでに響いていた鈴の音の連なりは、この映像の音声である。ボルタンスキーの新しいプロジェクトの第一作、《アニミタス（チリ）》（二〇一四年、東京会場には非出展）は、標高四千メートルのアタカマ砂漠——世界で最も乾燥した土地であり、圧倒的な星空で知られる——に、彼が生まれた日の現地の星座をなぞるように風鈴を設置して、一三時間にわたりビデオに収めたものだ。これら数百の風鈴は一つひとつが「小さな魂」であって、だからこの作品は、この場所にピノチェト独裁期に密かに埋められた多くの政治犯を弔う霊廟でもあった。「Lifetime」東京会場に出品された第三作、《白》に舞台を提供したのは、ケベックのオルレアン島の雪原である。この一連のインスタレーションが現出させるものを、芸術家自身はこのように定義している――「天国でも地獄でもなく、たんに滅びの場所といいましょうか。わたしたちの存在は滅んだ、けれども悲しいことではない。そこはただ、待機する場所なのです」（英オンライン誌『エレファント』2018.4.17）。

歓喜に満ちてはいないけれど、悲痛さの支配とも無縁の、奇妙に静謐な場所。〈アニミタス〉連作に先立ち、「モニュメンタ」のインスタレーションの《その後》（二〇一〇年、非出展）を描いたマック／ヴァル（ヴィトリー＝シュル＝セーヌ）の展示は、すでに死後の世界を静かな世界として描いていた。けれども大きな違いは、ダンテを踏まえつつ「辺獄（リンボ）」として語られるこの世界が（例えば仏紙『フィガロ』電子版2010.1.9）、暗がりに閉ざされていたことだ。「Lifetime」の――あるいは〈アニミタス〉の――提示する明るみに浸された死後の世界は、だからいわば《その後》の「その後」として、二〇一〇年のヴィジョンからの転換によってもたらされたのである。ボルタンスキーは、二〇一六年に《その後》から《アニミタス（チリ）》への変化を問われて、このように答えている――「ええ、今はわたしはもっと楽天的になっています。たしかにこれまでは、リンボを思いながら仕事をすることが多かったのですが」（仏誌『アール・アプソリュマン』、二〇一六年二月のクリスチャン・ボルタンスキー＋ジャン・カルマン《真夜中》公演――日本では「越後妻有大地の芸術祭2006」に出品後恒久設置されているインスタレーション《最後の教室》の共同作業で知られる両者によるこのパフォーマンス作品は、改装中のパリ、国立オペラ・コミック劇場の工事現場にて上演された――に合わせて刊行された特別号)。

ところで、このリンボの観念もまた、クリスチャンとリュックの兄弟を結びつける要素だ。何しろ二人は二〇〇六年にシャトレ劇場で、劇的カンタータ《リンボ》を共に上演している(台本リュック、空間演出クリスチャン、作曲フランク・クラフチック、照明ジャン・カルマン)。ボルタンスキー兄によれば、現在のヨーロッパの歴史状況――地獄行きを免れてはいるが天国からは遠い――を形容するのに、この中間的な待機と選択の場ほどにふさわしいものはない。憂鬱に身を浸して生きる今日の欧州の人びとは、約束された幸福を思い出さなければならない。それゆえ彼は出版された台本(弟が写真を提供)の自作解説で、「リンボを記憶し、それに抵抗しよう」と呼びかける。こうしたところにわたしたちは、この学識深い社会学者が保持している、集団的な「解放」への、さらには「ユートピア」と呼びうるものへの志向性を認めることができるわけだけれど、弟のほうはといえば、このようなヴィジョンにはもっとずっと懐疑的である。「ユートピアが恐ろしいのは、解答を持っているというところです」――彼はこうして、ポル・ポトの、キリスト教の、共産主義のユートピア志向が多くの人命を犠牲にした事実に戦慄する。共産主義者の母や友人たちの存在にもかかわらず、また彼自身、アトリエを構えるマラコフ――パリ近郊のこの町では、一九二五年以来共産党市政が続く――では同党に投票していることとを明言しつつも、クリスチャン・ボルタンスキーはユートピア思想の典型としてのこの政治運動の歴史的破綻を見定める。しかしそのうえで、彼は最後に留保を付け加えるのを忘れてはいない。「けれどもその一方、ユートピアがなかったら、人間的な何かも失われてしまいます……」。それでは、どうすればよいのか。「唯一の出口は、問いを投げかけることです」（前掲『リベラシオン』）。

6 「答えを持たない礼拝堂」

もう一方のインスタレーション《ミステリオス》（二〇一七年）は、まさにこの問いかけの企てにほかならない。パタゴニア――南米大陸最南端のこの地は、《白》のケベックと対になって、それぞれ人間的生存の北限と南限を象徴している――の浜辺を舞台として、芸術家は鯨――時の始まりを知る存在とされる――との無謀な対話の試みを作品化したのである。ボルタンスキーは、とりわけ一九九〇年代までの仕事において、具体的な人間の写真を素材とし、人間たちが織り成す社会という地平の内部で、かけがえのなさと取り替え可能性の緊張に焦点を当ててきた。けれども、自らの死の間近さを自覚するなかで、彼の関心はこの人間的地平を離れ、人生の時間のその後に向かうようになる。「わたし自身についての何かをつくるのではなく、神話をつくること」（前掲『エレファント』）。漆黒の死を中心に据え、無数の魂たちを象徴する風鈴と鯨の鳴き声を模倣するラッパが響きを交わすこの空間——人間の尺度を超えた世界を見事に形象化したもの——では、入場前から耳に届いていた心臓音はかき消されてしまっている。けれども、《ミステリオス》の奥に進み、《来世》(二〇一八年)のネオン・サインの下をくぐり抜けるわたしたちは、鈴の音が遠ざかるのに伴って、再び心臓の脈動に包まれていく。やがて《到着》(二〇一五年)が告知される。こうしてわたしたちは、「答えを持たない礼拝堂」——先行するイスラエル博物館での「Lifetime」開催(二〇一八年)を機になされた動画インタヴュー(オランダのニュースサイトThePostOnlineのYouTubeチャンネルTPTV.nlにて公開)で、ボルタンスキーは自らの展覧会をこのように定義している——の外に出る。心臓音はまだ聞こえている。

初出 『図書新聞』(武久出版)二〇一九年八月一七日・三四一二号。冒頭の「付記」は以文社ウェブサイトへの転載時(二〇一九年十月二九日)に追加された。

あとがき――もうひとりの「十番目のミューズ」に寄せて

批評の異称としての「十番目のミューズ」について、「序に代えて」ではヴォルテールを参照しましたが、二十世紀にはハーバート・リードが『十番目のミューズ』（一九五七年）と題する批評集を著しています。アナキストを自認するこの英国の詩人・批評家によれば、批評は単に作品を明晰な言語で解説することを超え、作品のいわば感覚的等価物をもたらした時に、「十番目のミューズに供物を捧げる」ことができる。ここでもやはり、作品とともに生きることが問題になっているのです。

ロラン・バルトが『批評的エッセー』（一九六四年）の序文で次のように述べているのも、おそらくそれと別のことではありません――「たとえ役割上他者の言葉について語るものであり、一見すると（それも時として不当に）他者の言葉を締めくくろうと望んでいるようにさえ思われるとしても、批評家は、作家と同じく、最後の言葉を持ち合わせてはいない」（強調原文）。

最後の言葉を述べること、それは結論をつけることです。そして結論をつけるとは、生きることを終えることでもある。バフチンはこう言っています――「人間は生きているかぎりは、自分がいまだ完結していないこと、いまだ最後の言葉をいいおわっていないことを生の糧としているのである」（『ドストエフスキーの詩学の問題』、引用は桑野隆『生きることとしてのダイアローグ』岩波書店、二〇二一年による）。批評の問いが生きることの問いと一体をなすことがわかるでしょう。

ところで、何らかの理念にジェンダー化された形象を与えるという文化伝統が、今日においてかき立てる居心地の悪さというものがあります。ひとりのミューズの未来を問いかける本書の副題は、批評の未来と同時に、まさにこのような伝統自体の未来を問うてもいるのです。その点を断ったうえでわたしとしては、古代人には未知の新たな詩神として、ルネサンス期に印刷術が取り沙汰されたことを想起したいと思います。「印刷術、ミューズの姉妹にしてその十番目のもの」――例えばジョアシャン・デュ・ベレーはこのように述べている（『フランス語の擁護と顕揚』、一五四九年）。編集担当の安藤聡さん、装幀担当の川名潤さん、初出媒体の担当者各位をはじめ、プレイヤード派の詩人が「不吉なれども驚嘆すべき大砲の雷霆」に並ぶ近代人の叡智の結晶とみなしたこの発明の遺産を受け継ぎ、わたしの言葉に書物という身体を与えることに寄与されたすべての方々に感謝を捧げます。

二〇二三年十一月一日

片岡大右

片岡大右（かたおか・だいすけ）
1974年生まれ。東京大学大学院人文社会系研究科博士課程修了。批評家。専門は社会思想史・フランス文学。単著に『隠遁者，野生人，蛮人――反文明的形象の系譜と近代』（知泉書館）、『小山田圭吾の「いじめ」はいかにつくられたか――現代の災い「インフォデミック」を考える』（集英社新書）、共著に『共和国か宗教か、それとも――十九世紀フランスの光と闇』（白水社）、『古井由吉――文学の奇蹟』（河出書房新社）、『加藤周一を21世紀に引き継ぐために――加藤周一生誕百年記念国際シンポジウム講演録』（水声社）、訳書にデヴィッド・グレーバー『民主主義の非西洋起源について――「あいだ」の空間の民主主義』（以文社）、ポール・ベニシュー『作家の聖別――フランス・ロマン主義1』（共訳、水声社）等がある。

批評と生きること
「十番目のミューズ」の未来

2023年11月30日　初版

著　者　片岡大右

発行者　株式会社晶文社
東京都千代田区神田神保町1-11　〒101-0051
電話　03-3518-4940（代表）・4942（編集）
URL http://www.shobunsha.co.jp

印刷・製本　ベクトル印刷株式会社

ISBN978-4-7949-7395-5 Printed in Japan